D1178685

El escudo protector

Donna Grant

Traducción de Elisa Mesa Fernández

PANDORA

Libros publicados de Donna Grant

Título original: *Untamed Highlander*
Primera edición

© Donna Grant, 2011

Ilustración de portada: © Calderón Studio

Diseño de colección: Alonso Esteban y Dinamic Duo

Derechos exclusivos de la edición en español:
© 2012, La Factoría de Ideas. C/Pico Mulhacén, 24. Pol. Industrial «El Alquitón».
28500 Arganda del Rey. Madrid. Teléfono: 91 870 45 85

© Pandora Romántica es un sello de La Factoría de Ideas

informacion@lafactoriadeideas.es
www.lafactoriadeideas.es

ISBN: 978-84-9800-825-8   Depósito Legal: M-32723-2012

Impreso por Blackprint CPI

Para la increíble Jennifer Haymore. Tu fuerza, actitud positiva y dedicación a tu familia mientras luchabas contra el cáncer de mama me inspiran. Nunca te rindas. Y que sepas que nos tienes cuando quieras. Siempre.

1

Montaña Cairn Toul
Verano de 1603

Hayden Campbell juró con fiereza al voltear otro cuerpo helado sobre la ladera rocosa.

—Este está muerto —gritó Fallon MacLeod desde donde estaba, un poco más arriba.

—Todos están muertos. —Hayden dejó escapar el aliento, que creó una nube de vaho a su alrededor. Ignoró la temperatura glacial y la nevada constante. Aunque sentía el frío, no le molestaba, porque no era humano.

Era un guerrero, un inmortal con un dios arcaico en su interior que le confería poderes y una fuerza inconmensurable… entre otras cosas.

Se quitó el hielo de las pestañas mientras dejaba vagar la mirada por la ladera cubierta de nieve y de los despojos de los numerosos druidas muertos.

—Deberíamos haber regresado antes.

Fallon, otro guerrero, caminó hacia él pesadamente. En sus ojos verdes había solemnidad.

—Sí, deberíamos haberlo hecho, pero estaba preocupado por Quinn. Apenas conseguimos sacarlos a Marcail y a él a tiempo de esta maldita montaña.

—Lo sé. —Hayden miró el odiado montón de roca. Siempre le había encantado mirar las enormes montañas. Sin embargo, el hecho de estar encerrado en Cairn Toul durante demasiadas décadas observando al demonio que crecía allí se había llevado el placer que esta vista antes le ofrecía—. Maldita Deirdre.

Deirdre, la que lo había empezado todo, por fin estaba muerta. Era una druida, pero de una secta que entregaba su sangre y sus almas a diabhul, el demonio, para usar magia negra. Era, o había sido, una drough.

Había otro tipo de druidas, los mie, que empleaban la magia pura propia de su condición para unirse a la naturaleza y aprovechar el poder interno que todos ellos tenían. Los mie usaban su magia para sanar y ayudar a quienes lo necesitaban, no para destruir, como hacían los drough y Deirdre.

Hayden y los otros guerreros la habían vencido. Aunque había costado muchas vidas. Demasiadas.

Centenares de druidas habían sido hechos prisioneros en la montaña para que Deirdre les extrajera la sangre y recogiera sus almas para sumarlas a la suya propia. Nadie sabía qué edad tenía Deirdre aunque, a juzgar por los rumores, había vivido durante casi mil años, desde justo después de que los guerreros echaran a los romanos de sus tierras.

Los guerreros habían sido creados gracias a los drough y a los mie, como respuesta a la petición de ayuda de los celtas, y Hayden no podía culpar a los druidas. Roma asfixiaba lentamente a Gran Bretaña, terminando con toda su grandeza. Y los celtas habían sido incapaces de vencerlos.

Los druidas habían hecho lo que habían podido por su territorio. No sabían que los dioses primitivos que invocaron desde el infierno se negarían a abandonar a los hombres de cuyos cuerpos se habían apoderado.

Los dioses eran tan poderosos que los druidas no pudieron eliminarlos. Lo único que pudieron hacer fue dormirlos en el interior de sus receptáculos después de que Roma fuera vencida y sus tropas abandonaran las costas de Gran Bretaña.

Así fue como los dioses pasaron de generación en generación a través de los linajes, encarnándose en los guerreros más fuertes. Hasta que Deirdre encontró a los MacLeod y liberó a su dios.

El reinado de maldad de Deirdre había durado mucho más de lo que a Hayden le gustaba pensar. Aunque había sido muy poderosa, también se podía matar a un drough.

Sonrió al recordar el momento en el que otro guerrero le había roto el cuello a la bruja y después él mismo la había arrojado al fuego.

—¿Por qué sonríes? —preguntó Fallon, interrumpiendo sus pensamientos.

Fallon era el líder de su grupo de guerreros. Se habían unido para luchar contra Deirdre y la perversidad que había esparcido. Aunque habían pensado que les llevaría años, Deirdre lo había cambiado todo cuando hizo prisionero al hermano menor de los MacLeod, Quinn. En ese momento, la lucha recrudeció.

—Porque Deirdre está muerta —explicó Hayden—. Todo contra lo que hemos estado peleando durante estos años se ha terminado. Se acabó.

Fallon sonrió y le dio una palmada en el hombro.

—Es una sensación maravillosa, ¿verdad? Ahora solo tenemos que preocuparnos por hacer que los druidas encuentren el conjuro que duerma de nuevo a nuestros dioses. Entonces podremos vivir como mortales.

Lo único de lo que hablaban Fallon, Lucan y Quinn era de dormir a los dioses. Como los hermanos MacLeod tenían esposas, estaban deseando sacar a los dioses de sus vidas.

Hayden, por su parte, no estaba seguro de querer ser mortal otra vez. Si lo hacía, perdería su poder.

—Voy a mirar en el otro lado de la montaña —dijo Fallon—. Tal vez encontremos a alguien vivo.

—Creo que los que pudieron salir de la montaña ya lo hicieron. El frío mató a los demás.

Fallon dejó escapar el aliento de forma irregular y apretó la mandíbula.

—Entonces, deberíamos mirar dentro de la montaña. Tal vez alguien se sintiera demasiado asustado para marcharse.

Ambos se giraron hacia la puerta que permanecía entreabierta en medio de la roca, como si estuviera esperando a que entraran en sus dominios perversos. Todos los druidas estaban dotados de un poder especial y el de Deirdre había sido mover la piedra. Le había ordenado a la montaña que cambiara de forma para crear un palacio en su interior, protegido del resto del mundo.

Oculto a todos.

Incontables druidas habían muerto de manera atroz y muchos highlanders habían sido llevados ante ella para que liberaran a su dios. Si no albergaban un dios en su interior, los mataba.

Incluso ahora, Hayden podía percibir el hedor a muerte e injusticia que impregnaba la montaña, todavía podía sentir la impotencia que se había instalado pesadamente sobre sus hombros cuando lo habían encerrado en una de las prisiones.

Él había sido uno de los afortunados. Se había liberado y había escapado, decidido a luchar contra Deirdre y su intento de controlar el mundo.

—¿Por qué iba nadie a quedarse ahí dentro? —murmuró Hayden sintiendo que la desazón le recorría la espalda. Cerró los puños con fuerza y se obligó a continuar y no ceder al impulso de alejarse de la montaña maligna.

El highlander se rascó la mandíbula, pensativo.

—No lo sé, pero merece la pena que echemos un vistazo. Nosotros liberamos a esa gente y somos responsables de asegurarnos de que regresen a sus casas.

Hayden consideró las palabras de Fallon.

—Puede que no quieran nuestra ayuda. Después de todo, somos guerreros. Puede que no vean la diferencia entre nosotros y los guerreros que se aliaron con Deirdre.

—Es cierto. Aun así, debo comprobarlo. Solo me retuvieron unos días en la montaña, así que no tengo tantos recuerdos como tú.

Hayden no quería entrar en Cairn Toul, pero lo haría.

—No tengo miedo.

Fallon le puso una mano a Hayden en el hombro y lo miró a los ojos.

—Yo nunca pensaría eso, amigo mío. Aunque no te haré sufrir. —Dejó caer el brazo y sonrió—. Además, quiero volver con Larena lo más pronto posible. Puedes echar un último vistazo a la ladera mientras yo entro.

Antes de que Hayden pudiera protestar, Fallon ya se había marchado. Usó el poder que su dios le daba para «saltar» dentro de la montaña en menos de lo que duraba un parpadeo. Aunque Fallon no podía saltar a ningún sitio en el que no había estado antes, el uso de su poder los había salvado en incontables ocasiones.

Todos tenían diferentes habilidades. A Hayden, Ouraneon, el dios de la masacre que habitaba en su interior, le daba la capacidad de invocar y controlar el fuego. También había otras diferencias. Cada dios tenía un color, así que cada guerrero se volvía de ese color cuando liberaba a su dios.

A pesar de todas las diferencias, había muchas cosas que tenían en común, como la fuerza, la velocidad y los sentidos agudizados, así como garras mortíferas y afilados colmillos. Sin embargo, lo más inquietante era que sus ojos cambiaban y pasaban a ser del mismo color que su dios.

A Hayden le había costado mucho acostumbrarse a eso. Aunque no había visto sus propios ojos, podía imaginarse qué aspecto tenía cuando el blanco de los ojos desaparecía y se volvía rojo.

Hayden se había rebelado contra el dios que llevaba dentro y había luchado contra él. Sin embargo, ese mismo dios le había permitido derrotar a Deirdre. Con ella muerta y su familia masacrada por un drough enviado por Deirdre, al guerrero no le quedaba nada por hacer en este mundo.

Durante muchos años había vagado por Escocia, viendo cómo cambiaba el mundo mientras él perseguía a los drough. Mientras lo torturaba día tras día, Deirdre se había burlado de él contándole que había enviado a un druida a matar a su familia. Así que él luchó contra Deirdre a la vez que se vengaba de los drough.

Ahora, no había lugar para él en ese nuevo mundo. No había lugar para él en ninguna parte.

Continuó recorriendo la montaña en busca de alguien que aún estuviera vivo mientras pensaba en cuál sería su siguiente movimiento. Se había quedado en Escocia por Deirdre y para llevar a cabo su venganza, pero ahora tal vez debería viajar y conocer los diferentes países de los que otros hablaban.

Se apoyó contra un pedrusco y se pasó la mano por el pelo húmedo. Aunque nevaba con más intensidad y los copos eran espesos y pesados, eso no dificultaba su visión superior. Se le quedaban pegados a las pestañas y lo cubrían todo con una deslumbrante manta blanca.

Pasaron las horas y Hayden solo encontró muertos. El hecho de que fueran sobre todo druidas hacía que los descubrimientos fueran más difíciles de soportar. Aunque los druidas tenían magia, eran sensibles a los elementos como cualquier humano y, gracias a la afición de Deirdre por matarlos, cada vez escaseaban más.

Oyó que Fallon gritaba y supo que ya era hora de regresar al castillo MacLeod. Empezaba a darse la vuelta cuando algo llamó su atención.

Se detuvo y entornó los ojos cuando una ráfaga de viento levantó del suelo un mechón de cabello largo y negro. Aunque sabía que lo más probable era que la mujer estuviera muerta, se apresuró a llegar a su lado con la esperanza de abandonar la montaña con al menos una persona viva. Vio un charco de sangre fresca en la nieve y eso le hizo pensar que podría seguir con vida.

—¡Fallon! —gritó mientras apartaba con las manos la nieve y el hielo que rodeaban el cuerpo, pequeño y demasiado delgado.

La mujer estaba tumbada boca abajo, con un brazo doblado y la mano cerca de la cara. El enmarañado cabello de color ébano le ocultaba los rasgos. Sus dedos eran muy delgados y estaban clavados en la nieve, como si hubiera intentado arrastrarse.

Hayden solo podía imaginarse el dolor que habría sufrido, la tortura que Deirdre le habría infligido. Contuvo la respiración mientras ponía un dedo debajo de su nariz y notó un poco de aire.

Al menos se marcharían de aquella montaña maldita con una vida. Se inclinó hacia ella y se detuvo. No quería hacerle daño, pero había pasado tanto tiempo desde que había tratado a alguien con suavidad que no estaba seguro de cómo hacerlo. Lo único que conocía era la batalla y la muerte.

Tal vez debería dejar que Fallon la cuidara. Sin embargo, en cuanto ese pensamiento se coló en su mente, lo rechazó. Él la había encontrado y se haría cargo de ella. No sabía por qué, solo sabía que era importante para él.

Resopló y, despacio, puso con firmeza las manos sobre el cuerpo de la mujer y le dio la vuelta con suavidad. Un brazo cayó a un lado, sin vida e inerte. Sintió que el desasosiego se instalaba en su interior como si fuera una piedra.

Cambió de posición para inclinarse sobre ella, protegiéndola de la ventisca. Cuando la tuvo en sus brazos, le apartó el pelo de la cara y vio que tenía unas pestañas negras increíblemente largas salpicadas de nieve helada.

Sintió que algo cambiaba en su interior cuando vio que su rostro estaba pálido como la muerte, aunque bajo los arañazos, la sangre seca y el hielo pudo ver su belleza, su encanto intemporal.

Tenía los pómulos altos y una nariz pequeña y respingona. Sus cejas eran tan negras como el cielo a medianoche y formaban un arco perfecto sobre sus ojos. Sus labios eran carnosos, sensuales, y su cuello, largo y esbelto.

Sin embargo, fue su piel de alabastro, impecable y perfecta, lo que le hizo inclinarse y acariciarle la mejilla con el dorso de un dedo.

Una sacudida de algo primitivo y urgente le atravesó el cuerpo, como si fuera un relámpago. No podía dejar de mirarla ni de tocarla.

Su cuerpo se esforzaba por respirar, por vivir, demostrando que era una luchadora. Incluso con los elementos en su contra, no se rendía.

En ese momento se rompió algo en el interior de Hayden. No había podido salvar a su familia ni a los numerosos druidas que habían muerto en Cairn Toul; sin embargo, salvaría a aquella mujer, fuera quien fuera.

La necesidad de protegerla lo invadió. Había pasado tanto tiempo desde que se había sentido protector con alguien o con algo que casi no reconoció la sensación. Sin embargo, ahora que lo había hecho, el sentimiento se hacía más fuerte con cada segundo que la sostenía entre sus brazos.

Se aseguraría de que sobreviviera y de que estuviera siempre protegida. Aunque eso no le devolvería la vida a su familia, ni a los druidas, tenía que hacerlo.

Se descubrió deseando que abriera los ojos para ver cómo eran. Quería darle su juramento en ese mismo instante, quería que supiera que lucharía por ella. Sin embargo, la mujer yacía inconsciente en sus brazos.

La promesa tendría que esperar, pero nada evitaría que se comprometiera con ella.

—¿Está viva? —preguntó Fallon.

Hayden levantó la mirada, sorprendido al encontrar a Fallon tan cerca cuando no lo había oído acercarse. Eso no era propio de él, aunque claro, nunca antes había tenido a una mujer tan encantadora entre sus brazos, especialmente a una que lo necesitaba tanto.

—Apenas. Está sangrando mucho y no sé dónde está la herida.

—A juzgar por la sangre que tienes en la mano, yo diría que en la espalda.

Hayden miró la mano que la sostenía e hizo una mueca. No le pareció que contaran con mucho tiempo para salvarla. Por primera vez en... muchísimo tiempo, la necesidad de defender y proteger a alguien lo consumía y lo impulsaba.

—Está temblando.

—Entonces, saquémosla de aquí —contestó Fallon.

Hayden levantó el pequeño cuerpo. Era ligera, aunque a través de la ropa pudo sentir las curvas suntuosas que la proclamaban como mujer. Asintió con la cabeza hacia Fallon y esperó. Fallon le puso una mano en el brazo y al segundo siguiente estaban en el enorme salón del castillo MacLeod.

—¡Por el amor de Dios! —exclamó alguien ante su repentina aparición en el castillo.

—¡Sonya! —bramó Fallon.

Aunque en el salón había un enjambre de guerreros, Hayden solo tenía ojos para la mujer. Quería, no, necesitaba que sobreviviera, y se sorprendió al encontrarse rezando, algo que no había hecho desde antes de que asesinaran a su familia. Decidió en ese preciso momento que la protegería con su vida.

Sentía la calidez pegajosa de la sangre que le empapaba la mano y le recorría el brazo hasta llegar al codo, desde donde goteaba al suelo de piedra. La mujer respiraba de manera irregular y su cuerpo estaba tan quieto que Hayden habría pensado que estaba muerta si no hubiera visto que su pecho subía y bajaba lentamente, aunque con constancia.

—¡Sonya, date prisa! —gritó Hayden. El pensamiento de sostener otro cuerpo sin vida entre sus brazos hizo que se le acelerara el corazón con terror.

La muerte lo rodeaba, siempre lo había hecho y lo más probable era que siempre lo hiciera. Sin embargo, ahora quería que esa mujer viviera, fuera quien fuera.

Se escuchó un aleteo cuando Broc aterrizó en el gran salón, con Sonya en brazos. Broc plegó a los costados sus enormes alas, elegantes y de color índigo, dejó a Sonya en el suelo, inmovilizó a su dios y volvió a la normalidad.

Sonya no dijo nada mientras se apresuraba a llegar junto a Hayden. La gruesa trenza con la que recogía su cabello le caía por la espalda y algunos mechones de pelo le enmarcaban el rostro.

—Ponla en la mesa —le ordenó.

A pesar de que Hayden no quería soltar a la mujer, sabía que no tenía otra opción si quería que sobreviviera. La miró, observó sus labios entreabiertos y su rostro etéreo.

—Está fría.

—Haré que entre en calor en cuanto la sane —replicó Sonya, y sus ojos de color ámbar se posaron en los suyos—. Déjame que la sane, Hayden.

Quinn dio un paso hacia la mesa.

—Broc...

—Lo sé —contestó Broc.

Hayden miró a los dos guerreros y vio que ambos observaban a la mujer que aún tenía en brazos. Había algo en su tono de voz, algo que debería haber reconocido, pero solo podía concentrarse en la desconocida.

Se obligó a mirar a Sonya.

—Creo que la herida está en la espalda.

—Entonces, túmbala boca abajo —contestó la sanadora mientras se remangaba.

—Os ayudaré —dijo Cara, la esposa de Lucan.

Hayden la miró. Habían tenido sus diferencias y, en cierto sentido, todavía las tenían, ya que Cara llevaba sangre drough en las venas. A pesar de que no había pasado por el ritual, para Hayden era suficiente para querer verla muerta.

Solo la dejaba tranquila por respeto a los MacLeod. Aun así, lo irritaba tenerla cerca. El mal llamaba al mal y solo era cuestión de tiempo que se llevara a Cara.

Lo siguiente de lo que se dio cuenta fue de que las otras dos mujeres del castillo, Marcail y Larena, también estaban allí. Todas eran druidas excepto Larena. Esta última era la única guerrera, y además tenía el honor de ser la esposa de Fallon.

A decir verdad, la única mujer que no estaba emparejada con un MacLeod era Sonya, y Hayden se había dado cuenta de cómo Broc observaba a la druida cuando pensaba que nadie lo miraba.

—Necesito que le cortéis el vestido —dijo Sonya.

Hayden no dudó en dejar que una garra roja surgiera de uno de sus dedos. Rasgó el vestido de la mujer con un solo movimiento y cuando la prenda se abrió para revelar la espalda, todos en la estancia contuvieron la respiración. A Hayden se le hizo un nudo en el estómago y sintió que se le helaba la sangre en las venas.

—Cielo santo —murmuró Quinn, y se tapó la boca con una mano.

A Hayden no se le ocurrió nada que decir mientras miraba las cicatrices que atravesaban la espalda esbelta de la mujer que yacía sobre la mesa. Fuera quien fuera, había sufrido mucho y horriblemente. Y a menudo. Si antes se había sentido protector hacia ella, no era nada comparado con el sentimiento que se apoderó de él en ese momento.

Encontraría a los que le habían hecho aquello y les haría sufrir de la misma manera. Después, los mataría.

Sin embargo, fue la herida que tenía en el hombro lo que captó su atención.

—¿Qué le ha ocurrido?

Sonya se acercó un poco más y observó la herida sangrante.

—Parece hecha por algún tipo de espada. Tengo que limpiarla bien para estar segura, pero por lo que puedo ver, creo que el arma le perforó la piel y después la arrastraron hacia abajo, hacia el omóplato.

Enseguida le llevaron un cuenco con agua. Sonya escurrió un paño y empezó a limpiar la herida de la mujer. Algunos angustiosos segundos después, levantó la cabeza. Tenía los labios apretados en una fina línea.

—En esta herida ha intervenido la magia. No sé si ha sido la causante o si solo ha provocado la infección.

Lucan y Fallon se movieron hasta colocarse uno a cada lado de Quinn, que estaba a los pies de la mujer. Broc también se había puesto más cerca de Sonya. En ese momento Hayden paseó la mirada por el salón y vio que todos los guerreros en el castillo MacLeod observaban a la moribunda con atención.

Miró a Quinn y vio que el MacLeod más joven lo observaba con intensidad, clavando en él sus ojos de color verde claro. Antes de que pudiera preguntarle por qué lo miraba, la mujer emitió un débil gemido de sufrimiento y agonía.

Sonya se quedó quieta. Un segundo después lanzó el paño al suelo y levantó las manos sobre la herida, con las palmas hacia abajo y los dedos separados. Cerró los ojos y Hayden sintió que su magia llenaba el salón mientras empezaba a curar la herida.

Cara y Marcail unieron su magia a la de Sonya. Sin embargo, nada de lo que hacían parecía sanarla. La mujer gritó e intentó bajarse de la mesa.

Hayden la sujetó, con cuidado de no tocar la herida, aunque cuanta más magia usaban las druidas, más empeoraba la mujer. El guerrero sintió que lo invadía la frustración mientras veía impotente cómo sufría.

—¿Qué le estáis haciendo? —le preguntó a Sonya.

La druida abrió de repente sus ojos de color ámbar y lo miró. Se inclinó hacia delante, cogió los brazos de Cara y de Marcail y los bajó. En cuanto lo hizo, la mujer dejó de moverse y se quedó tumbada, muy quieta.

Era como si estuviera muerta, aunque Hayden todavía podía ver que respiraba y que de la herida manaba sangre.

—Algo no va bien —dijo Sonya.

Marcail sacudió la cabeza y las finas trenzas negras de su peinado le golpearon suavemente las mejillas.

—Es como si luchara contra nuestra magia.

—¿Qué puede provocarlo? —preguntó Cara. Sus ojos de color caoba miraron a Sonya, pero esta no contestó.

En lugar de responder, apartó del cuello de la mujer los mechones enmarañados, negros como el ébano. Con movimientos lentos, tiró de la fina correa de cuero hasta encontrar lo que buscaba.

Hayden le echó una mirada al Beso del Demonio que colgaba de los dedos de Sonya y sintió la misma traición y la misma furia que había sentido la noche que asesinaron a su familia.

2

—Tranquilo, Hayden —dijo Quinn.

Hayden giró la cabeza hacia los MacLeod y sintió que lo consumía una sensación helada de pavor al mirar a los hermanos.

—Lo sabíais, ¿verdad? ¿Sabíais quién era, lo que era?

—Sí —respondió Quinn—. Antes de que condenes a Isla, debes saber que Deirdre mantuvo a su hermana y a su sobrina prisioneras en Cairn Toul.

Sin embargo, lo único en lo que Hayden podía pensar era en el Beso del Demonio que Isla llevaba alrededor del cuello. Era un pequeño frasco de plata que contenía las primeras gotas de sangre de un druida tras completar el ritual para convertirse en un drough que servía a diabhul.

Un drough. Por ellos Hayden había recorrido toda Escocia, para matarlos.

Los druidas nacían con magia pura, una magia que contenía todo lo bueno y lo correcto. Sin embargo, algunos querían más magia de la que poseían los mie. Esos druidas se volvían contra el bien que tenían en su interior y se convertían en drough.

Hayden bajó la vista hacia Isla, la mujer a quien casi había jurado que protegería. Tenía el rostro vuelto hacia él, lleno de arañazos en las mejillas y en la frente. ¿Cómo era posible que hubiera querido salvaguardarla?

—Es una drough.

Hayden escupió la palabra como si fuera lo más repugnante que se hubiera encontrado en toda su vida y, aparte de Deirdre, así era.

Los drough solo servían a la muerte. No debería estar permitido que algo tan inmoral viviera.

Broc cruzó los brazos sobre el pecho.

—No sabes nada de Isla, Hayden.

—Sé todo lo que hay que saber.

—¡Ya basta! —bramó Fallon antes de que se enzarzaran en una discusión—. Sonya, ¿puedes usar el Beso del Demonio de Isla para curarle la herida? Me gustaría hablar con ella.

Hayden apretó los puños con fuerza para obligarse a no quitarle el frasco a Sonya de las manos y arrojarlo lejos para siempre. La sangre que contenía podía curar las heridas de un drough al instante, o matar a un guerrero. Había algo en la sangre de un drough que era veneno para los guerreros.

Como si Sonya supiera lo que estaba pensando, agarró el frasco con firmeza y lo miró. Hayden no quería hacerle daño a Sonya, así que se limitó a observarla mientras descorchaba el frasco de plata y lo inclinaba sobre la herida de Isla.

No salió nada.

—Está vacío. —Sonya miró primero a Quinn y, luego, a Broc—. No queda nada.

Lucan se pasó una mano por la cara y soltó el aire con brusquedad.

—Mirad sus cicatrices. Yo diría que ha tenido que usar el Beso del Demonio muchas veces.

—No hay tanto en los frascos —dijo Cara mientras tocaba con los dedos el Beso del Demonio que ella también llevaba alrededor del cuello.

Hayden tuvo que recordarse que Cara no era una drough, que el collar que llevaba era de su madre. El impulso que lo había llevado a matar a todos los drough tras el asesinato de su familia volvió a arder en su interior. Allí había una drough sobre la mesa y otra mujer que llevaba sangre drough alrededor del cuello. Podría matarlas a ambas en cuestión de segundos.

Sin embargo, si lo hacía se quedaría sin el primer hogar que había tenido desde que había perdido el suyo. Perdería a los hombres a los que llamaba amigos, hermanos. Bajó la mirada hacia los mechones negros como la medianoche de Isla e intentó calmar la rabia que lo invadía.

—Sánala, Sonya —ordenó Fallon—. A pesar de que sirviera a Deirdre y de que sea una drough, no permitiré que muera en mi castillo.

Hayden ya había visto suficiente. Aunque había encontrado a Isla y la había llevado al castillo, no se quedaría para ayudarlos a curarla. Una vez que el mal se instalaba en un drough, nunca se marchaba.

Había empezado a darse la vuelta cuando Isla se tensó y dejó escapar un grito atormentado que hizo que incluso Hayden sintiera una sacudida. Empezó a temblar en la mesa y más sangre manó de la herida.

—¿Qué ocurre? —preguntó Fallon.

Sonya se encogió de hombros. En su mirada se reflejaban la confusión y la impotencia—. No tengo ni idea.

—Dejadme a mí —dijo Galen.

El guerrero con cabello rubio oscuro caminó hasta la cabecera de la mesa y posó una mano en el cráneo de Isla. Casi inmediatamente la apartó con un silbido. Su rostro había perdido el color.

Se detuvo unos instantes y apretó los labios.

—Sujetadla.

Quinn agarró a Isla por los tobillos.

—¿Qué has visto?

Galen negó con la cabeza y volvió a poner la mano sobre el cráneo de Isla.

Broc, Quinn, Fallon y Lucan la sujetaban. Solo Hayden se negaba a tocarla. Empezaba a apartarse para que otro guerrero pudiera ayudar a Galen cuando este puso su otra mano en su propia cabeza.

En un abrir y cerrar de ojos, Hayden se encontró viendo imágenes proyectadas en su mente de Isla, a la que Deirdre golpeaba y azotaba de una manera que habría hecho que la mayoría de los hombres rogaran por sus vidas. Deirdre se ensañaba con la tortura y su risa resonaba en la mente de Hayden mientras acuchillaba a Isla en la espalda una y otra vez, dejándola empapada en sangre.

Isla lo soportaba todo. Su cuerpo se movía con el impacto de los golpes y su cara no reflejaba ninguna emoción, ni siquiera cuando los cortes penetraban los músculos y llegaban a los huesos.

Entonces Hayden vio que Deirdre ponía una mano sobre el pecho de Isla y a esta la tragaba una nube negra. La nube la ahogaba, le desgarraba el alma y hacía que viera a gente torturada cuyos horribles gritos resonaban en su mente.

Las imágenes hicieron que Hayden cayera de rodillas y se quedó al mismo nivel que unos sorprendentes ojos de color azul celeste que lo miraban.

—Acaba con esto —susurró Isla—. Por favor, córtame la cabeza.

Sin saber si era real o no, Hayden apartó la mano de Galen de su propio cráneo, pero Isla seguía mirándolo.

—Por favor —le rogó con voz quebrada y ojos suplicantes—. Debes matarme ahora.

Eso era lo que debería hacer. Era una drough y los drough debían morir. Sin embargo, por mucho que le suplicara con sus fascinantes ojos azules, Hayden no conseguía hacerlo.

¿Era por lo que Galen le había mostrado o por la súplica que había en la voz de la mujer? Fuera lo que fuera, supo que él no podía ser el que acabara con su vida.

Sonya intentó una vez más curar a Isla, y en esa ocasión Hayden le agarró un brazo cuando ella comenzó a resistirse. Isla luchaba con todas sus fuerzas, pero estaba muy débil por la herida. Cuanta más magia vertía Sonya en Isla, más crecía la mezcla de preocupación y terror que sentía Hayden.

Isla gritaba palabras que el guerrero no podía comprender porque el dolor las hacía confusas. Por mucho que la sujetaban, ella intentaba liberarse.

Pareció pasar una eternidad y el salón se llenó de magia antes de que por fin la mujer cerrara los ojos y volviera a quedarse inconsciente. Hayden se sorprendió al encontrar una mano de Isla fuertemente agarrada a su brazo. Las uñas se le habían roto y se le clavaban en la piel del antebrazo.

—¿Todavía quieres matarla? —preguntó Galen con tono seco y cargado de furia—. Después de haber visto lo que hay en su mente, ¿sigues creyendo que merece morir?

Hayden no se molestó en responder. No estaba seguro de poder hacerlo. Su necesidad de protegerla luchaba contra el sentimiento que pedía justicia por la muerte de su familia. Aún no había decidido lo que haría.

Al mirar el hombro de Isla vio que la herida se había curado, aunque no como debería. Ya no estaba abierta ni manaba sangre de ella, sin embargo tampoco estaba totalmente curada.

—La drough se ha resistido a la magia de Sonya —dijo Broc rompiendo el silencio.

Quinn negó con la cabeza.

—¿Por qué lo haría?

—Me ha pedido que la mate —intervino Hayden. Seguía arrodillado y su cara estaba al mismo nivel que la de Isla. Aunque intentó apartar la mirada, se sintió cautivado por su inquietante belleza. Su petición lo había trastornado. Se sentía muy agitado porque había visto en sus ojos que se lo había pedido en serio. ¿Por qué querría morir?—. Me ha dicho que tenía que morir y acabar con todo.

—La hemos oído —dijo Fallon. Suspiró y miró a Larena—. ¿Tenemos alguna alcoba libre?

Hayden se puso en pie de un salto. Desde que Deirdre había destruido las casas que ellos habían construido, todos se alojaban en el castillo y ya no tenían espacio.

—Dadle la mía —dijo Hayden rápidamente, antes de que le diera tiempo a cambiar de opinión.

Puso los ojos en blanco cuando todos lo miraron.

—No puede quedarse en la mesa, y todas las alcobas están llenas.

Fallon asintió levemente con la cabeza.

—Que lo hagan.

Sonya le hizo un gesto a Broc, que hizo rodar con delicadeza a Isla sobre su espalda y la levantó en brazos. A Hayden no le agradó descubrir que él deseaba ser el que llevara a Isla. Que la necesidad de golpear a Broc para poder tocarla lo había hecho ponerse de pie con los puños apretados. Era ridículo. Era una drough.

—¿Estás bien?

Hayden se giró y vio que su mejor amigo, Logan, estaba a su lado. Logan los hacía reír a todos, siempre hacía bromas y sonreía. Pero en aquel momento no; era preocupación lo que reflejaban sus ojos de color avellana.

—Sí, amigo mío —mintió. Intentó no mirar a Broc mientras se llevaba a Isla, pero no lo consiguió. Odiaba la lucha que se estaba produciendo en su interior. Debería ser fácil. Isla era una drough, y por eso debería morir.

Entonces, ¿por qué no podía matarla?

Logan se acercó hasta quedarse frente a él.

—¿Qué has visto cuando Galen te puso la mano en la cabeza?

Los otros guerreros lo rodearon. Parecía que todos querían enterarse. Él tragó saliva y, aunque intentó formar las palabras, no pudo. A pesar de todo lo que había presenciado en sus ciento ochenta años de inmortalidad, lo que había visto en la mente de Isla lo había horrorizado.

Ver a un hombre sufrir ese tormento era una cosa, y saber que se le había infligido a una mujer, a la que los hombres de su familia deberían haber cuidado y protegido, lo asqueaba.

—Horrores que no podríais ni imaginar —contestó Galen al ver que Hayden no podía hacerlo—. Isla ha sufrido enorme y repetidamente a manos de Deirdre, y Hayden y yo podemos atestiguarlo.

Lucan se apoyó en la mesa y tamborileó sobre ella.

—Y aun así, sirvió a Deirdre.

—¿De verdad lo hizo? —preguntó Quinn. Frunció el ceño y cruzó los brazos sobre el pecho—. No estoy seguro. Hubo ocasiones en las que pensé que podría estar intentando ayudarme en Cairn Toul. Por cómo hablaba a veces, como si sus palabras tuvieran un significado oculto, como si estuviera intentando decirme algo.

Se oyó un bufido desde el fondo del salón. Hayden se volvió y vio a uno de los gemelos, Duncan, de cabello castaño largo, apoyado contra el muro, tallando un trozo de madera.

—Recordad —Quinn ignoró a Duncan y siguió hablando— que todos vimos a la hermana de Isla en las llamas azules, atada y usada por Deirdre. Y aunque ninguno de vosotros la visteis, estaba la sobrina de Isla, cuya magia usó Deirdre para mantenerse joven.

Fallon fue hasta donde estaba Larena, su esposa, y le rodeó los hombros con un brazo.

—Entré en la montaña para buscar supervivientes que no se hubieran marchado. Encontré una niña. Estaba muerta, todavía tenía la daga clavada en el estómago.

—Aunque no le deseo a ningún niño la muerte, Deirdre la había corrompido —dijo Quinn—. Probablemente esté mejor muerta.

Larena se humedeció los labios y miró a Fallon.

—¿Y ahora, qué? Cuando Isla esté curada, ¿qué vamos a hacer con ella?

—La haremos prisionera, como hizo con todos nosotros —respondió Duncan.

Antes de que pudiera seguir hablando, su gemelo, Ian, le puso una mano en el hombro.

—No fue Isla quien nos capturó. Fue Deirdre, y está muerta.

—No permitiré que sea una prisionera —afirmó Larena antes de que Duncan comenzara a discutir con su gemelo.

Fallon negó con la cabeza.

—No, no encerraremos a Isla. La curaremos y dejaremos que siga su camino.

Hayden intentó apartar de su mente los ojos de color azul hielo, inquietantemente hermosos, de Isla, pero no pudo. Quería verla de nuevo y asegurarse de que eran de ese color. Y de su vulnerabilidad.

—¿Qué ocurrió en Cairn Toul? —les preguntó Lucan a Hayden y Fallon.

Hayden se sentó en un banco con la espalda apoyada contra la mesa y escuchó solo a medias lo que Fallon les contaba a los otros sobre su búsqueda en la montaña.

—Y entonces los traje aquí —terminó de relatar este—. El resto ya lo sabéis.

Quinn dejó escapar el aire con fuerza.

—Tenía la esperanza de que no encontrarais a nadie porque todos hubieran logrado escapar, aunque esperaba que estuvieran vivos si seguían en la montaña.

—Hacía demasiado frío —dijo Hayden, recordando los mechones helados de color ébano de Isla.

Mientras los hermanos MacLeod se reunían y empezaban a hablar en susurros, Hayden enarcó una ceja al ver que Galen y Logan se sentaban junto a él, cada uno a un lado.

Él no era el tipo de hombre que quería ni necesitaba compañía. De hecho, lo que deseaba era estar a solas con sus pensamientos, en especial con los que en ese momento batallaban en su interior. Así había vivido mucho tiempo, e incluso estando en el castillo MacLeod con los otros guerreros, a veces ese impulso lo obligaba a abandonar el castillo.

Aunque nunca se iba lejos, el simple hecho de estar a solas lo ayudaba.

—No me voy a disculpar por obligarte a echar un vistazo a la mente de Isla —dijo Galen tras unos momentos de silencio.

Hayden se encogió de hombros.

—No te he pedido ninguna disculpa.

Logan ladeó la cabeza y entrecerró los ojos.

—Ni te imaginas la cara que pusiste cuando descubriste que era una drough. Por un momento, pensé que la matarías ahí mismo.

¿Acaso creían que era un monstruo? Hayden tomó aire con cansancio. Sí, debía de ser una bestia, porque no podía negar que se le había pasado por la mente matarla, ni que todavía lo pensaba. Después de todo, ella se lo había pedido.

¿Cómo podía olvidar que era una drough cuando había sido uno de ellos el que había masacrado a su familia, a todos y cada uno de sus miembros?

—Yo no asesino a la gente —dijo Hayden—. A los drough les doy la oportunidad de luchar antes de matarlos.

Logan se inclinó hacia delante, hasta poner los codos sobre las rodillas.

—No te culparía por querer matarla. Como dijiste, es una drough. Y sé por qué los odias tanto.

Logan era una de las pocas personas en las que Hayden había confiado y que sabían por qué su desprecio era tan profundo. Deirdre le había arrebatado algo a cada guerrero, así que Hayden no esperaba un trato especial por el rencor que sentía.

Galen se puso de pie.

—No conozco tus razones, Hayden, pero puedo adivinarlas. Si alguna vez quieres tener un futuro, debes dejar ir el pasado.

Cuando el guerrero se hubo marchado, Logan giró la cabeza hacia Hayden.

—¿Estarías aquí sentado si Isla no fuera una drough?

Hayden enarcó una ceja.

—¿Qué?

—Es una pregunta muy sencilla. Me di cuenta de lo protector que te mostrabas con ella. Te lo voy a preguntar de nuevo. ¿Estarías aquí sentado si Isla no fuera una drough?

Hayden sacudió la cabeza, incapaz de negar la respuesta.

—No lo creo. —Logan se incorporó y se frotó los muslos con las manos—. Arran dijo que era hermosa.

Arran también lo sabría. Ian, Duncan y él habían estado encerrados en la montaña de Deirdre junto con Quinn. Los cuatro guerreros habían creado un fuerte vínculo durante aquellas espantosas semanas en el foso.

Hayden había creído que su tormento se había acabado al morir Deirdre; sin embargo, la presencia de una drough, aunque fuera una que se había visto obligada a servir a Deirdre, ponía a prueba su cordura.

3

Hayden estaba en un rincón de su alcoba. Aunque se había dicho a sí mismo que era mejor mantenerse alejado, que Isla no le importaba, la curiosidad que sentía por la mujer lo había vencido. Y Fallon había requerido su presencia, no sabía por qué.

Isla se revolvió en la cama, con su cabello negro enredado alrededor de la cabeza y de la cara. Ardía de fiebre. Tenía el cuerpo encendido y la piel le brillaba por el sudor, pero él sospechaba que no era eso lo que hacía que mascullara incoherencias en sueños, porque el miedo se reflejaba en su rostro ovalado.

—No lo entiendo —dijo Cara, que estaba junto a Lucan. Tenían las cabezas juntas—. ¿Por qué no la ha curado nuestra magia? He visto a Sonya sanar heridas más graves.

Sonya se puso la gruesa trenza sobre el hombro sin dejar de mirar a Isla.

—Ha luchado contra nuestra magia. Es como si no quisiera que la curáramos.

—Le pidió a Hayden que la matara —dijo Fallon.

Marcail se sentó junto a la cama y le pasó a Isla una vez más un paño húmedo por la frente.

—Está sufriendo mucho. Puedo sentir el terror en su interior.

Hayden vio que Quinn se acercaba a su mujer, aunque no fue lo suficientemente rápido. Marcail tocó a Isla con la mano y en cuestión de segundos todos vieron que la rigidez abandonaba el cuerpo de Isla.

—Maldita sea, Marcail —dijo Quinn mientras se arrodillaba y apretaba a su mujer contra él. Ella se arrebujó a su lado.

Antes de que Marcail pudiera responder, se inclinó hacia delante y vomitó en un cubo. Cuando terminó y Quinn volvió a abrazarla, tenía el rostro ceniciento y el sudor le perlaba la frente.

A pesar de que Isla había suplicado que la mataran y había luchado contra la curación, Marcail había usado su magia para trasladar las emociones de

Isla a su propio cuerpo. Era el don que tenía como druida. Podía apro
se de las emociones de los demás aunque, cuanto más intensas eran, mas
enfermaba ella.

Quinn la abrazó con dulzura mientras su cuerpo sufría los efectos.

—¿Por qué? —le preguntó a su esposa.

—Podía ayudarla. ¿Por qué no iba a hacerlo? Ella no nos hizo ningún
daño cuando estuvimos en la montaña de Deirdre. Ni una sola vez.

—¿Es muy grave?

Marcail tragó saliva y cerró los ojos.

—Es espantoso. No he sentido nada tan horrendo en toda mi vida. Ni
siquiera cuando liberé a Duncan de su dolor. No sé cómo puede seguir
viva.

Hayden vio un pequeño movimiento en la cama y le dio un codazo a Fallon.

—Se está despertando.

Isla sabía que era un sueño, pero no le importaba. Estaba otra vez con
Lavena, su hermana. Y tenía en brazos a la niña más preciosa del mundo:
Grania, su sobrina.

Los frondosos bosques de su hogar la rodeaban, ofreciéndole consuelo
y belleza. Como druida, amaba la naturaleza y, cuanto más cerca estaba de
ella, más fuerte se hacía su magia.

El cielo estaba claro, los pájaros volaban de rama en rama y sus canciones
llenaban el aire. Los aromas de pino, roble, helecho y brezo se mezclaban y
formaban el olor a bosque que le resultaba tan familiar. Isla podría quedarse
allí para siempre.

Sin embargo, como ocurría siempre, el hermoso día se volvió sombrío con
la llegada de los mercenarios. La risa de Grania se transformó en chillidos
de pánico cuando la arrebataron de los brazos de Isla.

Aunque luchó para alcanzar a su sobrina, los hombres eran demasiado
fuertes y se reían de sus esfuerzos. Lavena le gritaba que cogiera a Grania
e Isla no podía hacer nada contra los fuertes brazos que la retenían.

A pesar de que consiguió soltarse e intentó alcanzar a Grania, un puño
carnoso la golpeó violentamente en la cara, deteniéndola en seco. Después
los tres hombres se separaron e Isla sintió pavor. No por ella, sino por su
hermana y Grania.

El sueño volvió a cambiar y se hizo más oscuro y siniestro mientras la
llevaban al infierno, a la guarida de Deirdre en la montaña. Estaba rodeada
de un espeso humo negro en el que el mal era palpable. El vapor empezó
a tragársela.

Y entonces, el sueño se esfumó. Por un momento Isla no hizo nada, simplemente se quedó tumbada, sin saber muy bien lo que había ocurrido. No sabía dónde estaba. La angustia de sus sueños había desaparecido. Sin embargo, el terror todavía la invadía.

De repente, recordó los serios ojos negros que la habían mirado cuando suplicó que la mataran. Evidentemente, el hombre rubio no había cumplido sus deseos.

Intentó tragar saliva y sintió que la garganta áspera se rebelaba ante el esfuerzo. El cuerpo le ardía por la fiebre y la piel le picaba por el sudor, pero al menos ya no estaba entre nieve y hielo.

Enseguida se dio cuenta de que no estaba sola. Abrió de repente los ojos y se encontró mirando a Fallon y Lucan MacLeod, que estaban a los pies de la cama.

Apartó las mantas y se lanzó hacia la puerta que había visto a su izquierda. Al instante, un dolor atroz la atravesó, pero había soportado cosas mucho peores durante los años que había pasado en Cairn Toul e ignoró el grueso manto de sufrimiento.

¡Tenía que alejarse de ellos, huir de todos antes de que fuera demasiado tarde! Solo había dado unos cuantos pasos cuando un enorme hombre rubio se detuvo ante la puerta, cortándole el paso.

Ella se detuvo en seco. Sentía que el cuerpo le dolía con cada respiración. Con manos temblorosas se apartó de la cara los mechones de cabello que se le pegaban a la piel sudorosa para ver mejor. Recorrió rápidamente la alcoba con la mirada y vio a cinco hombres y tres mujeres observándola. Volvió a fijar su atención en el gigante rubio.

Él se mantenía en silencio, casi diría que relajado, aunque esa actitud no la engañó. Tenía el aspecto de un guerrero, endurecido por la batalla y dispuesto a todo, en cualquier momento.

—Dejad que me vaya —les pidió a todos los que había en la estancia.

—Isla, estás herida.

Ella parpadeó y fijó la mirada en el hombre que había hablado.

—¿Broc?

¿Acaso el guerrero alado se había unido a los MacLeod? No le sorprendía.

—Sí, soy yo —dijo con voz muy suave, como si estuviera hablando con alguien retrasado—. Tienes que descansar.

Isla negó con la cabeza y se arrepintió al instante, cuando la estancia comenzó a girar. Dio un paso atrás y se topó con la pared. Se le revolvió el estómago y clavó los dedos en la piedra para mantener el equilibrio. Estaba muy débil y no sabía cuánto tiempo más podría permanecer de pie antes de que se le agotaran las pocas fuerzas que le quedaban.

—Tenéis que dejar que me vaya —jadeó—. Ahora. No sabéis lo que habéis hecho al traerme aquí.

Fallon MacLeod se acercó. Llevaba el cabello castaño oscuro recogido en una cola de caballo en la nuca. Parecía el líder natural que efectivamente era.

—Deirdre está muerta, Isla. Ya no hay nada que temer.

La mujer no pudo controlar la carcajada que brotó de su interior. Se tapó la boca con una mano y parpadeó para contener las lágrimas que de repente se le agolparon en los ojos. Sacudió la cabeza y bajó la mano.

—No está muerta.

—Sí que lo está —dijo Lucan.

Quinn asintió.

—Escucha a mis hermanos, Isla, porque tienen razón. Vi a Deirdre morir con mis propios ojos.

Isla se preguntó brevemente por qué Marcail, que estaba en el regazo de Quinn, parecía enferma, pero la necesidad de marcharse era demasiado grande como para pensar en otra cosa.

—Deirdre no está muerta.

Una mujer pelirroja con intensos ojos de color ámbar dio un paso hacia ella.

—Tienes fiebre y tu herida está supurando. Deja que tu cuerpo se recupere. Después comprenderás que decimos la verdad.

Isla sabía que discutir con ellos era inútil. Por mucho que no quisiera decir las palabras, tenía que hacerlo.

—¡Ya basta! —exclamó—. No estoy confusa. Conozco a Deirdre mejor que ninguno de vosotros. No está muerta porque, si lo estuviera, yo también lo estaría. Estamos unidas por su magia negra.

Los MacLeod se miraron y el ceño fruncido de Broc le hizo pensar que tal vez él entendiera lo que estaba intentando decir. Incluso el gigante rubio arrugó el ceño al oír sus palabras.

—Broc, estoy diciendo la verdad —afirmó Isla. Debía confiar en ella para que pudiera marcharse—. Deirdre no está muerta. Tenéis que creerme.

Fallon negó con la cabeza.

—No lo entiendo. Vimos que el cuello de Deirdre se rompía, y Hayden le prendió fuego.

Isla no sabía quién era Hayden y tampoco le importaba.

—Deirdre no muere por romperle el cuello o quemarla.

—Quédate aquí y recupérate —volvió a decir Quinn—. Si te vas ahora, morirás.

—Si eso fuera verdad… —murmuró Isla, cansada hasta el alma. Vio que el rubio corpulento apartaba la mirada de ella y aprovechó el momento para lanzarse contra él e intentar escapar por debajo de su brazo.

Sin embargo, no fue lo suficientemente rápida. En cuanto llegó a él, la rodeó con sus brazos como si fueran esposas de hierro y la arrastró contra su duro pecho. Le palpitó la herida y sintió como si los huesos se le fueran a romper en cualquier momento por el impacto de su fuerza. Miró hacia arriba y se encontró con los mismos ojos negros que había visto antes.

Aunque en su cara se reflejaba el enfado, Isla vio un atisbo de emoción titilando en las profundidades oscuras de sus ojos, como si estuviera luchando internamente consigo mismo.

Había puesto las manos en su pecho para apartarse de él, pero debajo de sus palmas había un muro sólido de músculo duro y rígido, inamovible.

Por un segundo tuvo el impulso loco de recorrer ese pecho con las manos para sentir el movimiento de los tendones bajo los dedos. Se perdió en los pozos negros de sus ojos y se preguntó qué sentiría al dejar de luchar contra él y apoyar la cabeza en su fuerte hombro, al abandonar la necesidad de ser fuerte y dejar que él la tomara en brazos.

Aunque había visto a hombres atractivos, había algo diferente y especial en el que la sostenía. Podía ser la dureza de sus ojos negros o la forma en la que las cejas rubias enmarcaban sus ojos, dándole un aire duro y siniestro.

Podía ser la fuerte mandíbula, la barbilla y las mejillas hundidas o cómo el cabello rubio le caía caprichosamente alrededor de la cara y de los hombros, como si se pasara con frecuencia las manos por él.

Fuera lo que fuera lo que la contenía, la impulsó a no luchar contra él, a rendirse ante las sensaciones nuevas y maravillosas que le causaba su tacto. Bajó la mirada a sus labios. ¿Cómo sería presionar la boca contra la suya? Ella nunca había besado a un hombre, nunca había querido hacerlo.

¿Qué había en aquel hombre? ¿Cuál era su relación con los MacLeod? ¿Y qué le pasaba a ella? ¿Acaso la herida le había afectado el juicio?

De inmediato recordó dónde estaba y por qué tenía que marcharse.

—Deberías haberme cortado la cabeza, como te pedí —le dijo.

El guerrero apretó sus labios grandes y firmes hasta formar una estrecha línea. Ella sabía que debería luchar contra él. Sin embargo, estaba petrificada por la atractiva cara que le devolvía la mirada.

—No. —Pronunció esa única palabra con decisión y en su voz profunda se pudo percibir la tensión.

Aunque ella no podía ver mucho de su cuerpo, la manera en la que la sostenía contra él, sin ningún esfuerzo, le decía todo lo que necesitaba saber sobre su fuerza. Estaba claro que era un guerrero.

También se dio cuenta de que, mientras los demás vestían túnicas y pantalones, aquel hombre llevaba una falda escocesa azul, verde y blanca y, debajo, una camisa de color azafrán que no lograba ocultar su pecho, en el que resaltaban unos músculos que ella ansiaba acariciar.

—Por favor —le pidió de nuevo, totalmente confundida por su reacción ante aquel hombre—. Dejad que me vaya. Si me quedo, todos estaréis en peligro.

Él miró por encima de su hombro y entonces Isla oyó el canto.

—¡No! —gritó, e intentó zafarse de los brazos del guerrero—. ¡No me hagas dormir!

Lo último que deseaba era volver a dormir y que las pesadillas la atormentaran una vez más. Sin embargo, no tenía ninguna oportunidad de luchar contra la magia, no en el estado en el que se encontraba. Intentó rogarle otra vez al guerrero, pero el canto para dormir se la llevó antes de que pudiera hacerlo.

Hayden bajó la mirada a la mujer que tenía en brazos. Los ojos de color azul claro de Isla habían reflejado su furia al escuchar el canto de Sonya y le había clavado los dedos en los hombros.

Ahora Isla tenía los ojos cerrados y descansaba la cabeza en su brazo. Él aún podía oír su suave voz de terciopelo suplicándole que le permitiera abandonar el castillo, todavía podía sentir el calor de sus ojos cuando le había recorrido el rostro con la mirada.

¿Le habría gustado lo que había visto? Aunque quería que le diera igual, sentía una extraña curiosidad. Nunca antes había tenido problemas para atraer a las mujeres a su cama. Sin embargo, el rostro de Isla no había reflejado ninguna emoción cuando lo había mirado.

—¿Qué le has hecho? —le preguntó Hayden a Sonya.

La mujer elevó un hombro.

—La he dormido. Se estaba poniendo furiosa y necesita descansar.

—Nos estaba dando información. Y tú no has visto el miedo en sus ojos. No quería dormir.

—El sueño la curará.

—No lo creo —intervino Marcail—. Si lo que tomé de ella ocurre cuando duerme, no es de extrañar que se pusiera tan nerviosa al oír el canto. Volverá a sufrir mucho.

Hayden levantó el pequeño cuerpo de Isla. Se habían llevado su vestido sucio y roto y le habían puesto una camisa blanca que era demasiado fina. Demasiado reveladora. Hayden podía adivinar perfectamente los pechos pequeños y respingones de Isla y sus pezones oscuros. La mayor parte de la suciedad que antes tenía en cara, brazos y pecho había desaparecido, dejando solo una piel blanquísima que él había atisbado en Cairn Toul.

Una piel que, una vez más, deseaba acariciar.

Para su sorpresa, se dio cuenta de que su cuerpo estaba reaccionando ante las suaves curvas ocultas por el sencillo tejido. Ya sabía lo que era sentir sus pechos contra él, sus pequeñas manos en el torso. Conocía las esbeltas curvas que lo tentaban y lo provocaban.

Y, que los santos lo ayudaran, sabía cómo sus labios se entreabrían suavemente, instándole a saborearla mientras lo miraba. A pesar de que no quería responder a Isla, parecía que su cuerpo no fuera suyo en lo que se refería a ella.

Hayden miró a Sonya en lugar de dirigirse a la cama. Quería saber por qué Isla pensaba que Deirdre estaba viva, pero tendría que esperar. También tendría que esperar para volver a ver sus increíbles ojos azules.

—Lo siento —dijo Sonya—. Pensé que sería mejor si descansaba.

Fallon se frotó los ojos con el pulgar y el índice.

—No lo sabías. ¿Cuánto tiempo dormirá?

—Depende.

Hayden juró para sus adentros. Aunque Isla fuera una drough, él no podía olvidar el miedo que había visto en sus ojos. Lo que Marcail había tomado de ella antes era suficiente para asustar a la drough hasta el punto de aferrarse a él, un desconocido, alguien que impedía que se marchara.

Le llevó un momento darse cuenta de que Lucan estaba a su lado, con una oscura ceja levantada en un gesto interrogativo. Sus ojos de color verde mar lo observaban detenidamente.

—¿Qué pasa? —preguntó Hayden.

—Te he preguntado si tienes intención de llevarla en brazos mientras está dormida o si vas a dejar que se tumbe.

Hayden bufó y se dirigió a la cama. Miró a Marcail y vio que la druida lo miraba mientras dejaba a Isla en su lecho. La tapó con las mantas y se giró para marcharse.

—¿Nos ha dicho la verdad? —preguntó Fallon.

Hayden se detuvo y se dio la vuelta para mirar a los demás.

—Está decidida a marcharse o a morir. Lo único que tenéis que hacer es mirarla a los ojos para ver que cree lo que nos ha dicho sobre Deirdre. Si es verdad o no, no lo sé.

Fallon asintió.

—Yo me inclino a creerla —dijo Quinn—. Deirdre me mostró a la hermana y la sobrina de Isla. Las usaba para que Isla hiciera lo que ella quería.

Broc apoyó una mano en el muro de piedra y echó la cabeza hacia atrás, de manera que se quedó mirando al techo.

—Isla permanecía sola excepto cuando Deirdre mandaba a buscarla. Incluso entonces ocultaba cualquier emoción que pudiera reflejarse en su cara.

El miedo que acabamos de ver es real. —Bajó la cabeza y miró a Fallon—. Y eso me preocupa.

—Todos sabemos lo poderosa que se había vuelto Deirdre —intervino Lucan—. ¿Y si Isla está diciendo la verdad? ¿Y si Deirdre no está muerta?

Marcail gimió y enterró la cabeza en el cuello de Quinn.

—Que Dios nos ayude.

—Entonces, ¿dónde está Deirdre? —preguntó Fallon.

Aunque Hayden odiaba preguntarlo, sabía que tenía que hacerlo.

—¿Encontrasteis su cuerpo en la montaña?

Fallon negó con la cabeza.

—Nada.

—Cielo santo —murmuró Quinn, y abrazó aún más fuerte a Marcail.

Hayden miró a Isla, que estaba pálida como las sábanas. Ella sabría dónde estaba la bruja.

Y él pensaba asegurarse de que se lo contara todo.

Dunmore golpeó el leño en la chimenea, levantando un montón de chispas que revolotearon en el aire, y se reclinó en su silla. Un momento después el tronco se rompió con un fuerte crujido.

Se había retirado a la cabaña que tenía cerca de Cairn Toul para llegar a Deirdre fácilmente cuando ella lo necesitara. Todavía no podía creer que se hubiera marchado. Le había dado mucho dinero por su trabajo, aunque lo que realmente le había conferido significado a su vida era saber que estaba haciendo algo para alguien tan grande como ella.

Desde que la había conocido, cuando era solo una muchacha de dieciséis años, supo que Deirdre haría grandes cosas. Nunca se habría imaginado que pudieran asesinarla. Los MacLeod. Era la drough más grande que había vivido nunca. Jamás debería haber ocurrido.

No estoy muerta, Dunmore.

Dunmore se incorporó en la silla y echó una mirada alrededor mientras cogía la espada que tenía al lado. Estaba solo, como lo llevaba estando mucho tiempo. La voz había procedido del interior de su cabeza.

No estás sufriendo una alucinación. Han destruido mi cuerpo, como a la mayoría de mis wyrran. Con mi magia estoy regenerando mi cuerpo mientras hablamos. Volveré a tener forma, Dunmore. Hasta entonces, necesito que hagas algo.

A Dunmore jamás se le habría ocurrido que la voz en su cabeza no fuera Deirdre. Había visto lo que su magia podía hacer y sabía que había vivido mil años. Era la diosa que afirmaba ser.

—¿Cómo puedo serviros? —le preguntó.

Deirdre se rió entre dientes.

Mis wyrran están limpiando la montaña. Debes ir a Cairn Toul rápidamente. Necesito un druida. Los MacLeod pagarán por haber arruinado mi imperio.

—A vuestras órdenes —dijo Dunmore, y se puso en pie de un salto.

4

Hayden cerró la puerta de su alcoba detrás de él cuando salió al pasillo con Fallon, Lucan y Broc.

—No has dicho mucho —le dijo Lucan—. ¿En qué estás pensando?

Hayden cruzó los brazos delante del pecho.

—Dejando aparte del hecho de si Deirdre mantuvo prisionera a Isla contra su voluntad o no, Isla es una drough. Y los drough son malvados. ¿De verdad quieres tener algo malvado en el castillo?

—Me aseguraré de que Isla no haga nada —afirmó Broc—. Sin embargo, está herida y tiene que curarse. Si la echamos ahora, morirá.

Fallon negó con la cabeza.

—No si la creemos. Ha dicho que no puede morir, como Deirdre. ¿Oíste algo similar mientras estabas al servicio de Deirdre, Broc?

—No —contestó—. Algunas veces Isla no parecía ser ella misma. Como guerrero, yo tenía que relacionarme con otros guerreros, pero Isla siempre estaba sola a menos que la bruja la necesitara. No tenía a nadie en esa maldita montaña.

A pesar de que Hayden no quería sentir ninguna conexión con la drough, enterarse de que prefería estar sola lo hacía imposible.

—Entonces, ¿qué hacemos?

—Yo pensaba que Quinn haría todo lo posible por echar a Isla, ya que Marcail está embarazada de él, pero he visto la determinación en la cara de su esposa —dijo Lucan—. Ella quiere que se quede. Al menos, por ahora.

La puerta se abrió. Cara salió de la alcoba y fue directa hacia Lucan.

—Marcail está intentando llevarse de nuevo las emociones de Isla y Quinn se lo está impidiendo. Lo que sea que se apodera de esa mujer cuando sueña es... espantoso.

Lucan la besó en la frente y la acercó a su cuerpo.

—¿Qué piensas de Isla y de lo que nos ha contado sobre Deirdre?

Cara se colocó un mechón de cabello de color avellana detrás de la oreja y levantó sus ojos oscuros hacia su marido.

—Yo la creo, Lucan. Aunque no quiero hacerlo, la creo.

—Entonces, Deirdre no está muerta —dijo Broc rompiendo el silencio, y sacudió la cabeza con tristeza—. Pensé que su dominio de terror se había terminado para siempre.

Hayden oyó que alguien se acercaba y, cuando se giró, vio a Arran. Era uno de los tres guerreros que se habían unido a Quinn mientras este estaba encerrado en Cairn Toul.

Aunque no sabía mucho sobre Arran, el guerrero le gustaba. Cuantos más hombres tuvieran de su parte, mucho mejor, especialmente ahora, si Deirdre no había desaparecido.

Arran se detuvo junto a Hayden y se apartó el cabello castaño oscuro de la cara con un movimiento suave de la mano.

—¿Qué ocurre?

—Primero —dijo Fallon—, me gustaría que me dijeras qué piensas de Isla. Trataste con ella en la montaña.

Arran se encogió de hombros y escudriñó a los presentes.

—A veces iba al foso, pero nunca nos hizo daño y apenas hablaba con nosotros. Iba para preguntar quién deseaba someterse a Deirdre. Solo la veíamos en esas ocasiones. —Broc enarcó una ceja rubia—. ¿Creéis que Quinn y yo mentimos?

—No —contestó Lucan por Fallon—. Solo queremos contar con más opiniones. No sabemos con certeza a qué nos enfrentamos.

—¿Y a qué exactamente nos enfrentamos? —preguntó Arran.

La mirada de Hayden se encontró con la de Arran.

—Isla dice que Deirdre no está muerta.

—¿Cómo es posible?

—Están conectadas de alguna manera —le explicó Hayden—. Deirdre usó su magia negra.

Arran apoyó la cabeza contra el muro y suspiró.

—Justo cuando pensaba que se había acabado.

—Entonces, ¿la crees? —le preguntó Fallon.

Arran se rió, aunque no había nada de alegría en su risa.

—Después de las cosas que he visto en esa montaña, no me sorprendería. Siempre he pensado que Deirdre murió con demasiada facilidad.

—Yo también lo he pensado —admitió Lucan—. Sin embargo, creí que habíamos conseguido vencerla al fin.

Broc apoyó una mano en el muro de piedra y sacudió la cabeza.

—Si Deirdre no está muerta, existe la posibilidad de que venga a por nosotros.

—Tal vez ya lo haya hecho —dijo Arran—. Si Isla está unida a ella, tal vez sea su arma.

—No —replicó Hayden al instante, aunque no estaba seguro de por qué lo sabía—. Isla quiere marcharse. Nos ha suplicado que dejemos que se vaya. No estaba fingiendo.

Lucan se frotó la cara con una mano.

—Estoy de acuerdo con Hayden. Deirdre no podía saber que regresaríamos a la montaña a buscar prisioneros, así que el hecho de que Hayden encontrara a Isla no ha podido ser planeado.

—Sí —intervino Fallon—. Lo que me preocupa es que esa drough ha dicho que estamos en peligro.

Arran maldijo.

—Porque, si está vinculada a Deirdre, esta puede usarla en cualquier momento.

Hayden empezó a preguntarse si debería haber matado a Isla cuando tuvo oportunidad.

Cuando Isla abrió los ojos de nuevo, vio que la alcoba estaba a oscuras, excepto por la débil luz de una vela. No sabía cuánto tiempo había pasado, pero tenía claro que debía recuperar las fuerzas para evitar otro canto que la hiciera dormir.

El solo hecho de pensar en revivir ese sueño una y otra vez le ponía los pelos de punta. Ahora estaba despierta y pretendía quedarse así mucho tiempo.

—No vamos a hacerte daño.

La suave voz femenina vino de su derecha. Isla giró la cabeza y se encontró con Marcail, que la observaba con aquellos inusuales ojos de color turquesa.

—Mientras me tengáis aquí, os hacéis daño a vosotros mismos —contestó Isla.

Marcail bajó la mirada a sus manos.

—¿Por qué?

—No crees lo que he dicho sobre Deirdre. —A Isla nunca se le habría ocurrido que dudaran de ella.

—Por favor, tienes que entender que la vieron morir.

Isla suspiró y se sentó. Subió las piernas hacia el pecho y puso la barbilla sobre las rodillas. Aunque lo único que deseaba era comer y bañarse, tendría que esperar. Por lo menos, el cuerpo no le dolía tanto como antes.

—Nunca pedí que me trajeran aquí.

Marcail sonrió.

—No, no lo hiciste. Sin embargo, luchaste contra nuestra magia. ¿Por qué?

—Porque cuanto más débil estoy, más difícil le resulta a Deirdre usarme.

—Entiendo. —Marcail se llevó una mano al vientre y dejó escapar un suspiro revelador.

—Llevas en tu interior al hijo de Quinn, ¿no es cierto?

Marcail asintió suavemente. Se había quedado pálida.

—Así es. Pensé que nos habíamos liberado de Deirdre y de la maldad que engendraba.

Pensar que Deirdre pudiera hacer daño a otro niño inocente la ponía furiosa. Ya había utilizado a demasiados niños. Antes de que pudiera pensárselo mejor, dijo:

—Hay algo que puedo hacer para ayudaros.

—¿El qué?

La avidez que vio en la mirada de Marcail la animó.

—Puedo proteger el castillo durante un tiempo y hacer que a Deirdre le cueste más encontrarme.

—Y, por lo tanto, a nosotros.

—Eso es. Sin embargo, en cuanto me vaya no funcionará la protección.

Marcail pasó los dedos distraídamente por la cinta dorada que sujetaba una de sus trenzas.

—¿Por qué ibas a ofrecernos tal cosa? Estabas con Deirdre.

—Yo nunca estuve con Deirdre. Hice lo que tenía que hacer para mantener a mi hermana y a mi sobrina con vida. Ahora que las dos están muertas, no hay ninguna razón para no luchar contra ella.

Marcail se levantó y caminó hasta los pies de la cama.

—Tengo que decirles a los demás lo que me acabas de contar.

Isla asintió. No esperaba menos.

—Haré que te traigan de inmediato comida y que te preparen un baño.

Isla ya no recordaba cuándo había sido la última vez que alguien había sido amable con ella simplemente porque sí. Habían pasado tantos años desde que era Isla, la hija del panadero de la aldea, que esa antigua vida parecía un producto de su imaginación.

—Te lo agradecería mucho.

Marcail se detuvo junto a la puerta y le sonrió débilmente.

—Confía en nosotros, Isla. Solo estamos intentando ayudarte.

Isla esperó a que Marcail se marchara y enterró la cabeza en las manos. Una vez a solas con sus pensamientos, sintió que las lágrimas se le agolpaban en los ojos al darse cuenta de que estaba realmente sola en el mundo por primera vez en más de quinientos años.

A pesar de que no había hablado con su hermana ni había podido ver mucho a su sobrina, siempre habían estado ahí de una manera o de otra.

Ahora, ya que Deirdre no sustentaba a Lavena con las llamas azules y con Grania muerta por sus propias manos, aunque por accidente, ya no le quedaba nadie.

Marcail le había pedido que confiara en ellos. Ojalá pudiera hacerlo, pero había visto lo que podía ocurrir cuando confiaba en alguien. Había confiado en que Deirdre no mataría a su hermana. Sin embargo, ese monstruo había puesto a Lavena en las llamas azules, de donde no había podido salir jamás.

Isla se sentía incapaz de confiar en alguien. Ahora no. Ni nunca.

Sin embargo, sentía la necesidad de ayudar a Marcail y a su hijo. No había conseguido que Deirdre no se llevara a Grania, aunque haría todo lo que estuviera en su poder para proteger a Marcail.

Y ahora tenía mucho poder. Cuando era una simple mie había supuesto que tenía magia. Esa magia había sido pura, pero no fuerte.

Deirdre la había convertido en una drough. A pesar de que había luchado contra ello todo lo que había podido, cuando la vida de Grania se había visto en peligro, se había rendido y había completado el ritual.

Se estremeció al pensar y sentir el mal que se había apoderado de ella cuando había pronunciado las palabras y se había cortado las venas. Se pasó los dedos distraídamente por las muñecas, donde estaban las cicatrices que proclamaban quién era y lo que era.

La maldad había intentado controlarla y, de hecho, a veces lo había conseguido. Sin embargo, había ocasiones en las que ella se imponía. Y cada vez le resultaba un poco más fácil, hasta que consiguió mantenerla acallada.

Entonces Deirdre usó su magia.

Llamaron suavemente a la puerta. Esta se abrió y Arran entró con una bandeja de comida. Ella miró al alto guerrero. La expresión demacrada de su cara había desaparecido, así como la piel blanca de su dios, y en su lugar había cierta satisfacción. Confianza en sí mismo y tranquilidad.

Arran había sido uno de los guerreros que Deirdre había deseado tener en su cama. E Isla entendía por qué; era misteriosamente atractivo y tenía un cuerpo vigoroso.

—Hola —le dijo mientras dejaba la bandeja en la cama.

Isla se humedeció los labios.

—Hola.

—¿Sientes dolor?

La pregunta la sorprendió. ¿Qué podía responder? Llevaba siglos sufriendo.

—La herida —dijo él—. ¿Te duele?

—Solo un poco. No es nada.

Él asintió y empezó a retirarse.

—Enseguida te traerán con qué asearte.

Isla alargó una mano para alcanzar el pan. Estaba hambrienta y le sonaban las tripas.

—Gracias.

No oyó que Arran se marchaba. Cerró los ojos y saboreó el pan recién hecho. Después tomó el venado, y luego el vino.

No sabía que tuviera tanta hambre. A pesar de que habían pasado días desde la última vez que había comido, podía sobrevivir incluso a la inanición, tal y como había aprendido.

Cuando estaba a punto de terminar, le llevaron una bañera de madera y la llenaron de agua humeante. Estaba deseando meterse en ella y liberarse del sudor y la suciedad que le cubría la piel.

Fueron otros guerreros los que le llevaron el agua. Hasta el momento, no había visto ningún sirviente. ¿Acaso los MacLeod no los tenían, o los estaban manteniendo apartados de ella?

Aunque no sabía sus nombres, le pareció reconocer a uno de ellos. Sus duros ojos de color gris la observaban detenidamente, como si estuviera buscando algo.

Isla lo ignoró y, en cuanto se hubieron marchado, saltó de la cama. Con un solo movimiento se quitó la camisa y metió una pierna en el agua.

Se sumergió en la bañera con un suspiro. Aunque deseaba relajarse en el agua, no sabía de cuánto tiempo disponía antes de que apareciera alguien, así que cogió el jabón y empezó a frotarse.

Una vez tuvo el cabello limpio, se enjabonó el cuerpo dos veces. Se estaba aclarando cuando se abrió la puerta y apareció el gigante rubio de ojos negros.

Ella se quedó inmóvil, con un brazo levantado y cayéndole agua sobre el pecho. La manera que él tenía de mirarla hacía que se le encogiera el estómago y que se le acelerara el corazón. La recorrió con una mirada cálida y ella notó que le faltaba la respiración e intentó comprender cómo era posible que una sola mirada le provocara aquello.

Él abrió la boca, la volvió a cerrar y la abrió de nuevo.

—No sabía que te estabas bañando.

—Casi he terminado.

La mirada del guerrero no titubeó en ningún momento. Ella bajó el brazo y esperó a que siguiera hablando.

Unos instantes después él giró la cabeza.

—He venido para acompañarte al gran salón. Tengo un vestido para ti. Cara me ha dicho que puede que te quede un poco grande.

Isla vio que un pequeño bulto salía volando desde su puño y aterrizaba en la cama.

—Esperaré en el pasillo.

Se marchó y cerró la puerta antes de que ella pudiera decir nada más.

El corazón le palpitaba con fuerza en el pecho. Ningún hombre la había visto desnuda antes. El agua la había cubierto, pero aun así... Estaba sin ropa. ¿Por qué la posibilidad de que la viera hacía que se estremeciera? ¿Había perdido parte de su buen juicio en Cairn Toul además del alma?

Mientras terminaba de enjuagarse y se levantaba para secarse, pensó que había visto brillar algo en sus ojos, una emoción que no había visto antes.

Deseó saber el nombre del guerrero. Después de todo, le había suplicado que la matara. Por lo menos podría haberle dicho cómo se llamaba.

Isla cogió el vestido y encontró también ropa interior, una camisa limpia, medias y zapatos. Se apresuró a vestirse, temiendo que el enorme guerrero regresara antes de que hubiera terminado.

Los zapatos eran demasiado grandes y se le salían constantemente, así que decidió no ponérselos. El vestido tenía un diseño muy sencillo, era de un bonito color lavanda y se ajustaba a sus curvas de manera muy favorecedora. Era tan largo que tenía que levantárselo para andar y tuvo que enrollar las mangas. Sin embargo, en términos generales estaba bastante presentable.

Encontró un peine en la mesa que había junto a la cama y se dispuso a desenredarse el cabello. Le llevó más tiempo del que pensaba, y aún lo tenía húmedo cuando se dirigió a la puerta.

En cuanto la abrió vio al guerrero al otro lado del pasillo, con los brazos cruzados sobre su musculoso pecho. La recorrió con la mirada antes de apartarse de la pared.

—¿Cómo está tu herida? —le preguntó con una voz ronca y profunda que hizo que el pulso se le acelerara.

—Se está curando.

—Van a hacerte preguntas. Muchas preguntas.

—No me cabe duda. He sobrevivido a cosas peores que un interrogatorio.

—Lo sé.

Lo dijo como si hubiera sido testigo de su tortura. Ella se detuvo y se preguntó quién sería. Y por qué tenía tal efecto sobre ella.

—¿Quién eres?

Él bajó la vista al suelo durante un instante y después la miró a los ojos.

—Hayden Campbell.

—Bien, Hayden Campbell, tengo las respuestas que todos quieren oír. ¿Me llevas al gran salón?

Él asintió rápidamente con la cabeza y se giró. Daba largas zancadas e Isla tuvo que apresurarse para acomodarse a su paso. Siempre había odiado ser tan bajita. Tenía que doblar el cuello para mirar a todo el mundo, especialmente a ese gigante llamado Hayden.

Se le enganchó un pie en el borde del vestido y tropezó. En menos de un segundo el guerrero estaba a su lado y, con brazos que parecían de acero, la sujetó para que no se cayera. Al instante Isla sintió que le ardía la sangre y el corazón le dio un vuelco.

Levantó la mirada y vio que él tenía la cara a escasos centímetros de la suya. Notó un aroma a especias y a bosque. Vio que la barba empezaba a ensombrecerle el rostro y, por mucho que lo intentó, no consiguió encontrar sus pupilas en aquellos ojos de ónix.

—He tropezado —le explicó cuando pudo respirar de nuevo—. El vestido es un poco largo.

El highlander la soltó con tanta rapidez que tuvo que apoyarse en la pared para recuperar el equilibrio. Se levantó el dobladillo y asintió con la cabeza.

—No volverá a pasar.

Sin decir nada más, Hayden siguió caminando, aunque Isla se dio cuenta de que lo hacía con zancadas más cortas. ¿Por ella?

Seguramente no.

5

Hayden cerró los puños con fuerza y después los abrió en un esfuerzo por liberarse del tacto de Isla. De su piel cálida, suave y demasiado seductora.

La había oído inspirar con fuerza y, al girarse, la había visto tambalearse. Gracias a los poderes que su dios le daba solo había necesitado un segundo para alcanzarla y evitar que se cayera.

Desde que había entrado en sus aposentos mientras se bañaba se había sentido nervioso y todos sus sentidos se habían centrado en ella, dejándolo agitado y excitado.

Lo único que había visto de su cuerpo había sido un hombro delicado, su esbelto cuello y los brazos menudos. Aun así, había sido más que suficiente para que su entrepierna se endureciera. Su cabello negro, húmedo y apartado de la cara, recién limpia, lo iba a obsesionar durante toda la eternidad, al igual que sus ojos, que se habían agrandado al verlo.

Cuando la encontró en Cairn Toul vio enseguida que era hermosa, pero no sabía que sería tan impresionante. Una vez limpia de suciedad y sangre, apenas podía apartar la mirada de ella.

Su cuerpo había reaccionado rápidamente al ver la piel desnuda cubierta de gotas de agua. Se había excitado de una manera escandalosa. Después de eso, se había asegurado de mantener las distancias… hasta que ella casi se había caído. Y eso había hecho que se quedara cara a cara con Isla.

Inhaló profundamente y reconoció un aroma a nieve y pensamientos silvestres que lo atrajo irremediablemente, tentándolo y cautivándolo.

Atrapándolo.

De nuevo su cuerpo suave y seductor estaba presionado contra el suyo y lo provocaba, lo atraía para que la acariciara y la besara. El ansia irresistible de poseer su boca lo dejó temblando con un deseo que amenazaba con devorarlo.

Sin embargo, debía recordar quién era y lo que era, y que un drough había asesinado a su familia brutalmente.

Mientras la guiaba hacia el gran salón, mantuvo un ritmo más tranquilo, con pasos más cortos. No quería que se cayera otra vez. No porque le importara si se hacía daño, sino porque no deseaba volver a tocarla. Si lo hacía, era probable que cediera al deseo arrollador de saborear sus labios.

Cuando comenzaron a bajar hacia el salón, sintió que ella se detenía detrás de él. Miró por encima del hombro y la vio observando a la gente que la esperaba.

Había doce guerreros, incluyéndolo a él. Contando con las esposas de los MacLeod y con Sonya, había un total de dieciséis personas aguardándola.

A Hayden le impresionó ver que Isla levantaba la cabeza mientras bajaba las escaleras y lo seguía hasta la silla que los demás habían colocado a un lado para ella. Estaba centrada entre dos largas mesas, de frente a todos ellos para que pudieran verla. Sin embargo, se quedó de pie, con el tejido sobrante del vestido arremolinado a sus pies, como un mar de color lavanda.

—Tenemos algunas preguntas sobre lo que nos has contado, a nosotros y a Marcail —dijo Fallon. Ocupaba la cabecera de la mesa.

Isla juntó las manos frente a ella y esperó. En su rostro no se reflejaba ninguna emoción. Hayden no sabía si estaba nerviosa o agitada. Era una maestra ocultando sus sentimientos.

—Y yo las contestaré —respondió.

Quinn señaló la silla.

—Por favor, siéntate y ponte cómoda.

Isla obedeció y Hayden se dio cuenta de que sus pies apenas tocaban el suelo. Se sentó con la espalda recta y mirando al frente, esperando.

—¿Quieres beber o comer algo? —le preguntó Lucan.

—No. Estoy preparada para empezar.

La mirada de Hayden se encontró con la de Fallon por un instante. Hayden era el único guerrero que no estaba sentado a la mesa, pero se sentía a gusto al estar separado de los demás.

—Muy bien. ¿Deirdre está muerta? —preguntó Fallon.

Isla negó con la cabeza.

—Está muy viva.

—Yo la quemé —dijo Hayden.

Los ojos de color azul hielo de Isla se centraron en él.

—Como he intentado explicar antes, no hay nada que pueda matar a Deirdre. Ha tenido mil años para perfeccionar su magia negra, asegurándose de no morir nunca.

—¿Nada puede matarla? —preguntó Arran.

Isla volvió a girar la cabeza hacia el grupo.

—Se tomó muchas molestias para enseñarnos todas las maneras en que alguien podría matarla, y los intentos siempre fracasaron. A pesar de que su cuerpo no esté, ella sigue viva.

—¿Cómo lo sabes? —preguntó Larena.

Por primera vez Hayden vio una chispa de emoción. Isla bajó la mirada al suelo y él habría jurado que la vio temblar.

—La he sentido intentando comunicarse conmigo en mi mente —dijo Isla—. Yo estaba demasiado débil para que pudiera controlarme.

Quinn apoyó los codos en la mesa y formó un triángulo con las manos, juntando las yemas de los dedos.

—¿Cómo va a continuar Deirdre sin un cuerpo?

—Con su magia. Creo que ninguno de vosotros entendéis lo poderosa que es. Puede generar otro cuerpo. Le llevará algún tiempo, pero lo hará.

—¿Cuánto tiempo?

Isla se encogió de hombros.

—Semanas. Meses si tenemos suerte.

Lucan se pasó una mano por el pelo.

—Que los santos nos ayuden.

—Háblanos de la conexión que tienes con Deirdre —le pidió Fallon.

Aunque Isla preferiría no hacerlo, merecían saber la verdad. Debían saber lo peligrosa que podía ser para ellos y así tal vez la dejaran marchar. Inspiró profundamente y volvió a sentir la mirada de Hayden clavada en ella.

Él seguía de pie a su lado, observándola. Siempre observándola. Debería ponerla nerviosa; sin embargo, había algo reconfortante en su mirada que le daba seguridad. Algo incitante y provocativo que despertaba una emoción en ella que nunca antes había sentido.

Los otros, y había muchos, estaban frente a ella con diversas expresiones en el rostro: consternación, ira, preocupación, pena... Ella no los culpaba. Los guerreros pensaban que habían matado a Deirdre.

Si hubiera sido verdad...

—Será mejor que empiece por el principio —dijo ella—. Creo que hay muchas cosas que os ayudarán a comprender por qué se liberaron vuestros dioses.

Fallon asintió con la cabeza para mostrar su acuerdo.

Isla se humedeció los labios y se dispuso a recordar aquel día fatídico, hacía ya muchos siglos.

—Yo vivía en una aldea pequeña y recóndita donde solo había druidas. Veíamos a muy pocos forasteros y, cuando venían, lo hacían atraídos por nuestra sabiduría y nuestros poderes curativos.

—Eras una mie —dijo Cara.

—Sí. Mi padre era el panadero de la aldea. Vivíamos con sencillez, como todos los demás. Era un lugar muy hermoso, cerca de un lago, rodeado de un espeso bosque. Yo me adentraba en el bosque todos los días para recoger hierbas, pero un día todo cambió.

Lucan dejó a un lado su copa, después de beber un largo trago.

—¿Qué ocurrió?

—Estaba con mi hermana y mi sobrina. Grania tenía entonces tres años y era la alegría de mi vida. Yo la tenía en brazos mientras Lavena recogía hierbas cuando aparecieron los wyrran y los hombres. A pesar de que no eran guerreros, tenían una fuerza descomunal.

A Isla se le revolvía el estómago cada vez que revivía aquel día funesto.

—Me quitaron a Grania de los brazos. A Lavena y a mí nos ataron y nos llevaron a Cairn Toul. Deirdre quería a Lavena por su capacidad para ver el futuro, porque estaba buscando a alguien.

—¿A quién? —preguntó Quinn.

—Al guerrero MacLeod.

Isla esperó a que lo asimilaran mientras los hermanos intercambiaban miradas. Miró a Hayden y vio que entornaba los ojos, como si no creyera una sola palabra de lo que estaba diciendo. Si estuviera en su lugar, probablemente tampoco lo creería. Sin embargo, ¿qué ganaba ella mintiendo? La verdad era mejor para todos.

Fallon fue el primero en volver a dirigirse a ella.

—Explícate.

—Deirdre había encontrado pergaminos escondidos en su aldea. Uno de ellos era el conjuro para liberar a vuestros dioses, y en él había un nombre. MacLeod.

—¿Por qué nuestro clan? —preguntó Lucan.

Isla se encogió de hombros.

—A eso no puedo contestar. Pero decidme una cosa: ¿empezaron a desaparecer hombres de vuestro clan, uno en cada generación? ¿Eran vuestros guerreros más fuertes?

—Sí —contestó Fallon en voz baja.

—Era Deirdre. Estaba buscando al que albergaba el dios.

Quinn resopló con disgusto.

—Y cuando eso no funcionó, se hizo con tu hermana.

—Así fue. Mi hermana podía ver algunas partes del futuro. Yo era un incentivo añadido, y conmigo y Grania en su poder, Lavena no tuvo elección. Aunque mi hermana intentó resistirse a Deirdre... esta tiene sus métodos.

Isla se calló al recordar que Deirdre había hecho que violaran a Lavena. Todavía podía oír los gritos de su hermana y recordaba la sangre y cómo el hombre había disfrutado al ver que Lavena se resistía. Al recordar esa experiencia tan espantosa sintió náuseas.

Algo le tocó la mano. Isla miró hacia abajo y se encontró con Marcail y una copa llena de vino. Los ojos de Marcail estaban llenos de pena, y una parte de ella se rompió en aquel momento. Nadie conocía esa historia excepto Deirdre. Y nadie había sentido antes compasión por ella,

—Continúa —le pidió Marcail, y regresó junto a Quinn.

Isla tomó un sorbo de vino. Se deslizó por su garganta y lo sintió cálido en el estómago.

—Al final, Lavena se rindió. No nos dimos cuenta de lo que Deirdre quería de ella hasta que fue demasiado tarde. Pensamos que quería a Lavena para que le hablara del futuro, pero Deirdre la puso en las llamas azules, unas llamas mágicas que la mantenían con vida aunque incapaz de ser ella misma, y allí permaneció hasta hace pocos días.

—¿Cuánto tiempo estuvo así? —preguntó Lucan.

Isla miró el líquido rojo de su copa.

—Quinientos años.

Todos empezaron a hablar a la vez y los murmullos llenaron el salón. Solamente una persona permanecía en silencio. Su observador, Hayden.

Fallon dejó su copa vacía en la mesa con un golpe.

—Silencio. Quiero oír el resto. —Se giró hacia Isla—. Continúa.

—El don que tenía Lavena para ver el futuro no se podía invocar a voluntad. Venía a ella esporádicamente. En las llamas azules Deirdre pudo añadir su magia negra a la de Lavena para ayudarla a canalizar cosas específicas, concretamente para encontrar al MacLeod que albergaba el dios.

»Lavena tardó cerca de un año en ver lo que Deirdre quería. Dijo que en su visión no había un MacLeod, sino tres. Tres hermanos, para ser exactos, que compartían el dios. Los tres eran los más fuertes de su clan. Después de eso, Deirdre solo tuvo que observar y esperar.

Quinn se frotó la mandíbula y suspiró.

—Entonces atacó a nuestro clan.

—Y os capturó. Aunque no esperaba que escaparais. Tuvisteis suerte.

—¿Cómo nos encontró a los demás? —preguntó Hayden.

Isla jugueteó con la copa.

—A través de mi hermana, por supuesto. Deirdre la tenía buscando cualquier cosa que tuviera que ver con los dioses mientras formaba su ejército. Por entonces abundaban los druidas. Sus wyrran los cazaban sin piedad y, cuando comenzaron a escasear, Deirdre usó el equinoccio de primavera para encontrar más.

»No fue hasta hace poco cuando Deirdre hizo que Lavena buscara más druidas. Así fue como encontró a Marcail.

Lucan se levantó y empezó a pasearse de un lado a otro, muy agitado. Cara finalmente le cogió la mano e hizo que se volviera a sentar a su lado. A pesar de todo por lo que habían pasado los hermanos MacLeod, todos tenían a una mujer que los amaba.

—¿Qué te ocurrió en la montaña? —preguntó Lucan.

Isla pasó los dedos por el borde de la copa. Esa parte del relato iba a ser la más difícil.

—Deirdre iba a matarme y a reclamar mi magia, pero por algún motivo cambió de opinión. Quería utilizarme como había hecho con Lavena, así que empezó a emplear las mismas tácticas para someterme. No funcionaron.

Duncan apoyó las manos en la mesa y, muy lentamente, se levantó. Isla vio que curvaba los labios en un gesto desdeñoso. La odiaba y tenía todo el derecho a despreciarla.

—Sin embargo, evidentemente te sometiste. ¿Qué te ofreció? ¿Poder? —preguntó Duncan.

Fue su hermano gemelo, Ian, quien lo hizo sentarse de nuevo en el banco. La única diferencia entre los gemelos era que el cabello oscuro de Duncan le caía por la espalda mientras que Ian lo llevaba muy corto.

Para sorpresa de Isla, Hayden se había apartado de su sitio cuando Duncan se había levantado. Solo después de que se sentara de nuevo, Hayden volvió a apoyarse contra la pared, como si estuviera escuchando una historia relajadamente.

La respuesta del guerrero la desconcertó. Era evidente que no le gustaba al hombre rubio; entonces, ¿por qué había actuado como si fuera a defenderla?

—¿Isla? —la instó Quinn.

Isla suspiró y asintió.

—Deirdre me amenazó con matar a Grania si no hacía lo que me pedía.

Fallon enarcó una ceja.

—¿Y qué te pidió?

—Que me convirtiera en una drough.

—Y lo hiciste —dijo Lucan—. ¿Cuándo comenzó la conexión mental?

—Algunos meses después. Deirdre pensaba que, en cuanto me hubiera convertido en una drough, me controlaría, que el mal me haría ser más propensa a su causa.

Fallon sacudió la cabeza, confundido.

—No lo entiendo. ¿El mal no hizo exactamente eso?

—Lo intentó. Sin embargo, como llevé a cabo la ceremonia drough bajo coacción, no cedí completamente mi alma al mal. Al conservar una parte de mí misma pude controlar la maldad que había en mi interior.

Isla vio la duda reflejada en las caras de todos. Aunque no la creyeran, había luchado contra el mal todos los días, durante siglos. Ella sabía la verdad.

—Conseguí engañar a Deirdre durante un tiempo, pero entonces empecé a cuestionarla. Y ella comenzó a dudar de mí.

Fallon le dio golpecitos con un dedo al brazo de su silla.

—¿Cómo has conseguido vivir quinientos años?

Isla tragó saliva y notó la garganta seca y áspera. Sabía que lo que estaba a punto de contarles les sorprendería.

—Deirdre consiguió unir su mente a la mía y, de ese modo, controlarme.

—¿Qué ocurre cuando hace eso? —preguntó Lucan.

—La cabeza me duele como si se me fuera a abrir. Después escucho la voz de Deirdre en mi mente, que me manda cumplir alguna orden. No puedo hacer nada para luchar contra eso, no importa cuántas veces lo intente.

Quinn frunció el ceño.

—¿Qué quiere exactamente que hagas?

—Que mate.

6

Isla sabía que su afirmación les había sorprendido.

—En cuanto da la orden, pierdo control de mi cuerpo y no recuerdo lo que ocurre mientras Deirdre me controla. Sin embargo, no puede retenerme mucho tiempo, porque requiere una gran cantidad de magia.

De nuevo el salón estalló en ruidos mientras comentaban entre ellos su revelación. Ella sabía que era preocupante, y era la razón por la que no podía quedarse.

Fallon levantó una mano y volvió a hacerse el silencio.

—¿Alguna vez has conseguido recuperar el control durante una de esas... salidas?

—Una vez —respondió Isla. Apenas pudo ocultar el estremecimiento que la recorrió—. Solo una.

El silencio que siguió a sus palabras fue ensordecedor. Isla no quería pensar en el momento en el que Deirdre había perdido el control. Había sido horroroso. Ver lo sanguinaria y horripilante que era al matar la había puesto enferma. Había vomitado hasta mucho después de que ya no le quedara nada en el estómago.

Se humedeció los labios.

—No puedo impedir que Deirdre me controle. Por eso debo marcharme inmediatamente, porque cada minuto que estoy aquí os pongo a todos en peligro.

—Pero podrías ayudarnos.

Isla miró a la mujer y reconoció a la druida de pelo rojo que la había hecho dormir con su canto. La magia de la mie era fuerte, muy fuerte.

—¿Quién eres?

—Sonya.

—¿Arriesgarías las vidas de todos por la posibilidad de que os ayudara, Sonya? —le preguntó Isla.

—La información que puedas darnos sobre Deirdre nos ayudará. El conocimiento es poder.

Marcail eligió ese momento para intervenir.

—¿Y qué hay de la protección de la que me hablaste?

Isla se arrepintió de haberle hablado a Marcail de esa capacidad. Quedarse en el castillo era lo último que necesitaba.

—No lo entiendes. Ninguno lo entendéis.

—Claro que sí —dijo Broc. Él también se levantó y se acercó a ella—. Tú sabes cosas de la magia de Deirdre que nosotros no sabemos. Piensa en lo que podríamos hacer si unimos nuestros conocimientos.

Isla miró a Marcail. La druida volvía a tener la mano sobre el vientre. La vida de otro niño estaba en juego; ¿merecía la pena que se arriesgara a quedarse?

La respuesta era un no rotundo.

—Lo siento, pero no puedo. Mi cuerpo necesitará otro día más para curar la herida, y después me marcharé.

—¿Adónde? —preguntó Fallon.

Isla se encogió de hombros.

—¿Acaso importa? Me iré lejos de aquí, lejos de todo el mundo para que no pueda herir a nadie más. Si Hayden me hubiera cortado la cabeza como le pedí, ninguno de vosotros estaríais en peligro.

Duncan dio un manotazo sobre la mesa.

—No esperarás que creamos que quieres morir.

Isla miró los ojos castaños del guerrero, que estaban llenos de rabia y deseo de venganza.

—No hay nada que desee más. Estoy cansada de que me usen, de no tener ningún control sobre mi destino, sobre mi vida. Quiero que eso termine.

—¿Y la única manera de conseguirlo es cortándote la cabeza? —preguntó Quinn.

Isla asintió y tragó el nudo que se le había formado en la garganta.

—Al igual que un guerrero solo puede morir si le cortan la cabeza, mi vida solo terminará si Deirdre muere o si me separan la cabeza del cuerpo.

—Cielo santo —murmuró Quinn, y dejó escapar el aire con un sonido áspero.

Isla pensó en lo último que Deirdre había estado buscando. Tal vez si se lo contaba a los MacLeod conseguiría que apartaran su atención de ella. Podría usar sus poderes contra ellos. Eran highlanders y los poderes de sus dioses les hacían muy fuertes; sin embargo, ella era una drough que había contado con quinientos años para perfeccionar su magia. Aunque podría ser una enemiga muy poderosa, no deseaba herir a nadie en el castillo MacLeod. Eran buena gente e intentaban hacer lo correcto.

Se acercó a la mesa y dejó en ella el vino que apenas había probado.

—Deirdre se enorgullecía de su conocimiento sobre los druidas y la magia. Sabía que algunos druidas planeaban vengarse y que habían depositado magia en algunas cosas que podrían obstaculizar su poder.

Isla ignoró las miradas y se paseó por el gran salón. Hayden se había movido del lugar que ocupaba contra la pared y se dirigía hacia ella. ¿Pensaba que iba a huir? Eso llegaría a su debido tiempo.

—¿De qué estás hablando, mujer? —preguntó el hombre. Su voz era fuerte, con atisbos de impaciencia y algo de duda. La forma en que la miraba, con decisión y ansia, hacía que el corazón se le acelerara.

—De objetos. Están escondidos por toda Escocia. Algunos podrían entorpecer la magia de Deirdre y otros podrían manipularse para darle aún más poder.

Lucan gruñó.

—Justo lo que necesitamos, que Deirdre sea más poderosa de lo que ya es.

Isla se detuvo cuando se encontró frente a Hayden. Tenía que echar la cabeza hacia atrás para mirarlo a la cara, y qué cara tan atractiva. Se encontró alargando la mano para perfilar sus labios con los dedos, pero se detuvo a tiempo y se colocó el pelo detrás de la oreja para disimular lo que había estado a punto de hacer.

Si no fuera quien era y las cosas fueran diferentes, consideraría la posibilidad de seducirlo.

En cuanto ese pensamiento se coló en su mente, lo desechó. Eso no era para ella. Su camino ya había sido trazado y no podía alterarse.

—¿Por qué sabes que existen esos... objetos? —preguntó Hayden.

Ella lo miró a los ojos, que eran tan negros que no podía distinguir las pupilas. Hayden era un hombre que no cedía por nadie ni por nada. Estaba modelado por su vida, igual que ella, por eso Isla entendía su aspereza.

—Hace mucho tiempo, cuando era solo una niña, me contaron historias de algunas tribus de druidas muy poderosos que tenían reliquias que pasaban a las sumas sacerdotisas. Cada generación, los druidas de la aldea vertían su magia en esas reliquias.

Hayden frunció el ceño.

—¿Por qué hacían eso?

—Después de lo que pasó al liberar a los dioses y ser incapaces de sacarlos de los hombres, los druidas se esforzaron por encontrar otra manera de proteger Gran Bretaña. Pensaron que, si un objeto poseía suficiente magia, tal vez podría mantenernos a salvo.

—¿Y lo hicieron?

Isla cerró los ojos un instante.

—Nunca se comprobó. Con Deirdre persiguiéndolos y los cristianos queriendo matarlos, los druidas tuvieron que enterrar esos objetos y ocultarse. Se supone que las localizaciones pasaron de unos a otros a través de los tiempos.

—Sí —intervino Sonya—. Yo he oído tales historias a los druidas que me criaron. Aunque ellos no tenían ninguna reliquia, contaban la historia de todos modos.

Fallon miró a Sonya y a Isla.

—¿Alguna de vosotras sabe dónde está enterrada una de esas reliquias?

—No exactamente —contestó Isla—. Descubrí lo que Deirdre estaba buscando cuando empezó a hacerme preguntas sobre esos relatos. Así que yo también comencé a investigar. —Hizo una pausa y volvió a mirar a Hayden—. No estoy segura de cuánto creer sobre lo que me contó luego.

—¿Por qué? —preguntó Hayden.

—Porque miente.

—Cierto —dijo Quinn—. Pero dinos qué te contó.

Isla se obligó a apartarse de Hayden. Estar a su lado la alteraba y hacía que pensara solo en él, en cómo sería tener sus brazos alrededor del cuerpo. Había algo en aquel gigante que la desconcertaba, y estando entre aquellos guerreros debía mantenerse concentrada.

Volvió a la silla en la que se había sentado y miró al grupo de guerreros y druidas que la observaban.

—Deirdre me dijo que mi hermana le había dado una pista sobre dónde encontrar el único objeto que podría matarla.

—¿Qué? —bramó Fallon—. ¿Y nos lo estás diciendo ahora?

—Iba a buscarlo yo —se apresuró a responder—. Sin embargo, ahora me doy cuenta de que nunca lo habría conseguido antes de que Deirdre me encontrara. En cuanto me desperté aquí supe que, si hay alguien que pueda encontrarlo, es uno de vosotros.

Un guerrero con el pelo negro corto se levantó. Ella miró sus ojos grises por segunda vez aquel día y entonces recordó quién era. Ramsey MacDonald.

—Ramsey —susurró.

Habían entrado y salido de la montaña tantos guerreros que Isla no lograba recordarlos a todos. Sin embargo, algunos habían destacado. Ramsey era uno de ellos. Broc y él habían sido inseparables mientras eran prisioneros. Entonces un día Ramsey se escapó y Broc le otorgó su lealtad a Deirdre. Isla se preguntó si esa lealtad había sido auténtica alguna vez.

—¿Me conoces? —preguntó Ramsey mientras se acercaba a ella.

Isla sintió una presencia a su lado y no se sorprendió al descubrir que Hayden se había acercado.

—Te recuerdo de cuando estabas prisionero. Deirdre deseaba desesperadamente que estuvieras de su parte. Sabía que tu dios tiene un gran poder.

Ramsey inclinó la cabeza a un lado mientras la observaba.

—Galen nos ha dicho que la propia Deirdre te torturó.

Isla se alegró de tener una mano sobre la silla, porque casi se le doblaron las rodillas. Se obligó a seguir respirando con normalidad.

—¿Y quién es Galen?

—Yo —dijo un guerrero alto con cabello rubio oscuro y ojos de un azul intenso—. Tengo el poder de leer la mente. Me metí en la tuya cuando Hayden y Fallon te trajeron al castillo.

A Isla se le hizo un nudo en el estómago y se le revolvió. Saber que alguien había sido testigo de lo que había soportado la hacía temblar y sentir frío.

—No tenías ningún derecho.

Galen se encogió de hombros.

—Te estabas resistiendo a la sanación de Sonya. Teníamos que saber por qué.

—¿Y por eso compartiste mi infierno privado con todos?

—Isla —intervino Broc—. Galen nos lo contó porque pensó que era la prueba que necesitábamos para confiar en ti.

Ella forzó una risa para mantener su rabia bajo control.

—¿Así que, otra vez, mi tortura es prueba suficiente para que me creáis?

—Cuando estaba en la montaña —dijo Quinn—, pasaste junto a mí por el pasillo y vi que te goteaba sangre de la mano. ¿Qué ocurrió?

Isla dio un paso atrás y se golpeó contra un muro de músculo.

—Tranquila —susurró Hayden con voz profunda.

Aunque el hecho de saber que era él quien estaba detrás le proporcionaba calma, se seguía sintiendo humillada porque los demás supieran lo que había sufrido. Repetidamente.

Como no tenía otra opción, Isla suavizó sus emociones y apartó de su voz todo resto de enfado, a pesar de que el corazón le golpeaba con fuerza el pecho.

—Ya que sabéis todo lo demás, no hay razón para no hablar de ello. Deirdre me castigó por desobedecerla.

—¿Qué pasó? —preguntó Hayden.

—Yo... —El nudo que Isla sentía en el estómago se endureció aún más al recordar el último castigo que Deirdre le había infligido. Había tardado demasiado tiempo en conseguir la sangre de Phelan para Deirdre. La sangre del guerrero podía curar cualquier herida, pero en Deirdre solo reforzaba su poder—. Dudé en sangrar a un guerrero, así que me castigó.

Era demasiado. Recordar a Phelan y el asco que sentía por ella reflejado en sus ojos la ponía enferma. Durante los últimos quinientos años se había guardado sus sueños y pensamientos para sí misma, y saber que habían invadido su mente, fuera por la razón que fuera, era una violación que no podía soportar.

Necesitaba estar a solas. Se giró para apartarse de Hayden y se dirigió silenciosamente a la salida, como si por dentro no estuviera sufriendo y gritando. Nadie la detuvo cuando abrió la puerta y salió al patio interior.

Hayden levantó una mano cuando Marcail y Broc se dispusieron a seguirla.

—Dadle algo de tiempo. Se siente como si la hubieran invadido.

Galen apretó la mandíbula y mantuvo la mirada, indescifrable, en la puerta.

—Y así es. Yo lo hice.

—¿Y si intenta marcharse? —preguntó Fallon.

Hayden se encogió de hombros.

—Entonces Broc podrá encontrarla.

Ramsey enarcó una de sus cejas negras y preguntó:

—¿Por qué te preocupas por ella, Hayden? Es una drough.

Hayden lo miró y lo odió por atreverse a verbalizar los mismos pensamientos que él tenía. Le estaba resultando muy difícil batallar con su necesidad de matar a Isla y, al mismo tiempo, de protegerla. No quería que los demás supieran lo que le ocurría.

—Necesitamos toda la información, ¿no es así? Después, si sigue queriendo morir, no se me ocurre ninguna razón para no darle lo que desea.

—¿Lo dices en serio? —preguntó Cara, indignada.

Hayden la miró y se encogió de hombros.

—¿Por qué no? Isla ha admitido que lleva el mal en su interior. ¿Quieres que infecte el castillo? ¿Al hijo de Marcail? Piénsalo.

Y, mientras, él pensaría en por qué quería seguir protegiendo a Isla. Maldición, eso no era bueno. No lo era en absoluto.

—Me aseguraré de que no se vaya del castillo —dijo Hayden.

—Yo también —anunció Logan, y se levantó.

Juntos tomaron las escaleras que conducían a las almenas. Hayden pretendía concederle a Isla el tiempo que necesitaba para estar a solas. Además, no tenía nada que decirle.

Logan no dijo ni una palabra mientras subían a las almenas. Enseguida vieron a Isla deambulando por el patio, sumida en sus pensamientos.

—¿La crees? —preguntó Logan—. ¿Sobre los objetos, reliquias o lo que sea? ¿Crees que existen de verdad?

Hayden siguió a Isla con la mirada. Su cabello negro se estaba secando mientras flotaba libremente sobre sus hombros y le caía hasta la cintura, espeso, brillante y liso. Tenía la cabeza inclinada hacia delante y el pelo le tapaba la cara. Se preguntó qué estaría pensando.

Cuando habían reconocido que sabían que había sido torturada, ella se había sorprendido. No le había gustado que lo supieran. En cuanto a si la creía, no estaba seguro.

—Podría estar diciendo la verdad —respondió—. Me imagino que Deirdre querría mantener bajo control cualquier cosa que pudiera aumentar o disminuir su magia. Si tuviera los objetos, nadie podría usarlos contra ella.

Logan asintió con la cabeza y el cabello castaño le cayó en los ojos.

—Yo la creo. La obligaron a convertirse en una drough contra su voluntad. ¿Por qué no iba a querer ver a Deirdre muerta?

—A menos que sea tan buena mentirosa como su maestra.

Logan resopló.

—Fuiste tú quien dijo que, al mirarla a los ojos, viste que decía la verdad sobre que Deirdre estaba viva. Vuelve a mirarla a los ojos.

Ese era el problema. Ya lo había hecho. Y no quería encontrarla atractiva. No quería volver a oler su aroma a nieve y pensamientos silvestres. Pero que lo condenaran si no quería hacer ambas cosas.

¿Qué vendría luego? ¿Querría besarla? ¿Acostarse con ella? Seguramente no. Ni siquiera su belleza podía ayudarlo a superar su aversión a los drough. En lo más profundo de su corazón sabía que no podía dar rienda suelta a ese deseo.

—Se desenvuelve bien —dijo Logan—. A pesar de las preguntas y las miradas, no pareció asustada.

Hayden se encogió de hombros.

—Estoy seguro de que lo aprendió mientras estaba con Deirdre. Deirdre se alimenta de la debilidad, Logan. Ya lo sabes.

—Exactamente. Isla tiene que ser una mujer muy fuerte para haberlo soportado todo. ¿A qué clase de tortura la sometió Deirdre?

—No quieras saberlo.

Y él no se lo iba a contar. Si Isla quería que Logan lo supiera, que le contara ella misma lo que había sufrido.

Hasta entonces, él se guardaría lo que sabía.

7

Isla recorría el perímetro del patio, furiosa. ¿Cómo era posible que se hubiera agitado tanto delante de tantas personas? Había trabajado durante mucho tiempo para ocultar sus emociones y todo se había derrumbado con unas pocas palabras.

Algo había cambiado y no le gustaba. Lo había soportado todo gracias a su ingenio y a la capacidad de ocultar sus sentimientos. Sin embargo, todo eso no servía de nada si no podía controlarse delante de esos guerreros.

Se detuvo y se apoyó contra un muro. Entonces vio que el cielo estaba sobre su cabeza. Soltó el aire con brusquedad al darse cuenta de que podía quedarse a la luz del sol todo el tiempo que quisiera.

Deirdre había disfrutado manteniéndola encerrada en la montaña, lejos del sol y del aire fresco con los que tanto gozaban los mie. Como drough, ella no podía echar de menos la luz.

—Lleva algún tiempo acostumbrarse.

A Isla le dio un vuelco el corazón al escuchar la voz de Broc. No lo había oído acercarse. Debió de haber ido volando. Desde luego, esas alas le venían muy bien.

—¿A qué cuesta acostumbrarse?

—A la libertad. A la ausencia del mal y del control de Deirdre.

—Yo no tengo ninguna de esas cosas. Sigo siendo una drough. El mal siempre estará en mí.

Broc se agarró las manos por detrás de la espalda y se encogió de hombros.

—Creo que hay una razón para afirmar que no eres una drough.

Isla no quería mantener esa conversación. No en ese momento. Ni nunca.

—¿Puedo abandonar el castillo?

—¿Por qué?

—Me gustaría ver el mar.

Cuando Broc empezaba a responder, se abrió la puerta del castillo y Cara asomó la cabeza.

—Es hora de cenar. Daos prisa, antes de que Galen se lo coma todo —dijo sonriendo.

Broc puso los ojos en blanco y comenzó a darse la vuelta.

—¿Vienes? —preguntó por encima del hombro.

Para su sorpresa, Isla se dio cuenta de que tenía hambre otra vez. Se apartó de la pared y empezó a seguir a Broc, pero le llamó la atención un movimiento que vio con el rabillo del ojo. En las almenas había dos guerreros observándola. Hayden y otro hombre de cabello castaño. Así que los MacLeod no se fiaban de ella... No podía culparlos.

Y eso significaba que probablemente no se le permitía salir del castillo. Si quería, podía usar su magia, y lo haría si seguían reteniéndola allí contra su voluntad. Tenían hasta el anochecer. Después, se marcharía.

No sabía lo que esperar cuando regresó al salón, pero desde luego no era ver a los grandes y temidos guerreros riéndose y hablando mientras se pasaban la comida.

Era muy diferente de los guerreros de Deirdre, que se atracaban de comida y se comportaban más como animales que como los hombres que realmente eran.

—Pareces sorprendida —le dijo Quinn, que salía de las cocinas con un cántaro en las manos.

—Lo estoy —contestó Isla.

Quinn observó al grupo durante unos segundos.

—Aunque no es el mismo salón en el que crecí, estos hombres y estas mujeres ahora son mi familia, mi clan.

—Después de todo lo que te ha ocurrido, ¿cómo puedes sentirte tan satisfecho con tu vida?

—El amor de una buena mujer puede cambiar hasta al hombre más furioso —dijo con una agradable sonrisa—. Y tengo muchos hermanos. Me cansé de sentir toda esa rabia, estaba agotado. Por otra parte, el amor te puede dar fuerza cuando crees que ya no te queda ninguna, y crear esperanza donde no la hay.

Isla giró la cabeza y vio que sus ojos verdes la estudiaban con atención.

—¿Y tu dios? ¿Tu inmortalidad?

Él dejó escapar el aire.

—Lucho contra la certeza de que, si no se puede contener a mi dios otra vez, algún día tendré que enterrar a mi mujer. Cada vez que pienso en ello me pongo enfermo, pero un día con Marcail es mejor que no tenerla nunca.

—Jamás habría esperado oír esas palabras de tus labios, Quinn. De tus hermanos tal vez; no de ti.

Quinn se rió entre dientes.

—No soy el mismo hombre que era antes. Dejé ir el pasado. A lo mejor tú también deberías intentarlo.

—Ya vale de hablar —dijo Larena con un guiño mientras se acercaba a ellos.

Isla observó, intimidada y un poco celosa, cómo Larena se movía con seguridad. Ni siquiera el hecho de vestir túnica y pantalones la amilanaba, ni a nadie de aquel castillo.

La guerrera se detuvo y le sonrió. Estaba despampanante con su cabello dorado y sus ojos de un color azul grisáceo. Con todo ello además de sus largas piernas, realzadas por los pantalones ajustados, no era sorprendente que Fallon no pudiera apartar la mirada de su imponente esposa.

—Creo que no nos han presentado adecuadamente. Soy Larena MacLeod.

Isla asintió.

—La esposa de Fallon. Sí, oí a Deirdre mencionar tu nombre en numerosas ocasiones durante los últimos meses. Te felicito por eludirla. Estaba ansiosa por tenerte de su parte.

Larena puso los ojos en blanco.

—Deirdre siempre desea lo que no es suyo. Y aunque me encantaría atribuirme el mérito de evadirla, tengo que decir que me ayudaron. Ahora, ven y siéntate. Hay mucho espacio. Simplemente, aparta a los hombres a codazos.

Isla no quería sentarse. No recordaba cuándo había sido la última vez que había compartido una comida con alguien. Sintió temor. Tal vez debería haber declinado la invitación para cenar con ellos.

Miró las dos mesas, unidas para formar una grande. En la cabecera había una silla en la que Fallon se reclinaba. Sonreía mientras escuchaba lo que Lucan le decía.

Cara puso rebanadas de pan en varios lugares de la mesa y Galen se apresuró a coger una, solo para él. Cara sacudió la cabeza, sonriendo, y señaló el espacio vacío que había junto a Galen.

—Isla, puedes sentarte ahí.

La drough pasó por encima del banco y se sentó junto a Galen. Estaba inmerso en una conversación con Ramsey, que se sentaba al otro lado de la mesa. Frente a Isla estaba Marcail y, a su derecha, Quinn.

Cara se sentó junto a ella y suspiró.

—Tendremos que añadir más mesas si llegan más guerreros.

Marcail asintió.

—O más druidas.

Isla permaneció sentada con las manos en el regazo mientras todos se pasaban los platos por la mesa, cogiendo lo que querían. Para su sorpresa, Galen pinchó varias tajadas de carne y se las puso en el plato.

—Tienes que comer —dijo por toda explicación.

Después, Isla se sirvió ella misma. La conversación llenaba el salón, destensándole los músculos y animándola. La comida estaba deliciosa, aunque era todo lo demás lo que hacía que añorara su aldea y las risas que solía compartir alrededor de la mesa con su familia.

Quinn había sugerido que dejara ir el pasado pero, si lo hacía, ¿qué le quedaría? Nada.

—Isla —la llamó Fallon—. ¿Está manteniendo Galen las manos fuera de tu plato? Tiene la costumbre de robar comida.

Galen gruñó mientras terminaba de beber y dejó la copa en la mesa.

—Yo no le cojo la comida a una dama, Fallon. Sin embargo, si está llena, estaré más que encantado de terminarme su cena.

Todos se rieron e Isla también se descubrió sonriendo. ¿Cuándo había sido la última vez que había sonreído de verdad? Entonces su mirada chocó con unos ojos negros como la noche. El corazón le dio un vuelco y le devolvió la mirada a Hayden, perdiéndose en la oscuridad de sus ojos.

Sintió el impulso loco de ir hacia él, de sentarse a su lado y... ¿qué? ¿Qué quería que él hiciera?

Demasiadas cosas. Y no puedo permitirme ninguna.

Cuando Logan le dio a Hayden un ligero golpe con el codo, el guerrero apartó la mirada de ella. Isla no comprendió la decepción que se apoderó de su ser. Hayden era un hombre peligroso, un guerrero temible. Debía mantenerse lo más alejada de él que pudiera.

Entonces, ¿por qué deseaba estar cerca de él?

Bajó la mirada hacia su plato y vio que se lo había comido casi todo. Durante unos instantes se había olvidado de quién era y de dónde había estado. Había vivido el momento, y había sido glorioso.

—Hayden no te hará daño —susurró Galen, inclinándose hacia ella.

Isla miró a Galen a los ojos, de un color azul oscuro, y vio que era sincero.

—No temo a Hayden ni a ningún guerrero.

Él sonrió y asintió.

—No, no creo que lo hagas. ¿Te molesta que Hayden te observe?

—Supongo que no confía en mí.

Galen se encogió de hombros y mordió un trozo de pan.

—Es mucho más que eso. No le gustan los drough.

—No me había dado cuenta —replicó ella con sarcasmo.

Galen se rió, causando que muchos lo miraran.

—Tienes ingenio, Isla. No creo que debas mantenerlo encerrado en tu interior. Escucha lo que los MacLeod tienen que decir. Podemos ayudarte.

Si eso fuera verdad...

La cena acabó demasiado pronto. Los hombres se levantaron y salieron del salón mientras que los hermanos MacLeod y algunos guerreros se quedaban.

Isla ayudó a las mujeres a recoger la mesa. No lo había hecho en décadas, pero nunca le había importado hacerlo. Su hermana y ella habían compartido muy buenos momentos lavando la ropa o fregando.

Como eran cinco recogiendo, no tardaron en terminar. Isla se disponía a regresar a sus aposentos y prepararse para marcharse cuando Quinn la llamó.

Los hermanos no se habían movido de sus asientos y sus mujeres volvieron a sentarse junto a ellos. Broc, Sonya y Galen también estaban presentes.

—Nos gustaría hablar contigo un poco más —dijo Lucan—. ¿Quieres sentarte con nosotros?

No importaría alargarlo unos momentos más. Además, sentía curiosidad por lo que tenían que decirle.

—Muy bien —contestó mientras se sentaba en el banco.

Levantó la mirada hacia el hueco de la escalera y el pasillo que había en el piso superior. Había un hombre. Un hombre con ojos de obsidiana y cabello rubio. Un hombre que la observaba constantemente.

De alguna manera, se alegraba de saber que Hayden estaba allí, aunque a él no le gustara lo que ella era. Resultaba extraño y no podía explicarlo, pero así era.

—Lo primero de todo —dijo Fallon mientras apoyaba los antebrazos en la mesa—, quiero disculparme por dejar que los otros supieran lo que Galen descubrió cuando te leyó la mente. Por favor, entiende que no lo hicimos con malicia.

Galen negó con la cabeza.

—Ya le dije que lo hice porque teníamos que saber por qué se resistía a la curación de Sonya. Les dije que la habían torturado, pero no les conté los detalles.

—Me resistí a que me sanara porque quería y necesitaba estar débil —dijo Isla. Se sintió aliviada al saber que Galen no lo había visto todo o, si lo había hecho, se lo había callado prudentemente.

Cara asintió.

—Para luchar contra el control de Deirdre.

Quinn exhaló con fuerza.

—El hecho de encontrarte nos ha dado ventaja sobre Deirdre. Sabes muchas cosas, Isla. Podrías ayudarnos a luchar contra ella.

—Y lo haría —les respondió—. Si hubiera podido elegir, nunca me habría quedado con Deirdre, nunca me habría convertido en una drough y os ayudaría. Sin embargo, sería más un peligro que otra cosa.

—Mencionaste unos artefactos —dijo Fallon—. ¿Estás segura de lo que oíste?

—Por supuesto —respondió—. Yo no mentiría.

Sonya enarcó sus cejas de color rojo.

—Entonces, ¿por qué no nos has dicho dónde encontrarlo?

Isla se volvió hacia la mie y le sostuvo la mirada durante unos largos segundos antes de volver a mirar a Fallon, apartando a Sonya de su mente.

—No sé la localización exacta, sino la zona. Lo tiene un grupo de druidas, así que no debería ser difícil de encontrar.

—¿Ya lo vas a compartir con nosotros? ¿Libremente? —preguntó Lucan.

Isla casi sonrió. Les había sorprendido. Bien.

—Lo único que pido es que, en cuanto os dé la información, me dejéis marchar.

Marcail frunció el ceño.

—No eres ninguna prisionera.

Isla levantó un hombro y lo dejó caer.

—No estoy de acuerdo. Me estoy curando y mi magia vuelve a ser fuerte. Aunque puedo salir del castillo por la fuerza, preferiría no hacerlo. Vosotros sois la única esperanza de terminar con Deirdre para siempre, y yo no quiero perjudicaros a ninguno.

—Creo que Isla dice la verdad —intervino Galen.

Broc cruzó los brazos sobre el pecho.

—Yo también.

Después de que Quinn y Lucan asintieran, Fallon dijo:

—Danos todos los detalles que puedas. No hay ninguna razón para que no lo investiguemos. Si es cierto y lo encontramos antes que Deirdre, nos haremos mucho más fuertes para luchar contra ella.

—Dime una cosa —le pidió Lucan—. ¿Por qué no has cogido tú misma ese objeto?

—Tenía que protegerme constantemente de Deirdre. No me permitía salir de la montaña a menos que fuera para cumplir sus órdenes, y la mayoría de esas veces me controlaba la mente. ¿De dónde habría sacado tiempo para encontrar a los druidas y convencerlos para que me lo dieran?

Lucan resopló.

—Cierto.

—Esos guardianes viven en lo más profundo de las montañas —continuó Isla—. Cerca del lago Awe, en la región de Argyll. Lo último que oí fue que se habían asentado en uno de los espesos bosques.

Galen se pasó una mano por la cara.

—Nos llevará días rastrear toda la zona del lago.

—No si voy yo —dijo Broc.

Isla sabía que a Broc no le llevaría mucho tiempo encontrar a los druidas. Después de todo, el dios que llevaba dentro le daba el poder de localizar a quien fuera, en cualquier lugar. Era un poder que Deirdre había usado a menudo.

—No —replicó Lucan—. Creo que sé de otro lugar donde tu poder nos resultará útil.

Broc apretó la mandíbula.

—¿Es más importante que encontrar a esos druidas que pueden decirnos dónde está el artefacto?

Lucan asintió con la cabeza. A sus labios asomaba una leve sonrisa.

—Creo que esto te gustará más.

—Lo dudo. ¿Qué es?

—Sí —dijo Quinn—. Cuéntanoslo, hermano.

Lucan le lanzó un trozo de pan a Quinn, que se agachó para esquivarlo.

—Como no tenemos forma de saber si los druidas nos darán el artefacto, creo que haremos mejor en emplear tu talento para localizar a la única persona que tenemos que encontrar, Broc.

—Deirdre —susurró Larena, como si acabara de caer en ello.

Lucan asintió.

—Sí. ¿Quieres hacerlo, Broc?

—Ya sabes que sí —contestó con un gruñido.

—Bien. Muy bien —dijo Fallon—. Y bien pensado lo de encontrar a Deirdre, Lucan.

Isla se humedeció los labios y miró a Broc.

—Puede que encontrarla os resulte más difícil de lo que pensáis. No tiene cuerpo, al menos no todavía. Tendréis que buscar su esencia.

Broc se levantó y miró a Sonya.

—La encontraré. Me marcho ya.

—Espera —dijo Quinn—. Tenemos que hablar de esto con los demás. Deberían saber lo que planeamos.

Isla no pensaba que se pudiera sorprender más con la actitud de los hermanos MacLeod; sin embargo, cuanto más tiempo permanecía en el castillo, más la asombraban.

—Yo iré a buscar a los druidas y el artefacto —dijo Galen.

Fallon asintió levemente.

—Quiero que te acompañe otro guerrero al menos.

Los hombres se levantaron y salieron del castillo. Isla buscó con la mirada a Hayden, pero también se había marchado, y eso la dejó a solas con las mujeres.

—Nos gustaría hablar contigo un momento —dijo Marcail—. Queremos ayudar.

—No podéis hacer nada —les respondió—. Ya os lo he dicho.

Larena se inclinó hacia delante en su silla.

—Tal vez sí.

—¿El qué?

Cara se giró para mirar a Isla de frente.

—Hemos estado hablando mientras terminábamos de cocinar. ¿Y si uno de los objetos puede cortar de alguna manera el vínculo que tienes con Deirdre? Sonya nos ha dicho que son muy poderosos.

Era una proposición demasiado embriagadora como para tenerla en cuenta.

—Deirdre nunca mencionó nada.

—¿Y por qué iba a hacerlo? —preguntó Sonya—. Le resultaba muy provechoso saber que siempre estarías bajo su poder, de una manera o de otra. Si alguna de las reliquias puede entorpecer su magia, ¿por qué no podría cortar también la conexión que os une?

Era cierto, e Isla las odiaba por darle esa esperanza.

—Yo solo he oído hablar de un artefacto. Eso no nos servirá de mucho.

—A menos que sepamos de otros —dijo Larena—. Tú nos has ayudado, Isla. Danos ahora la oportunidad de ayudarte.

Las miró una por una.

—¿Por qué hacéis esto? No me conocéis.

—Porque no nos hiciste daño cuando pudiste haberlo hecho —contestó Marcail—. Te observé mientras estuve en el foso. Sabía que no querías estar allí.

Isla se cogió las manos sobre el regazo e intentó tranquilizarse y calmar la esperanza que había empezado a crecer dentro de ella.

—No os hice daño, aunque tampoco os ayudé.

—¿Lo habrías hecho? —preguntó Larena—. Si no hubiéramos aparecido, ¿habrías ayudado a Quinn?

Isla negó lentamente con la cabeza.

—No podía arriesgarme a que hicieran daño a mi hermana o a mi sobrina.

Cara miró a las otras.

—¿Y ahora? ¿Nos ayudarás?

Isla sabía que era hora de tomar una decisión, una que podría hacer más mal que bien. Pero no podía ignorar o pasar por alto la posibilidad de librarse de la dominación de Deirdre.

—Os ayudaré.

8

Hayden escuchaba a Fallon solo a medias mientras explicaba el plan. Ya lo había oído en el gran salón. Además, toda su atención estaba puesta en Isla, o en su ausencia. ¿Por qué las mujeres y ella no habían salido al patio junto con los demás?

¿La estarían tratando bien? ¿Y a él qué demonios le importaba?

—Mierda —murmuró.

Logan lo miró. Sus ojos de color avellana veían demasiado.

—¿Ocurre algo?

Hayden resopló.

—Nada de lo que no me pueda ocupar yo solo.

La noche se estaba apoderando del cielo, oscureciéndolo todo y volviendo el mundo peligroso para algunos. Hayden liberó a su dios lo suficiente para encender las antorchas que había alrededor del patio. Aunque los guerreros no necesitaban la luz, las mujeres sí.

Bajó la mirada hacia su mano y vio que tenía la piel roja y garras del mismo color. Antes, ver aquello lo habría asustado, pero se había acostumbrado a ello muy pronto. Sin dedicarle apenas un pensamiento, redujo a su dios hasta que la piel volvió a la normalidad y las garras desaparecieron.

—Galen irá a buscar a los druidas —les dijo Fallon—. Necesitamos otro guerrero. ¿Quién quiere acompañarlo?

Hayden deseaba apartarse de Isla antes de que pudiera hacer algo insensato, como besarla. Y eso no podía ocurrir. Era una drough. Era perversa.

Abrió la boca, dispuesto a decirle a Fallon que él iría. Sin embargo, otra voz habló antes que él.

—Yo lo haré —dijo Logan.

Fallon admitió a Logan con un rápido movimiento de cabeza.

—Logan y Galen partirán al alba.

Hayden cerró la boca y detuvo a Logan cuando este se disponía a marcharse.

—¿Por qué vas a ir?

Logan se encogió de hombros, pero no miró a Hayden a los ojos.

—Necesitaban otro guerrero.

—Sí, y hay muchos que podrían haber ido.

Logan le dio una palmada en la espalda y le sonrió con demasiada alegría.

—No temas, amigo mío. Volveré muy pronto. No tendrás tiempo de echarme de menos.

Hayden elevó las manos con exasperación y Logan se separó de él para hablar con Galen. Logan nunca se tomaba nada en serio. Para él todo era una gran broma.

Sin embargo, últimamente Hayden se había dado cuenta de que su amigo no tenía el mismo humor. No era evidente para los que no lo conocían bien, pero ellos estaban muy unidos, como hermanos.

Conocían los secretos del otro. O, al menos, Hayden conocía la mayoría de los secretos de Logan. Siempre había habido una parte que Logan se había guardado. Y él no lo culpaba. Algunos secretos estaban mejor ocultos. Incluso a uno mismo.

Logan siempre estaba preparado para luchar, como todos los guerreros. Sin embargo, la impaciencia con la que se había presentado voluntario, la evidente necesidad que sentía de alejarse del castillo, lo sorprendía y lo preocupaba.

Algo le ocurría a su amigo y, si se marchaba, no podría ayudarlo.

Quinn se acercó a él.

—Esperaba que te presentaras voluntario.

—E iba a hacerlo, pero Logan quería ir. Necesita pasar algún tiempo fuera del castillo.

Quinn enarcó una ceja oscura; era evidente que no lo creía.

—Las mujeres van a intentar convencer a Isla de que se quede para siempre. ¿Eso va a ser un problema?

—¿Quieres decir si voy a matarla? —le preguntó Hayden. No sabía si sentirse molesto o impresionado porque se lo preguntaran. En el fondo, estaba irritado.

—Sí.

Hayden miró a Logan y vio que su amigo lo estudiaba con atención. ¿Podría contenerse y no matar a Isla? Eso sería mucho más fácil que no besarla.

—No le haré daño a menos que intente herir a alguien.

—Me parece justo. —Quinn cruzó los brazos por encima del pecho—. Isla podría ser nuestra única esperanza de detener a Deirdre.

—No me cabe la menor duda de que puede decirnos cosas de Deirdre que no sabemos. Sin embargo, nos estás pidiendo a todos que confiemos en una drough.

Quinn reflexionó sobre ello mientras miraba el cielo oscuro.

—Sí, así es. ¿Tengo que recordarte que se convirtió contra su voluntad?

—O miente muy bien.

Quinn se rió y dejó caer los brazos.

—No puedo decir nada que te haga sentir menos incómodo por tenerla aquí. Ya has confiado en otras ocasiones en mis hermanos y en mí. Confía en nosotros ahora, Hayden.

—Lo hago —contestó sin dudar. Los MacLeod habían demostrado su valía repetidamente. No había ninguna razón para no confiar en ellos.

La puerta del castillo se abrió y aparecieron cinco mujeres en los escalones. Las antorchas las iluminaban con un resplandor rojo anaranjado. Todas menos Isla bajaron al patio.

—Trescientos años sin tener a una mujer en el castillo —dijo Quinn—. Pensé que Lucan se había vuelto loco cuando trajo a Cara, pero el tonto era yo. ¡Cómo puede cambiar una mujer la vida de un hombre!

—Las mujeres complican las cosas —replicó Hayden, incapaz de apartar la mirada de Isla. Aun con aquel vestido demasiado grande llamaba su atención. Sus ojos de color azul hielo no miraban a la gente, sino a la lejanía. Se preguntó qué estaría pensando.

Quinn sacudió la cabeza y sonrió.

—Cuando encuentres a la mujer sin la que no puedas vivir, hablaremos de cómo se complican las cosas.

Hayden no se hacía ninguna ilusión de encontrarla. No era tan necio como para permitirse sentir algo por una mujer, no mientras fuera inmortal. ¿Por qué se haría eso a sí mismo, o a ella? Era innecesario.

Todos se quedaron en silencio cuando Isla cerró los ojos. Empezó a correr un viento por el patio con más fuerza de la normal, azotando las antorchas y haciendo que las llamas chisporrotearan. Las ráfagas se arremolinaban y enroscaban alrededor de Isla, le levantaban los mechones de cabello y hacían que flotaran en la brisa. El viento atrapó el tejido de su vestido y se lo pegó al cuerpo.

Hayden intentó contener el deseo que brotó en su interior al ver los pechos de Isla y su pequeña cintura. Los pezones se le endurecieron y le sobresalieron, presionados contra la tela. El pene se le agrandó y se le hinchó y anheló coger esos pechos, sentir su peso en las manos mientras se enterraba profundamente en ella.

Estaba tan concentrado en la reacción que su cuerpo tenía ante Isla que le llevó unos momentos darse cuenta de que era magia lo que giraba a su alrededor. Y no cualquier magia, sino la de Isla. Nunca había encontrado la magia tan fascinante ni tan erótica. Se giró y miró a su alrededor para ver si afectaba a alguien más, pero él parecía ser el único.

Ella había girado las manos y, con las palmas hacia arriba, comenzó a levantar lentamente los brazos por los costados. Hayden caminó hacia ella, temeroso de que hiciera daño a alguien con su poder, pero al sentir una mano en el brazo se detuvo. Quinn lo estaba agarrando.

—Nos está ayudando, ¿recuerdas? —dijo Quinn.

Hayden recurrió a toda su fuerza de voluntad para permanecer donde estaba, para no sacar a Isla bruscamente del patio, detener su magia y besarla. Quinn apartó la mano, pero Lucan se había colocado a su lado.

Hayden ya había presenciado cómo le destrozaban un hogar y no quería que ocurriera de nuevo. Solo deseaba proteger a los que consideraba su familia, aunque ellos se negaban a ver el terrible encanto de Isla. Sin embargo, si hacía daño a alguno de ellos, la destruiría a pesar del intenso deseo que su cuerpo sentía por ella.

Isla continuó subiendo las manos hasta que las palmas le quedaron enfrentadas por encima de la cabeza. El viento giraba con furia a su alrededor. La magia, su magia, lo envolvía todo.

Era embriagadora y peligrosa, y Hayden odiaba admitir lo mucho que estaba disfrutando al sentirla. Aunque había estado expuesto a ese poder en otras ocasiones, nunca había sido tan fuerte y tan seductor como el de Isla.

El viento desapareció, se oyó un estruendo y entonces vieron la magia, una débil luz dentro de un pequeño círculo. Salió disparado de las manos de Isla hacia el cielo. El anillo se hinchó y cubrió el castillo y la aldea, desapareciendo en la tierra.

Isla se humedeció los labios y miró a los que la rodeaban.

—Ahora el castillo y la aldea están protegidos por mi magia. Deirdre sabe dónde está el castillo y enviará a otros para que intenten encontrarlo. No podrán verlo, pero sabrán que está aquí.

—Entonces, ¿estamos a salvo de otros guerreros y de los wyrran? —preguntó Marcail.

—Mientras yo esté aquí, y mientras mi magia sea fuerte, el escudo perdurará —contestó Isla—. A ojos de Deirdre, el castillo y todos sus habitantes habrán desaparecido. Si salís del escudo, os verán.

—¿No sabrá que nos has ayudado? —preguntó Lucan.

Hayden se sintió inquieto cuando Isla apartó la mirada de Lucan.

—Sí —dijo con voz tranquila. Demasiado tranquila.

Estaba preocupada, y Hayden sabía que tenía todo el derecho a estarlo. Miró a Quinn.

—Has conseguido lo que querías. Sin embargo, me pregunto qué más cosas hará Deirdre ahora que tenemos su arma más poderosa.

—No queremos averiguarlo —contestó Quinn—. Tenemos la esperanza de que uno de los artefactos pueda cortar el vínculo que existe entre Isla y Deirdre.

Así que eso era lo que le habían dicho a Isla para conseguir su ayuda. La esperanza era un sentimiento muy poderoso, podía vencer casi cualquier cosa.

El impulso de proteger a Isla lo asaltó de nuevo. ¿Qué le ocurría? Ella no necesitaba que la protegieran. Era una drough y tenía más magia que cualquiera de los druidas que había en el castillo. En todo caso, debería proteger a los demás.

—Estás jugando con fuego —le dijo a Quinn—. ¿Qué crees que pasará cuando ninguno de los objetos pueda romper la conexión?

—¿Y si lo hace? —Quinn suspiró y paseó la mirada por el patio—. Tenemos algo por lo que luchar, Hayden, y haré todo lo que esté en mi mano para asegurarme de que todos estén a salvo. Arriesgarse es parte de este juego y, aunque preferiría que no fuera así, a veces no hay otra opción.

Hayden lo sabía muy bien. Se giró hacia Isla para mirarla una vez más y se sorprendió al encontrarla observándolo. Su rostro no reflejaba ninguna emoción, pero en las profundidades de sus ojos azul hielo vio dolor... y esperanza.

9

Isla no sabía por qué miraba a Hayden. El evidente desagrado que sentía hacia ella debería mantenerla a distancia.

En lugar de eso, lo encontraba fascinante. Adictivo.

Cautivador.

Era un hombre orgulloso, un guerrero leal. Era el más alto de todos, la cabeza y los hombros sobresalían entre los demás. Sin embargo, lo que lo hacía destacar era mucho más que su altura. Eran sus modales, su actitud de «puedo hacer cualquier cosa y tú no puedes detenerme».

Isla imaginaba que, efectivamente, podría hacer cualquier cosa que se propusiera. Había pocos hombres como él.

Se permitió estudiarlo a placer al tiempo que hablaba con Quinn. Mientras que su interlocutor y los otros guerreros tenían cuerpos fuertes pero estilizados, los brazos y los hombros de Hayden mostraban las protuberancias de los músculos.

El tejido de su atuendo escocés colgaba sobre su hombro izquierdo y acentuaba las formas bien proporcionadas de su torso. Su ancho pecho se estrechaba al llegar a la cintura y la falda escocesa le envolvía las delgadas caderas.

Permanecía de pie con las piernas separadas, los brazos cruzados contra el pecho y la mandíbula apretada. Un guerrero dispuesto a defender a aquellos que le importaban.

Isla había alcanzado a ver antes un muslo musculoso, cuando Hayden se había inclinado. Se había preguntado si habría alguna parte de su cuerpo que no estuviera cubierta de músculo.

Y entonces la miró con sus ojos negros.

Ella casi dio un paso hacia atrás. Consiguió quedarse en la misma posición y le devolvió la mirada. Hayden la intrigaba, aunque también le provocaba algo de miedo. No sabía por qué, pero había algo en él que le resultaba casi... familiar. Esa sensación se desvaneció rápidamente y ella sintió que la sangre se le calentaba bajo su intensa mirada.

—Gracias —le dijo Fallon, haciendo que desviara la atención y la mirada de Hayden.

Isla se centró en el líder e inclinó la cabeza.

—No sé cuánto tiempo más durará el escudo cuando Deirdre se dé cuenta de lo que he hecho. Aunque intentará utilizarme, el escudo hará más difícil que penetre su magia, que ahora es más débil.

—Pero ¿podría ocurrir? —preguntó Cara.

Por mucho que Isla quisiera mentirles, sabía que no podía.

—Sí. —Se giró hacia Fallon—. El escudo no la mantendrá siempre fuera. Al final me encontrará. Cuando eso ocurra, debéis matarme.

—Isla... —empezó a decir Fallon.

Ella negó con la cabeza.

—Quiero que me des tu palabra, Fallon MacLeod. Si no me la das, me marcharé ahora mismo. No pondré a nadie en peligro.

Fallon cerró los ojos y dejó escapar un suspiro entrecortado. Cuando los abrió, ella vio firmeza en su mirada.

—Tienes mi palabra —le prometió—. Rezo para que no tengamos que llegar a eso. Con cuanta más gente contemos para luchar contra Deirdre, mejor.

Isla no se molestó en exponer las razones que tenía para no luchar contra Deirdre de nuevo. Ya estaba todo dicho.

—Esperemos que tengas razón, señor de las tierras altas.

Él sonrió al oírla usar su título.

—Nunca pensé que oiría a alguien llamarme así. Gracias.

—¿Puedo salir del castillo?

—Por supuesto.

Marcail se adelantó y cogió a Isla de la mano. Le sorprendió que la druida la tocara con tanta confianza.

—Gracias —dijo Marcail—. No tenías que quedarte ni protegernos.

Isla forzó una sonrisa.

—Dame las gracias cuando todo haya terminado.

No estaba acostumbrada a que la gente fuera tan agradable con ella. Era un indulto bienvenido, aunque después de cinco siglos rodeada solo por el mal, no estaba segura de cómo actuar.

Se soltó de Marcail y bajó los escalones que conducían al patio. Los guerreros le abrían paso mientras se dirigía a la salida y a la puerta, que estaba entreabierta. La luz de las numerosas antorchas bailaba en el suelo y jugaba a sus pies.

Sintió la mirada de Hayden y supo que, si giraba la cabeza, lo encontraría observándola. No se iba a girar. Él podía darse cuenta de la confusión que sentía e interpretarlo como una debilidad.

Es una debilidad.

Un defecto que tenía que ocultar. Cuando se sentía confusa tendía a hacer elecciones erróneas, y aquellos druidas y guerreros le habían pedido ayuda. Aunque no quería pensar que había tomado la decisión equivocada al ayudarlos, en lo más profundo de su ser temía haberlo hecho.

Una vez fuera del castillo, se dirigió a los acantilados y no se detuvo hasta que llegó al borde. Al mirar hacia abajo se dio cuenta de lo altos que estaban, ya que las alcas se refugiaban por la noche en la pared de roca.

Levantó la cara hacia el cielo y el sol poniente para recibir lo que quedaba de luz y calidez. El olor de la sal que llevaba el viento le hizo cosquillas en la nariz, pero fue el sonido de las olas del mar lo que calmó su corazón acelerado.

Abrió los ojos y miró a la inmensidad, que se extendía aún más allá del horizonte. Las tonalidades de la roca gris y marrón de los acantilados chocaban de forma agradable con las aguas azul oscuro y la hierba de color verde brillante que pisaba. Casi era como si se hubiera adentrado en otro mundo, un mundo que había creído muerto para ella.

Un aleteo la avisó de que no estaba sola.

—Hola, Broc.

Él se rió entre dientes mientras aterrizaba y doblaba sus alas poderosas a la espalda.

—Debería haber sabido que me oirías.

—Y yo debería haber sabido que no se me permitiría estar sola —dijo ella, y se volvió para mirarlo. Pudo ver su piel de color índigo a la luz del sol poniente y sus ojos de guerrero, del mismo color que la piel, que la evaluaban. Siempre había querido preguntar si la vista les cambiaba cuando el dios tomaba el control, ya que el color se apoderaba de todo el ojo.

Él frunció el ceño al oírla y se apartó de los ojos un mechón de pelo que había atrapado el viento.

—No me ha enviado nadie. He venido para ver cómo estabas antes de irme.

—No se fían de mí, ¿verdad? No los culpo. Soy una drough.

—¿Nos has mentido sobre lo que te ocurrió?

Isla casi puso los ojos en blanco.

—Por supuesto que no.

—Entonces, te creen, y confían en ti lo suficiente para pedirte que te quedes. Dales una oportunidad.

Una oportunidad. Probablemente no debería, aunque iba a hacerlo.

—Deirdre presentirá que te acercas. Ten cuidado.

Él miró hacia el castillo por encima del hombro. Isla vio una figura alta de pie en las almenas, vigilándolos. Sonya. Se preguntó si la druida conocía los sentimientos de Broc y si sentiría lo mismo.

—Volveré —le prometió Broc. Se giró hacia ella y sonrió, enseñando los colmillos—. Aquí cuidarán de ti. Son buena gente.

—Lo sé. —Solo esperaba que no pagaran un precio demasiado alto por acogerla.

Broc asintió y desplegó sus alas curtidas. Un momento después se elevaba por el cielo. Lo cubrían solo unos pantalones.

Isla iba a echarlo de menos en el castillo. Él era el único al que conocía de verdad, su único aliado. Y ahora se había ido.

Se quedó al borde de los acantilados, sintiendo que el viento la zarandeaba, y por primera vez en mucho tiempo dejó vagar su mente hasta los días en los que Deirdre aún no había aparecido, cuando Grania todavía era una niña inocente y Lavena no estaba encerrada en las llamas azules.

Esperó sentir la punzada de dolor que la atravesaba cada vez que pensaba en su hermana y en su sobrina, pero solo sintió arrepentimiento por lo que podría haber sido.

—Adiós, Lavena. Que encuentres el lugar que buscaste durante tanto tiempo —susurró al viento—. Grania, mi querida y dulce Grania, ojalá la pureza que te hizo una niña tan especial vuelva a ti en la muerte. Perdonadme las dos.

Hayden estaba volteando una daga de extremo a extremo, apoyado contra una cabaña. La reconstrucción de la aldea había comenzado de nuevo; sin embargo, no estaba allí por ese motivo. Su objetivo seguía en los acantilados, sin apartar la mirada del mar.

¿Qué había en el agua que atraía tanto a Isla? No se había movido de allí desde que había llegado, después de la cena. Ya había anochecido y seguía en el mismo sitio.

Arran salió de otra cabaña y se acercó a él, sacudiéndose el polvo de las manos.

—¿Qué crees que está haciendo?

Hayden se encogió de hombros y envainó la daga en la funda que colgaba de su cadera.

—No lo sé.

—Está quieta como una roca. Larena dijo que la dejáramos, pero Quinn piensa que deberíamos llevarla al castillo.

—Déjala —dijo Hayden.

—Ya te dije que diría eso —intervino Ian con una risita.

Miró a Ian, el del pelo corto.

—¿Dónde está tu gemelo?

La sonrisa desapareció del rostro de Ian.

—¿Te preocupa que le haga daño a Isla?

Hayden sintió que la ira lo invadía tan rápidamente que casi no le dio tiempo a aplacar a su dios para frenar la transformación.

—¿Alguna vez Isla os hizo daño?

—Ya sabes que no —contestó Ian.

—Entonces, ¿por qué tu hermano la odia tanto? Te torturaron a ti, no a Duncan.

Arran bajó la mirada al suelo e Ian la fijó en el camino principal de la aldea. Apretó la mandíbula.

—Duncan se culpa por lo que me ocurrió.

—¿Tú lo culpas? —quiso saber Hayden.

Ian negó con la cabeza.

—Nunca. Los únicos a los que culpo son a Deirdre y a William.

—Y William está muerto —dijo Arran.

Los hombres intercambiaron miradas, sonriendo de satisfacción.

Hayden se apartó de la cabaña y volvió a mirar a Isla.

—Comprendo que tu hermano esté furioso, Ian. Necesita culpar a alguien. A Deirdre todavía no la han encontrado y, hasta que lo hagan, esa furia recaerá en Isla.

—¿Y por qué no también en Broc? —preguntó Arran.

Ian inspiró profundamente.

—Porque Broc luchó a nuestro lado. Sin embargo, nadie vio a Isla. Hablaré con él, Hayden.

—No servirá de nada —contestó este—. Necesita tiempo y comprobar que Deirdre está viva.

Oyeron un fuerte golpe en una de las cabañas cercanas seguido de un grito y una maldición. Era la voz de Camdyn. Hayden esperó a que Camdyn saliera de la cabaña y, cuando lo hizo, vio que estaba cubierto de ceniza.

Hayden se mordió el interior de la mejilla para no sonreír al verlo.

Arran soltó una carcajada e Ian se giró rápidamente para que no lo viera sonreír.

—Maldita viga —dijo Camdyn, y empezó a sacudirse la sustancia gris de su largo pelo negro—. Se ha roto en dos antes de que tuviera tiempo de reforzarla. El fuego ha hecho más destrozos de lo que pensaba.

—¿No me digas?

—Muy gracioso, Hayden —replicó—. La próxima vez vas tú a comprobar la solidez de las cabañas.

—¿Otra para reconstruir por completo? —preguntó Hayden.

Camdyn asintió.

—Eso me temo. Aunque el fuego no ha afectado a toda la cabaña, la estructura está tan dañada que será mejor reconstruirla.

Hayden hizo una nota mental con el total de las cabañas que podrían recuperarse.

—¿Isla sigue ahí fuera? —preguntó Camdyn.

Arran asintió.

—Parece que Malcolm va a tener compañía esta noche.

Hayden no tuvo que mirar hacia el borde de los acantilados para encontrar al primo de Larena, el único humano varón en el castillo, Malcolm Monroe.

Había arriesgado su propia vida para ayudar a Larena a permanecer oculta ante Deirdre. Esta había tenido un interés especial en Larena, como guerrera que era.

Todos habían esperado que Deirdre olvidara la intromisión de Malcolm, pero no lo había hecho. Sus guerreros lo habían atacado y casi lo habían matado. Broc lo había encontrado a tiempo de matar a sus atacantes, aunque no a tiempo de evitar que el brazo de Malcolm quedara destrozado.

Ni siquiera la magia de Sonya había podido ayudarlo. Las cuchilladas de su cara habían sanado rápidamente. Sin embargo, habían dejado cicatrices que durarían siempre. Hayden las consideraba unas insignias de valor, aunque sabía que Malcolm no estaba de acuerdo.

Tenía el brazo derecho inutilizado y ya no se sentía un hombre. Malcolm era el siguiente en la línea sucesoria para ser señor del clan Monroe, pero lo había rechazado para volver con su gente. Por mucho que Hayden odiara admitirlo, el clan no aceptaría a Malcolm en aquellas condiciones.

Por eso Fallon le había hecho un hueco entre ellos. A Hayden le gustaba, a pesar de que era muy reservado y apenas hablaba con nadie. Solía pasear por los acantilados por la noche, un alma solitaria entre los afloramientos rocosos.

Excepto que ahora, Isla también estaba allí.

—¿La habrías matado?

Hayden volvió la cabeza y se encontró a Duncan a su lado. Los demás se habían marchado. El gemelo lo miró con sus fríos ojos castaños.

—¿De qué estás hablando?

—Cuando Isla te pidió que le cortaras la cabeza, ¿ibas a hacerlo?

—¿Lo habrías hecho tú?

Duncan asintió.

—Sí.

Eso mismo pensaba Hayden. Todavía no comprendía por qué había dudado.

—Contéstame —le pidió Duncan.

—El dolor que sientes y que crece en tu interior no desaparecerá, Duncan, no importa a cuántas personas mates.

Este resopló.

—¿Y cómo lo sabes?

Hayden se giró hacia el gemelo y le sostuvo la mirada.

—Lo sé. Puedes culpar a todos los que quieras, pero la culpa solo recae en una persona.

—En mí.

—No. En Deirdre. ¿Habrías culpado a Ian si lo hubieran cogido a él?

Duncan hizo una mueca.

—No.

—Entonces, no te culpes. Tendremos muchas ocasiones de luchar contra Deirdre en los próximos días. Guarda tu ira para ella.

—¿Eso es lo que tú has hecho? ¿Guardar tu ira para ella?

Hayden negó con la cabeza.

—Hice lo contrario, aunque desearía que alguien me hubiera contado lo que he compartido contigo. Dejé que la furia creciera en mí hasta que me convertí en un monstruo en todos los sentidos de la palabra. ¿Te quieres convertir en eso? ¿Quieres que sea eso lo que Ian vea cada vez que te mire?

Duncan suspiró y se pasó una mano por el largo cabello.

—Sufrió y yo no pude hacer nada. Aunque compartimos el mismo dolor, Marcail me lo quitó en su afán por ayudar.

—Por lo menos tu hermano está vivo.

—¿Y el tuyo no?

Hayden ya había hablado demasiado. No era propio de él dar consejos, pero veía hacia dónde se dirigía Duncan, ya que él había recorrido el mismo camino. Y no era fácil.

Sin embargo, ¿qué camino lo era?

—¿Hayden? —dijo Duncan.

—No, pero no importa —replicó—. Fue hace mucho tiempo.

Demasiado, aunque le parecía que no había pasado ni un día desde que habían asesinado a su familia.

10

Hayden observaba a Isla desde la aldea, pasada la medianoche. Ella no se había movido ni había hecho ningún ruido. Aunque Duncan y los otros habían regresado al castillo, él no quería dejarla sola.

Sin embargo, no estaba del todo sola. Malcolm continuaba paseando por los acantilados, aunque se mantenía alejado de ella. Ella parecía no notarlo, pero Hayden suponía que se daba cuenta de hasta el más mínimo detalle.

Las horas pasaron y el guerrero siguió observando a Isla para ver cuánto tiempo tardaba en caer al suelo. Sin embargo, cuanto más la miraba, más se daba cuenta de que era mucho más fuerte de lo que pensaba.

Cuando los primeros rayos de sol asomaron por el horizonte, se dirigió hacia ella. No sabía por qué y, a pesar de que se había dicho a sí mismo que debía mantenerse alejado de ella, sus pies lo llevaron hasta la pequeña drough.

Se detuvo algunos pasos detrás de ella, a un lado, y observó la escena que había frente a él. El castillo MacLeod era hermoso, aunque en realidad eran el mar y los acantilados lo que hacían que aquel lugar fuera espectacular. No le sorprendía que Isla se hubiera quedado allí toda la noche.

Habían ocurrido tantas cosas desde que él había llegado al castillo que nunca se había molestado en mirarlo como Isla estaba haciendo.

—Me has estado vigilando toda la noche —dijo Isla—. ¿Temías que saltara?

—No se me había ocurrido hasta ahora. ¿Vas a hacerlo?

Ella se rió entre dientes, emitiendo un sonido suave y sensual.

—Eso no me mataría, así que, ¿para qué sufrir?

—¿Cómo sabes que no morirías? ¿Has intentado matarte antes?

Isla giró la cabeza y lo miró con sus intensos ojos de color azul hielo.

—He muerto muchas veces, Hayden. He perdido la cuenta de las ocasiones en las que he perecido en esa montaña, helada hasta morir, antes de que me trajerais aquí.

Hayden no estaba seguro de creerla. Los únicos a los que sabía que podía ocurrirles eso era a los guerreros y, evidentemente, ella no lo era.

Isla ladeó la cabeza hacia él.

—No me crees.

Hayden se adelantó hasta quedar a su altura.

—No estoy seguro de lo que creer.

—¿Te lo demuestro?

—No es necesario.

—¿De verdad? —Entrecerró los ojos—. Creo que seguirás dudando de mí hasta que te lo demuestre.

Hayden apartó la mirada.

—Te creo, ¿de acuerdo? Ya es suficiente.

En cuanto hubo pronunciado esas palabras notó que algo le tocaba el costado en el que estaba la daga. Miró hacia abajo y vio que el arma había desaparecido y que ahora la tenía Isla en la mano.

—No puedes matarme.

Isla puso los ojos en blanco.

—Ya lo sé. No soy ninguna necia, Hayden. Voy a demostrarte que soy tan inmortal como tú.

Dio un paso hacia ella al ver que levantaba el arma y apuntaba la hoja hacia su estómago. Alargó los dedos, dispuesto a arrebatarle la daga.

—Ya basta, Isla.

Ella sonrió, pero su mirada era solemne y seria. Un segundo después se hundía la daga en el abdomen. Hayden apenas pudo cogerla antes de que se derrumbara. Las manos de Isla cayeron a sus costados y cerró los ojos.

—Por el amor de Dios —murmuró Hayden al ver que la sangre brotaba de la herida.

A su mente acudieron los recuerdos de haber encontrado así a su familia. Miró impotente cómo la sangre de Isla, por donde se le escapaba la vida, manaba a borbotones de la herida.

Aunque oyó ruido de pisadas corriendo hacia él, no apartó la mirada de ella. Solo podía mirar su cuerpo sin vida. A pesar del dios que albergaba, no podía evitar que alguien muriera. Lo estaba comprobando una vez más.

Hayden descubrió que estaba temblando. La última vez que había sostenido a alguien de esa manera había sido a su hermano pequeño. Revivió recuerdos que habían permanecido enterrados mucho tiempo, recuerdos de impotencia e ira que era mejor dejar en el olvido.

—Isla —dijo, y la zarandeó, aunque sabía que era inútil.

Tenía cerrados sus hermosos ojos y los labios estaban entreabiertos, como si estuviera durmiendo. Sin embargo, Hayden sabía que era más que eso. Estaba muerta.

—¿Qué ha ocurrido? —preguntó Quinn. Derrapó y se detuvo a su lado.

Hayden tragó saliva y alargó la mano hacia la daga. No le gustó ver que le temblaba al cerrar los dedos alrededor del pomo. Inspiró profundamente, sacó el arma del cuerpo de Isla con un solo tirón y la lanzó lejos.

—Dijo que quería demostrarme que era inmortal. Cogió mi daga y...

—Ya lo sé —lo interrumpió Quinn en voz baja—. Lo he visto. Dime que no tienes ninguna herida abierta, Hayden. Su sangre drough puede matarte.

Hayden sacudió la cabeza. No podía apartar los ojos de su cara ni de la sangre que cubría el vestido lavanda.

—No tengo heridas.

—Compruébalo —le pidió Quinn.

Hayden desvió la mirada del rostro de Isla y la fijó en el más joven de los MacLeod.

—No soy yo el que está aquí tumbado con una herida en el estómago. ¡Preocúpate por Isla!

En cuanto hubo pronunciado esas palabras, volvió a fijar su atención en ella. La zarandeó de nuevo y sintió que el pánico lo atenazaba, como le había ocurrido tantos años atrás, cuando había encontrado a su familia.

—Cielo santo —murmuró Quinn—. ¿Qué ha hecho?

—Isla —susurró Hayden—. ¡Isla!

Isla jadeó al sentir que el aire le llenaba los pulmones. Abrió los ojos y se encontró a Hayden inclinado sobre ella, con la mirada llena de preocupación y angustia.

Sin embargo, esa inquietud se transformó rápidamente en irritación.

—Ya te dije que era inmortal —dijo. Tragó saliva y sintió que la ansiedad se le instalaba en el estómago. Al abrir los ojos había visto tal aflicción en la mirada de Hayden que por un segundo se había quedado sin respiración.

Él apretó los labios y su rostro recuperó la expresión rígida de siempre.

—Debería matarte otra vez por asustarme de esa manera.

—Entonces, no creías que no podía morir.

—Isla... —le advirtió con voz profunda.

Lo había llevado demasiado lejos. Antes de que pudiera disculparse, Hayden se puso en pie y la levantó en brazos. Hasta ese momento ella no se había dado cuenta de que la llevaba en volandas. Otra vez.

¿Cómo era posible que siempre terminara así? ¿Y por qué lo disfrutaba tanto?

—Creo que ya has demostrado lo que querías, mujer —dijo Quinn.

Ella no se había dado cuenta de que no estaban solos. Miró al guerrero.

—No me gusta que duden de mí.

—Ya lo hemos visto —gruñó Hayden.

Quinn se frotó la mandíbula.

—Entonces, ¿solo puedes morir si te cortan la cabeza? ¿Como nosotros?

—También Deirdre puede matarme —contestó ella—. Me amenazó con ello muchas veces.

—¿Por el vínculo que tenéis? —preguntó Hayden.

Isla asintió.

—Por lo menos, eso era lo que me decía.

—¿No la crees?

Isla se pasó las manos por el vestido que Cara le había dejado y que ahora estaba arruinado. Debería habérselo pensado mejor antes de actuar con tanta precipitación. Aunque no era propio de ella, le había sentado muy bien.

—A Deirdre le gusta fingir que es omnisciente, pero no lo es. Le llevará algún tiempo darse cuenta de que no estoy muerta. Ahora está intentando acumular magia para crear otro cuerpo.

—¿Tendrá el mismo aspecto? —preguntó Quinn.

—Sin duda.

Hayden apretó los puños, cubiertos de sangre. Se los miró y vio dolor y rabia. ¿Serían los recuerdos? Fuera lo que fuera, le molestó.

Quinn miró a Isla con los ojos entrecerrados y, después, a Hayden.

—Están preparando el desayuno.

—Gracias. —Isla no se podía mover, no sintiendo sobre ella la negra mirada de Hayden.

Él esperó a que Quinn se hubiera marchado para preguntar:

—¿Qué estabas haciendo aquí toda la noche?

—Deirdre apenas me permitía salir de la montaña y, cuando lo hacía, era por muy poco tiempo. Ahora he podido hacer lo que quería. ¿Sabes cuánto tiempo hacía desde la última vez que había visto un amanecer o una puesta de sol? Aquí he podido ver las dos cosas.

Intentó no moverse con nerviosismo cuando Hayden se fijó en la herida de su estómago, ya curada. Isla puso una mano sobre el pequeño agujero del vestido.

—No debería haberlo hecho. Lo siento.

—No lo sientas —dijo Hayden—. Dudé de ti y me demostraste que estaba equivocado. No hay nada por lo que disculparse.

Al hablar así Hayden la sorprendió, y pocas personas conseguían hacerlo.

—Vamos —dijo él, y se giró para dirigirse al castillo—. Quinn vino porque Marcail está preocupada por ti.

Isla dudó. La habían tratado con amabilidad en el castillo MacLeod y, como respuesta, ella destrozaba el vestido que le habían dado. Bajó la mirada hacia la tela y se preguntó qué iba a decirle a Cara.

—No te preocupes —dijo Hayden como si le hubiera leído el pensamiento—. A las mujeres les alegrará saber que estaba equivocado. Estoy seguro de que ya tienen otro vestido para ti.

Esperaba que Hayden tuviera razón pero, si no era así, se merecía la ira de las mujeres.

Cuando entraron al gran salón, todos estaban sentados, comiendo. El único que faltaba era Broc. A pesar de que nunca lo había considerado un amigo, era alguien a quien conocía y lo echaba de menos.

Nadie dijo nada de su vestido. Hayden se había lavado la sangre de las manos antes de sentarse.

Había muchos hombres que Isla no conocía y deseó ser capaz de poner nombres a las caras que la miraban. Tal vez debería preguntar más tarde a alguna de las mujeres.

Fallon la miró.

—Le he pedido a Ramsey que dibuje un mapa de la zona del lago Awe, ya que él ha estado allí. ¿Sabes en qué parte se ocultan los druidas?

Isla terminó de masticar y tragó antes de alargar la mano hacia el pergamino que Ramsey le tendía. Se quedó asombrada al ver el complicado dibujo.

—Eres muy bueno.

Ramsey inclinó la cabeza.

—Gracias. Han pasado varias décadas desde la última vez que estuve en la zona, así que lo he dibujado de memoria.

—Yo nunca he estado allí —dijo Isla—. Sin embargo, lo que Deirdre me contó de la zona se ajusta a esto.

—Bien —dijo Lucan.

Isla se acercó aún más el mapa y se esforzó por recordar si Deirdre había comentado dónde estaba el artefacto. Un bosque, sí, pero había muchos bosques alrededor del lago. Si Galen y Logan tenían que rastrear ambos lados, podrían estar fuera mucho tiempo.

—No pasa nada si no lo sabes —susurró Cara a su lado.

Isla miró a la druida. Cara tenía cabello y ojos oscuros y era bonita, la pareja perfecta para Lucan.

—Dadme un momento.

Puso la mano sobre el mapa y cerró los ojos. Concentró toda su magia en él y buscó la presencia de druidas.

Con los ojos todavía cerrados, pasó la mano por el pergamino, deteniéndose de vez en cuando si le parecía sentir algo. Y entonces... algo se agitó. Magia.

Abrió los ojos de golpe.

—Aquí —dijo, señalando con el dedo—. Los druidas están aquí.

Galen se inclinó hacia delante, miró el mapa y después a ella.

—¿Cómo lo has sabido?

—Por mi magia.

—Sorprendente —dijo Ramsey.

Sin embargo, Isla sabía la verdad. Era la magia negra la que fortalecía su poder y le permitía usarlo de formas que los mie no podían. Parecido a Deirdre aunque diferente, porque ella no confiaba en el mal para fortalecer su poder, sino en su magia mie.

Fallon se puso en pie.

—Galen, Logan, podéis poneros en camino.

Cuando Logan se levantó también lo hizo Hayden, que estaba sentado a su lado. Se agarraron mutuamente los antebrazos. No era necesario decir nada. Eran amigos, hermanos, y los iba a separar una misión que podía terminar en fracaso y muerte.

Cuando Galen estaba a punto de levantarse, Isla le puso una mano en el brazo para detenerlo.

—Los druidas son temerosos y se ocultan. Usarán la magia para impedir que los encontréis. Podríais pasarlos por alto fácilmente.

—Entonces, ¿cómo los encuentro?

—Confía en tu instinto. Una vez los encuentres, no se abrirán fácilmente a ti.

Sonya se inclinó hacia delante y asintió.

—Isla tiene razón. Los druidas no se fiarán de los extraños, especialmente de los guerreros. Haced todo lo posible para no mostrarles exactamente lo que sois.

Galen dejó escapar un suspiro.

—Logan, tenemos trabajo que hacer.

—Entonces, será mejor que nos vayamos —replicó este sonriendo.

Isla se levantó con Galen y caminó hacia la puerta con todos los demás.

—Buen viaje —dijo Fallon cuando los dos highlanders se giraron hacia todos ellos.

Galen miró a Logan.

—Volveremos en cuanto podamos.

—Traed a los druidas si conseguís convencerlos —dijo Cara—. Aquí estarán más seguros.

—Haremos lo que sea posible —le prometió Logan.

Después de las despedidas, los dos hombres se marcharon. Isla esquivó a los demás, dispuesta a regresar a su dormitorio y cambiarse de ropa.

Pero cuando entró en sus aposentos, vio que había alguien dentro. Se detuvo en la puerta, sorprendida al encontrar a Hayden rebuscando en un arcón que había a los pies de la cama.

Él se detuvo y, al levantar la cabeza, el cabello rubio le cayó sobre los ojos. La miró un instante y volvió a centrarse en el arcón.

—Termino enseguida.

¿Terminar? Cuando Isla se dio cuenta de lo que ocurría, se sintió incómoda.

—¿Es tu dormitorio?

—Sí —contestó él sin levantar la mirada—. No había dormitorios libres, y yo no uso el mío.

—No puedo quedarme aquí —dijo ella.

Él se incorporó.

—¿Y dónde vas a dormir? ¿En el gran salón?

Isla no había pensado en eso. Lo que sí sabía era que no podía echar a Hayden de sus aposentos.

—Estaré bien —dijo él—. Usaré el dormitorio de Logan mientras esté fuera.

Isla se agarró las manos a la espalda.

—A pesar de que no te gusto, ¿me dejas usar tus aposentos?

Hayden cerró la tapa y volvió a mirarla. Caminó hacia Isla y no se detuvo hasta que estuvo frente a ella.

—Nunca he dicho que no me gustaras.

—No tenías que hacerlo. Es evidente lo que sientes por los drough.

Hayden inspiró profundamente y dejó escapar el aire despacio.

—Tu magia puede hacer muchas cosas, druida, pero a menos que poseas el poder de Galen de leer las mentes, no tienes ni idea de lo que me gusta o lo que no me gusta.

Y, dicho eso, se marchó.

Isla se quedó inmóvil durante varios minutos. Miró a su alrededor y la cama con otros ojos. Eran los aposentos de Hayden. Él había dormido en esa cama y se había vestido en esa estancia.

Tenía que buscar otro sitio. Estar en la cama de Hayden sería demasiado. Ya tenía suficiente con buscar siempre su presencia entre los demás guerreros.

Entró en la habitación, cerró la puerta y echó el cerrojo. Se quitó el vestido destrozado y agradeció encontrar otro sobre la cama.

Se apresuró a cambiarse, haciendo todo lo posible por no pensar en Hayden. Y fracasó estrepitosamente.

11

Hayden se dijo que no le importaba que Isla se encontrara en su dormitorio ni que su cuerpo estuviera cubierto por las mismas sábanas que lo habían tocado a él.

En cuanto había entrado en sus aposentos, la había olido. El aroma a nieve y pensamientos silvestres llenaba la habitación y le recordaba a los ojos azul hielo y al cabello negro como la noche, a los labios carnosos y la piel de alabastro. Al cuerpo exquisito y los pechos erguidos.

La sangre se le había agolpado en la entrepierna al instante. Había intentado ignorarlo poniéndose a buscar en el arcón otra camisa, una que no estuviera manchada con la sangre de Isla.

Y eso lo había llevado a recordar que una hora antes había creído que estaba muerta. El miedo se le había anclado en las entrañas, como cuando había encontrado a su familia.

No quería sentir nada por Isla. Intentó decirse a sí mismo que no era así, pero la verdad se le colaba en los huesos.

La había encontrado en aquella montaña dejada de la mano de Dios y la había llevado al castillo. Había visto en su mente la tortura y la había oído suplicándole que la matara. ¿Cómo podría no importarle?

¿Cómo se atrevía a que le importara?

Parecía que sus sentimientos no estaban tan muertos como pensaba. Y eso podía ser algo muy malo.

Había estado tan sumido en sus pensamientos que no había oído a Isla hasta que había hablado desde la puerta. Sabía que no podía estar a solas en la misma habitación que ella. Era una tentación demasiado grande, una atracción que no quería, no cuando no entendía la reacción que su cuerpo tenía ante esa mujer.

Para marcharse había tenido que pasar a su lado y eso casi lo había matado.

Ella no le tenía miedo. Eso la hacía aún más atractiva. Peligrosamente atractiva.

El deseo de acariciar su piel y de sentir su calidez había hecho que se acercara. El impulso de besar sus labios y de probar la esencia que era solo suya lo había abrumado. La necesidad de sentirla contra su cuerpo, de tener sus pechos apretados contra el torso casi había conseguido que se rindiera.

Tenía dos opciones: ceder a sus deseos o marcharse.

Se había marchado y ahora, de camino al dormitorio de Logan, se arrepentía. Se preguntó qué habría hecho Isla de haberla abrazado.

¿Se habría resistido? ¿No habría tenido ninguna reacción? ¿O habría descubierto otra faceta de Isla, su lado apasionado, salvaje y deseoso de liberarse?

Lo mejor era que nunca supiera la respuesta.

Se quedó de pie en los aposentos de Logan durante unos segundos y entonces se quitó de un tirón la camisa de color azafrán y la lanzó sobre la cama. Había trabajo que hacer en la aldea. Exactamente lo que necesitaba para olvidarse de Isla y sus encantos.

A la drough le sorprendió que el nuevo vestido se ajustara perfectamente a su cuerpo. El color azul zafiro era de una sencillez hermosa. Ya no recordaba cuándo había sido la última vez que se había sentido bonita.

Se preguntó qué pensaría Hayden del vestido, e inmediatamente después se preguntó por qué le importaba.

Salió del dormitorio en busca de las mujeres y no le sorprendió encontrar a Cara fuera de la cocina, ocupándose de un jardín. Estaba inclinada sobre una planta, con las manos sobre ella. Las plantas crecían exuberantes y lozanas gracias a su magia pura.

Isla se sintió celosa, muy a su pesar. Una vez había tenido esa magia recorriéndole el cuerpo. Aunque no era tan poderosa como la magia negra, no había nada comparado con la sensación de tener magia impoluta corriendo por su interior.

—Veo que has encontrado el vestido —dijo Cara, mirando hacia arriba—. ¿Cómo te queda? No sabía tus medidas exactas, así que las tuve que adivinar. Dime si hay que cambiar algo.

—Me queda muy bien. Gracias.

Cara se apoyó en las rodillas, se sacudió las manos y se levantó.

—Me encanta el tacto de la tierra. Lucan dice que paso más tiempo con las plantas que con él.

Isla le devolvió la sonrisa y volvió a sentir una punzada de envidia.

—La tierra fortalece tu magia. No es de extrañar que te cueste resistirte a tocarla.

—Eso mismo dijo Sonya. —Se acercó a Isla—. ¿Ocurre algo?

Isla dudó un instante. Los MacLeod le habían dado refugio, la habían ayudado a curarse, la habían alimentado y vestido. No quería parecer una desagradecida.

—¿Hay algún otro sitio donde pueda dormir?

—¿Te ha dicho algo Hayden?

Isla negó con la cabeza.

—En absoluto. Yo... puedo quedarme en una de las cabañas.

—¿Has visto las cabañas? —preguntó Cara con una sonrisa un poco avergonzada—. Los wyrran destruyeron la mayoría. No están habitables.

—Puedo arreglármelas —insistió Isla—. No me gusta la idea de echar a alguien de su dormitorio.

Cara sonrió con ironía.

—No tienes que explicarme nada. Lo entiendo. Hay un sitio que tal vez te guste. En la torre norte hay unos aposentos, en lo alto. No son grandes y están vacíos.

—Eso sería perfecto.

—Entonces, considéralo hecho —dijo Cara—. Lucan iba a terminar hoy una cama que se suponía que era para una cabaña. Le diré que la lleve a la torre.

Isla se humedeció los labios y se preguntó si un simple agradecimiento sería suficiente.

—Agradezco todo lo que estáis haciendo, Cara.

Esta sacudió la mano para quitarle importancia.

—No tienes que darme las gracias. Ahora eres una de nosotros, parte de la familia.

—Aquí estás —dijo Marcail, que llegaba desde el patio—. Te he estado buscando, Isla. He pensado que te gustaría dar un paseo conmigo.

Cara asintió y echó a Isla con un gesto de la mano.

—Sí, ve con Marcail a conocer el castillo. Seguro que tienes muchas preguntas.

La pequeña mujer pronto se encontró con Marcail en lo alto de las almenas mirando al patio, donde estaban reunidos los hombres.

Hayden era fácil de reconocer, por su altura y su cabello rubio. Pero había muchos otros que no conocía.

—Y pensar que todo empezó solo con los MacLeod... —comentó Marcail—. Mira lo que han creado.

—Hay muchos que no conozco.

Marcail se rió entre dientes.

—A mí me ocurrió lo mismo. Todavía no he terminado de conocerlos a todos. Ya sabes quiénes son los MacLeod, evidentemente.

—Sí, y Broc —contestó Isla—. También Logan, Galen y Ramsey.

Marcail se inclinó hacia delante.

—Logan es el que siempre está feliz, el que hace reír a todos. Galen es el del estómago sin fin.

—Sí, eso lo sé. —No pudo evitar la curva en la comisura de sus labios al recordar cómo los otros se reían de Galen.

Marcail le sonrió.

—Es cierto, lo sabes. Ramsey es el callado. Nunca se puede saber lo que está pensando, pero cuando habla es mejor que todos lo escuchen.

—Entiendo.

—Ya conoces a Arran, y a los gemelos, Ian y Duncan, ¿no es así?

Isla asintió.

—También están Camdyn y Malcolm. ¿Has hablado con alguno de ellos?

—No.

Marcail señaló a un guerrero con una falda escocesa de color azul, negro y rojo intenso. Su largo cabello era negro y parecía casi tan imponente como Hayden.

—Ese es Camdyn. Suele ser muy reservado, aunque es fácil llevarse bien con él.

—¿Y Malcolm?

Marcail hizo una mueca y apartó la vista de los guerreros.

—Es el primo de Larena.

—¿No es un guerrero?

—No.

Isla recordó haber visto a un hombre caminando por los acantilados la noche anterior. Tenía la cara llena de cicatrices y, aun así, se veía que era atractivo.

—¿Es el de las cicatrices?

—Y el brazo derecho inútil.

—¿Qué le ocurrió?

—Los guerreros de Deirdre —contestó Marcail con un suspiro—. Aunque Sonya tiene el poder de curar, no pudo recuperar el uso del brazo.

Ahora Isla comprendía por qué Malcolm deambulaba por los acantilados.

—Y luego, por supuesto, está Hayden —dijo Marcail.

—Háblame de él.

—¿Quieres decir que te cuente algo más aparte de que siente un odio tan profundo hacia los drough que nunca he visto nada parecido? —Marcail se encogió de hombros—. Obsérvalo tú misma.

Isla observó a Hayden mientras salía del castillo hacia la aldea.

—No me da miedo.

Marcail la estudió durante unos segundos.

—No pensaba que fuera así. Él fue quien te encontró en la montaña.

—¿De verdad? —Eso era algo inesperado—. Si odia tanto a los drough, ¿por qué no me mató como le pedí que hiciera?

—Solo Hayden puede contestar a eso —dijo Marcail—. Todos esperábamos que lo hiciera.

Interesante. Muy interesante.

Marcail la llevó a dar una vuelta por el castillo. No lo había visto destruido, pero recordaba el júbilo de Deirdre cuando le mostró el momento en el que los MacLeod descubrieron lo que había ocurrido.

Isla se había sentido enferma al pensar en todos los inocentes que habían muerto aquel día. Ahora, al mirar la edificación, se alegraba de que las antiguas piedras del castillo MacLeod albergaran de nuevo un hogar.

Después de la visita fueron a la cocina, donde Cara, Sonya y Larena ya estaban preparando la comida del mediodía.

—Con estos guerreros, apenas tenemos suficiente comida —dijo Sonya.

Larena sonrió.

—Por lo menos tendremos algo más durante unos días, ya que Galen se ha ido.

—¡Larena! —exclamó Cara, y le lanzó un poco de harina.

Isla se descubrió sonriendo ante sus bromas y la forma en la que interactuaban las mujeres, como si llevaran siendo amigas toda la vida. Procedían de diferentes caminos de la vida, pero entre todas habían creado un terreno común.

Daban lo mejor de ellas a pesar de la guerra que bramaba a su alrededor. Mantenían viva la risa, el amor y la luz entre ellas, una declaración de la magia druida que llenaba el castillo.

—Tienes harina en la cara, Larena —dijo Sonya riéndose entre dientes.

Marcail puso los ojos en blanco.

—Eso le dará a Fallon una razón para besarla.

—Como si tú tuvieras derecho a hablar —replicó Larena con una sonrisa de complicidad—. Quinn y tú desaparecéis a la menor oportunidad.

Sonya sonrió.

—Y creen que nadie se da cuenta.

Marcail se encogió de hombros ante los comentarios, aunque Isla vio una sonrisa de satisfacción en su cara.

—¿Qué puedo decir? Soy irresistible.

Cara resopló.

—Tanto como insaciables son los hermanos MacLeod.

Larena, Cara y Marcail estallaron en carcajadas, asintiendo para mostrar su acuerdo.

Isla sintió una punzada de remordimiento al recordar las ocasiones en las que había compartido tantas risas con su hermana. Aunque aquellas mujeres no compartían un vínculo de sangre, estaban unidas por la familia, y a veces eso era más fuerte.

Sonya las miró mientras continuaba trabajando la masa.

—Creo que yo soy la única sensata aquí.

Marcail y Cara se miraron. Larena simplemente sacudió la cabeza.

—Bueno —dijo Marcail, y se giró hacia Isla—. ¿Sabes cocinar? ¿O eres como yo, sin remedio a la hora de preparar la comida?

La mente de Isla se llenó de recuerdos de cuando horneaba dulces con su familia.

—Solía cocinar bastante bien, pero de eso hace mucho tiempo.

—¿Cuál es tu especialidad? —le preguntó Larena.

Isla observó las caras expectantes que la rodeaban.

—Mi padre era panadero y yo aprendí muchas de sus recetas.

Cara dio una palmada con las manos llenas de harina.

—Maravilloso. ¿Recuerdas algunas? Sería de mucha ayuda contar con otro par de manos en la cocina.

Saber que la necesitaban la dejó sin aliento. A esas mujeres no parecía importarles que se hubiera pasado los últimos quinientos años inmersa en el mal.

—Veré si puedo recordar algunas —contestó Isla—. Sin embargo, no puedo prometer que lo que prepare sea comestible.

Sonya apartó la masa y apoyó las manos en la mesa de trabajo.

—No creo que los hombres saboreen ni la mitad de lo que comen. Zampan demasiado deprisa.

—Sobre todo Galen —bromeó Cara.

Larena se rascó la barbilla con el dorso de la mano.

—Pobre Galen. Todos se burlan de él.

Pasaron las horas mientras cocinaban y conversaban. Isla hablaba de vez en cuando, aunque sobre todo escuchaba. Las mujeres compartían muchas risas, muchas bromas y, evidentemente, mucho amor.

Y el hecho de haber sido incluida le hacía sentir una nostalgia que no quería sentir.

La esperanza que crecía en su interior, su inclusión en la familia de los MacLeod y su fascinación por Hayden solo podía significar una cosa: el desastre.

12

El día pasó rápidamente. Isla estaba tan ocupada siendo útil a los demás que no se dio cuenta de lo rápido que se iban las horas hasta que llegó la hora de la cena.

Con tres miembros ausentes, a las mesas parecía faltarles algo. Además, Hayden, junto con otros cuatro hombres, había decidido seguir trabajando en las cabañas en vez de parar para comer.

Isla odiaba admitir que echaba de menos verlo. Era vergonzosa esa necesidad de mirarlo y admirar su cuerpo bien moldeado.

En el castillo podía ver a muchos hombres atractivos, pero con Hayden era algo más que eso. Era él, el hombre. Su actitud.

Se alegró de no haberse encontrado nunca con Hayden en Cairn Toul. Si Deirdre hubiera descubierto su interés por él... Se estremeció solo de pensarlo.

Cuando terminaron de recoger la mesa, Isla levantó la mirada y se encontró con la sonrisa de Cara.

—¿Estás preparada para ver tus nuevos aposentos? —le preguntó.

Lucan se acercó por detrás de su mujer y le puso las manos en los hombros.

—Está deseando enseñártelos desde que llevé la cama.

—Me encantaría verlos —contestó Isla.

Cara corrió hacia las escaleras, con Lucan detrás. Isla los siguió hasta el pasillo del segundo piso.

—No es gran cosa —le explicó Cara mientras la miraba por encima del hombro—. Pronto podré poner más muebles en la torre.

—Será perfecto —contestó Isla. Deseaba calmar la ansiedad de Cara.

Lucan sonrió a su esposa y el amor brilló en sus ojos.

Cuando, después de muchos giros y recodos llegaron a la entrada de la torre, Isla miró la escalera serpenteante.

—Tiene una vista fabulosa —dijo Lucan—. Cara acertó al elegir esta torre.

Cara arrugó la nariz.

—Antes no se me había ocurrido convertir las torres en dormitorios. Eso nos da tres aposentos más si los necesitamos.

Lucan se rió y le hizo un gesto a Isla para que siguiera avanzando.

—Tu nueva habitación te espera.

Isla se humedeció los labios y puso un pie en el primer escalón. Las escaleras subían en espiral y casi hacían que se mareara. Llegó al final y, al abrir la puerta, se encontró con un dormitorio redondo. La cama estaba en el extremo opuesto de la ventana y había una pequeña mesa junto a ella. También había una silla y un arcón para guardar la ropa.

—Ya sé que no es mucho. Estoy arreglando un tapiz para colgarlo sobre la cama —dijo Cara en voz baja, un tanto apesadumbrada.

Isla se giró para mirarla.

—Es perfecto, Cara. Gracias. No necesito nada más.

Cara le dedicó una sonrisa deslumbrante y la alegría se reflejó en su rostro.

—Tengo otro par de vestidos que te estoy arreglando.

—Hacéis demasiado por mí.

—Cuidamos de los nuestros —dio Lucan, y le pasó a Cara un brazo por encima de los hombros.

Isla asintió. Sentía que la garganta se le había cerrado por la emoción. De todas maneras, no encontraba las palabras adecuadas.

—Ahora te vamos a dejar —dijo Lucan—. Si necesitas algo, dínoslo.

Una vez sola, Isla se giró para mirar su habitación. Pasó una mano por el peine y el pequeño espejo que habían dejado sobre la mesa, junto a la cama.

Se sentó en la cama y, simplemente, se quedó allí. Aquel era su dormitorio, no uno prestado, mientras estuviera en el castillo. Y esperaba quedarse mucho tiempo, aunque temía que Deirdre recuperara sus poderes antes de lo esperado.

Pero hasta entonces, había encontrado un hogar. Su primer hogar de verdad en cinco siglos.

Ya había oscurecido cuando Hayden se dirigió al castillo, mucho después de la cena. No vio a Isla en el salón ni en las cocinas, donde se detuvo para coger carne fría y pan.

Aunque no le gustaba buscarla, no podía evitar preocuparse por dónde estaría y lo que estaría haciendo. Podría estar intentando herir a alguien, o al menos esa era la excusa que se ponía para explicar sus sentimientos. No estaba en los acantilados; lo sabía bien porque los había recorrido. Tenía que estar en el castillo.

Terminó de comer y se encaminó hacia sus aposentos. Iría a ver a Isla para asegurarse de que no necesitaba nada. Después se daría un baño en el mar para deshacerse del sudor y la suciedad que le cubría el cuerpo e intentaría descansar.

Llamó a la puerta, pero no le respondió ninguna suave voz femenina. De hecho, no le respondió nadie.

Abrió y, al mirar en el interior, vio que el dormitorio estaba vacío. Fue al arcón para coger una camisa limpia y supo que Isla se había ido de la estancia.

De repente sintió una furia que no comprendía. ¿No debería alegrarse de que se hubiera marchado? ¿Por qué entonces le hubiese gustado encontrársela en su cama?

Decidido a olvidarse de Isla, se acercó a la ventana. Siempre había pensado que, si el dios lo había elegido y le había dado poderes, ¿por qué no utilizarlos? Y aquella era una ocasión apropiada para hacerlo.

Observó las largas garras de color escarlata que se extendían desde sus dedos. Eran del mismo rojo intenso que su piel y que sus ojos de guerrero.

Inmenso y terrible, el poder lo invadió como cada vez que invocaba a su dios. Ahora ese dios era parte de él, había sido parte de él durante casi doscientos años. Y probablemente seguiría siéndolo hasta el día en que le separaran la cabeza del cuerpo.

Sin pensárselo dos veces, saltó por la ventana. La caída desde sus aposentos hasta la playa que había debajo era muy alta y mientras descendía sintió el viento silbar en los oídos.

Aterrizó de cuclillas sobre una gran roca y reprimió a su dios. Se quitó la ropa rápidamente, saltó a la arena y se metió en el agua fría.

Caminó hasta que el agua le llegó a la cintura y entonces se sumergió. No tardó mucho en lavarse y regresar a la orilla. Como el castillo se elevaba sobre los acantilados, casi nadie tomaba el camino empinado que conducía a la playa, y eso le daba la intimidad que quería.

Aunque, con sus poderes, podría atravesar los acantilados y llegar a cualquier playa. Solamente había visto otro lugar accesible a los humanos y no estaba cerca del castillo. Lo más probable era que lo usaran los MacClure, que habían reclamado las tierras de los MacLeod y amenazaban el castillo.

Levantó la mirada hacia el cielo oscuro y las estrellas parpadeantes. La media luna estaba baja y derramaba su luz en el mar. Siempre le había encantado mirar a la luna, pero aquella noche el cielo nocturno le recordaba a cierto cabello negro.

Dejó escapar un suspiro, se vistió y supo con certeza que no podría descansar hasta haber encontrado a Isla y asegurarse de que no estaba haciendo nada extraño. No había abandonado la zona porque él todavía podía sentir la magia de su escudo.

Podría preguntar a alguien, pero entonces sabrían de su interés. O pensarían lo peor, que quería matarla. No quería nada de eso, así que la encontraría él mismo.

Volvió a liberar a su dios para subir los acantilados hacia el castillo. La forma más sencilla de encontrar a Isla era mirando por las ventanas.

Empezó por los aposentos que sabía que estaban vacíos: los de Broc, Logan y Galen. No la encontró ni olió su aroma, lo que significaba que no había estado en los dormitorios.

Saltó a las almenas para pensar por dónde seguir buscando y entonces vio una luz en la torre norte.

No dudó en dirigirse a la ventana de la torre y, cuando miró hacia el interior por fin la vio, peinándose los largos mechones con movimientos lentos y seguros.

Debería haberse marchado y regresado a su dormitorio. Debería haber ignorado el atractivo del aroma de Isla, a nieve y pensamientos silvestres. Debería haber luchado contra el deseo que bramaba en su cuerpo y que le exigía que saboreara a aquella mujer.

No hizo ninguna de esas cosas.

En lugar de eso, reprimió a su dios y aterrizó sin hacer ruido en el interior de la torre. Dio un paso hacia la cama cuando Isla detuvo la mano y bajó el peine. Ella giró la cabeza hacia él y, sin decir ni una palabra, se levantó y se quedó mirándolo.

Hayden deseaba ver miedo en sus profundidades azul hielo, cualquier cosa que destruyera la necesidad ardiente que corría desenfrenada por su cuerpo. Sin embargo, parecía que el miedo no era una emoción que Isla se permitiera sentir.

Sabiendo que estaba mal y que tenía que marcharse, se acercó a ella, y cada paso alimentaba su deseo hasta el punto que sintió que, si no la tocaba, ardería en llamas.

Isla retrocedió solo dos pasos. Tal vez, después de todo, una parte de ella sí le tuviera miedo. Era lo que él quería. ¿Por qué entonces eso le molestaba?

Su aroma lo rodeó y lo arrulló. Lo excitó. Si no la tocaba, sabía que explotaría por la intensidad del deseo. Incapaz de detenerse, levantó la mano izquierda y la posó en su rostro.

Ella ladeó la cara hacia su mano, mirándolo con curiosidad. Hayden se preguntó qué veía ella cuando lo miraba. ¿Veía al monstruo en el que se había convertido? ¿La repelía como él temía que hiciera?

Todos sus pensamientos se desvanecieron cuando se perdió en las profundidades de sus sorprendentes ojos azul hielo. El mundo se esfumó, dejándolos solos con la pasión que Hayden se sentía incapaz de resistir.

Le acarició los labios con el pulgar, ansiando tocar más. Contuvo un gemido cuando sintió que el pene se le hinchaba y que el deseo lo consumía. Por todos los santos, no comprendía esa necesidad que lo invadía ni por qué tenía que ser Isla quien la causara. Ninguna mujer le había provocado aquello antes.

No podía ignorarlo por más tiempo, como no podía hacer que su corazón dejara de latir.

No la besaría. No podía. A pesar de que luchó contra el anhelo de saborearla, de acariciarla, de reclamarla, comenzó a bajar la cabeza hacia los cautivadores labios de Isla.

Como último recurso, apoyó una mano en la pared para mantener las distancias con su tentadora boca. No funcionó, no cuando vio que ella separaba los labios, como si deseara que la besara.

Eso fue su perdición.

Con el corazón latiéndole con fuerza y la sangre resonándole en los oídos, la necesidad abrasadora que lo invadía era demasiado grande para luchar contra ella. Aunque clavaba las uñas en la piedra, cerca de la cabeza de Isla, no podía separarse de ella, no conseguía refrenar su deseo.

Bajó aún más la cabeza e inhaló su aroma, que le llenó todo el cuerpo. Se le endureció la verga deseando, necesitando apretar sus suaves curvas contra él.

Isla dulcificó la mirada y las profundidades azul hielo se oscurecieron con la pasión. Hayden estaba tan cerca de ella que podía ver el círculo de azul más oscuro que le rodeaba los iris.

Se acercó todavía más y, deslizando la mano desde su cuello, hundió los dedos en la suavidad sedosa de su cabello negro. Le agarró la nuca y bajó la mirada hacia su boca.

Sus labios casi se tocaban. Él podía sentir el cálido aliento de Isla, provocándolo. Inhaló profundamente su aroma y supo que había perdido la batalla en cuanto entró en la torre.

Debería estar furioso, pero lo único que podía sentir era la lujuria que le quemaba las venas. La besaría. Probaría su dulce néctar y liberaría el ansia que sentía por ella de una vez por todas.

Al menos, eso era lo que esperaba que ocurriera.

Cuando estaba a punto de posar los labios sobre los suyos y saciar sus deseos, escuchó un sonido procedente de la escalera.

Maldición.

Eso rompió el hechizo. Fue lo único que necesitó para separarse de ella.

Se permitió mirarla una vez más y casi se rindió cuando la vio con los ojos cerrados y los labios entreabiertos, esperándolo. No había ninguna duda de que deseaba que la besara.

Se dio la vuelta y salió por la ventana antes de que abandonara toda prudencia y la besara. Se deslizó en las sombras tan silencioso como la oscuridad. Quería saber quién la visitaba y si Isla le contaría que él había estado en sus aposentos.

Su cuerpo ansiaba liberarse y quería que esa liberación fuera con Isla. Echó hacia atrás la cabeza hasta tocar las piedras de la torre y dejó escapar un suspiro entrecortado de arrepentimiento y furia. Casi había besado a una drough.

Lo peor era que sabía que la besaría. Lo que lo atraía de Isla no podía deshacerse. Y, que los dioses lo ayudaran, no sabía si quería hacerlo.

Isla tenía las manos en la cintura de Hayden y él estaba a punto de besarla y, al instante siguiente, se había ido. Como si todo hubiera sido solo producto de su imaginación. Aunque ella sabía que no era así.

Todavía podía sentir su aroma especiado y amaderado que le recordaba a los bosques donde había crecido. Ese olor la había advertido de que él se encontraba en la torre.

Le había sorprendido que hubiera aparecido, buscándola. Entonces había visto el deseo en sus ojos, un deseo que nunca había esperado ver.

La había tocado con suavidad, de una manera casi reverente. Lo que le había desgarrado el corazón había sido ver la confusión que se leía perfectamente en su cara. La deseaba, pero no quería desearla.

Lo comprendía muy bien.

Se sobresaltó al oír que llamaban a la puerta. Tal vez por eso Hayden se había ido antes de besarla. ¿Había oído que alguien se acercaba?

No quiere que lo vean conmigo.

Aunque quería negarlo, sabía la verdad en su subconsciente. Y le hacía más daño de lo que habría deseado.

Caminó hacia la puerta con las rodillas temblorosas por una mezcla de pasión y resentimiento. La abrió y se encontró con Larena.

Larena dejó de sonreír cuando miró a Isla a la cara.

—¿Va todo bien?

Isla abrió más la puerta y la hizo pasar.

—Todo es maravilloso. ¿Por qué?

—Por un momento parecías... —Se calló y pareció replantearse sus palabras—. He venido para ver si necesitabas algo.

Isla sonrió y negó con la cabeza.

—Tengo más de lo que necesito.

—Cara estaba bastante satisfecha después de haberte preparado todo esto. En invierno hará bastante frío sin una chimenea.

—Me las arreglaré.

Larena la observó por un momento.

—Sí, creo que lo harás. Eres una mujer fuerte, Isla. Has soportado mucho más de lo que podemos imaginar, ¿no es así?

Isla no le respondió. No podía. Las pesadillas y las torturas que había sufrido eran solo para ella, no quería compartirlas con nadie.

—Sobrevivirás a esto —continuó Larena—. A esto y a cualquier otra cosa que se te presente. ¿Te gustaría saber por qué?

Isla no pudo evitar preguntar:

—¿Por qué?

—Porque eres una superviviente. Me alegro de que estés con nosotros. Si alguna vez necesitas cualquier cosa, quiero que sepas que puedes acudir a mí.

—Gracias. —Isla había pronunciado esa palabra mucho más en los últimos dos días que en los pasados quinientos años.

Larena se dirigió a la puerta y se detuvo cuando estaba a punto de marcharse.

—Has estado sola mucho tiempo, sin confiar en nadie. Sé lo que es eso. —Se giró para mirar a Isla—. Me llevó un tiempo comprender que aquí todos me aceptaban tal y como era.

—Tú no llevas el mal en tu interior.

Larena sonrió con tristeza.

—Claro que sí. Todo el que tiene un dios tiene algo maléfico.

Isla tragó saliva y giró la cabeza hacia otro lado.

—Tú no tenías elección, Larena. El dios te eligió a ti.

—Y a ti te eligió Deirdre. Amenazó a tu familia. No creas que lo que hiciste fue por cobardía, Isla. Necesitaste mucha valentía para convertirte en una drough, sabiendo en lo que te transformarías y a quién servirías. Eso es lo que te diferencia de otros.

Isla la miró a los ojos azul grisáceos.

—¿Y las cosas que he hecho? ¿También debo culpar a Deirdre por ellas?

Larena apartó la mirada, pero no antes de que Isla viera la angustia reflejada en su cara.

—Me gustaría liberarte de esas cargas. Sin embargo, aunque pudiera, creo que no me permitirías hacerlo.

—Tienes razón. Soy yo quien debe soportarlas.

—¿Y durante cuánto tiempo lo harás? ¿Cuándo vas a perdonarte?

—Nunca. —No merecía el perdón por las cosas que había hecho, fueran cuales fueran las razones.

—Espero que cambies de opinión. Que duermas bien —dijo Larena, y cerró la puerta al marcharse.

Isla quería golpear algo para liberar la furia que se había ido concentrando en su interior. Sin embargo, había reprimido sus emociones durante tanto tiempo que lo único que podía hacer era hervir de rabia en silencio.

Todo el mundo era demasiado cordial, demasiado comprensivo. Querían ayudarla, pero nada ni nadie podía hacerlo.

Por mucho que intentó refrenar sus emociones, no pudo manejarlas. La abrumaban, se burlaban de ella, se mofaban, hasta que Isla golpeó con el puño la pared de piedra, sintiéndose destrozada.

Las lágrimas se le agolparon en los ojos cuando los huesos se le rompieron por el impacto. La sangre empezó a manar de los nudillos y lo único que pudo hacer fue mirarlos.

Se desplomó en la cama y se hizo un ovillo. Se cogió con suavidad la mano rota y sintió que el corazón se le desgarraba por la persona en la que se había convertido, el demonio que había jurado controlar.

Sabía que debería llorar, pero las lágrimas no brotaron de sus ojos. Nunca lo hacían.

13

Hayden miraba a Isla desde la ventana. Lo perturbó haber visto que perdía el control de aquella manera. Nunca lo habría esperado de ella, a pesar de haber sido testigo de algunas de las torturas que había sufrido. Isla se dominaba con demasiada dureza y, si no tenía cuidado, se rompería algo. Ya estaba a punto de hacerlo.

Casi había regresado a sus aposentos al ver que era Larena. Sin embargo, algo lo había impulsado a quedarse, y se alegraba de haberlo hecho. Había aprendido mucho de la conversación, tal vez demasiado.

Isla no lo recibiría ahora y, de todas maneras, él no sabría qué decirle. Saltó de la torre y se encaminó a su dormitorio. Ella necesitaba estar sola, igual que él. Sin embargo, lo único en lo que podía pensar una vez tumbado en la cama era en ella, en cómo la anhelaba y en lo que le había dicho a Larena.

Sin ninguna duda, Isla estaba sola. Todo el mundo sentía la soledad en algún momento, pero Hayden sospechaba que Isla iba mucho más allá.

No le gustaba poder identificarse con ella ni comprenderla. Ya era suficiente con desearla. Si no tenía cuidado, se encontraría metido en su cama mucho antes de lo que le gustaría.

¿Y qué hay de malo en ello? Todos la han aceptado.

Eso era muy cierto, y era condenadamente fácil convencerse de que desearla estaba bien. Sin embargo, el recuerdo de encontrar a su familia lo había impedido.

Dobló un brazo por detrás de la cabeza y fijó la mirada en el techo de sus aposentos. Incluso en la oscuridad, los poderes de su dios le permitían ver perfectamente.

Sabía que no conseguiría dormir, no cuando aún podía oler el aroma de Isla en la estancia, sentir su aliento en la mejilla y sus curvas entre los brazos.

Era suficiente para tentar a un santo y, definitivamente, Hayden no era ningún santo.

Dunmore llevó a su caballo todo lo cerca que pudo de la entrada a la montaña de Deirdre, entre las rocas. El animal avanzaba con seguridad, pero con la nieve y el hielo, Dunmore sabía que era el momento de seguir a pie.

Se bajó de la montura y dejó caer las riendas. El caballo no iría lejos con aquella tormenta de nieve.

Le crujieron los huesos al escalar, un sonido que odiaba porque demostraba que se estaba haciendo viejo demasiado rápido. ¿Cuánto tiempo seguiría Deirdre recurriendo a él antes de darse cuenta de que ya no estaba tan en forma como antes? Suponía que no mucho.

Sin embargo, ahora lo necesitaba y él se encargaría de hacer todo lo que le había pedido. Después, nada podría detenerla y tal vez le concedería un último regalo de inmortalidad y juventud.

No se molestó en protegerse la cara con las manos. La nieve caía demasiado rápido y con copos muy espesos. Agachó la cabeza y siguió avanzando con dificultad.

Pronto oyó los chillidos propios de los wyrran. Aquellas criaturas pequeñas y sin pelo eran eficientes y mortíferas, aunque él no soportaba mirarlas, con aquellos enormes dientes afilados que los labios no alcanzaban a cubrir.

Deirdre los había creado con su voluntad y magia negra, modelándolos para que solo la sirvieran a ella. Tres wyrran lo esperaban en la entrada de la montaña.

Dunmore los saludó con un movimiento de la cabeza y entró en la montaña. En cuanto atravesó la puerta de piedra, esta se cerró detrás de él. Bajó los escalones y recorrió los estrechos pasillos que desembocaban en un vestíbulo más amplio. Lo siguió hasta llegar a lo que Deirdre usaba como gran salón.

La caverna era gigantesca y estaba en penumbra. Del techo colgaba una enorme lámpara de araña con cientos de velas que arrojaban una débil luz. Abajo, con las cabezas inclinadas hacia él, estaban los wyrran que habían sobrevivido al ataque de los MacLeod a Cairn Toul.

Dunmore se apoyó en el enrejado de piedra e inspiró profundamente. Se aseguraría de continuar siendo imprescindible para Deirdre; así no podría apartarlo de su lado.

—Tenemos mucho trabajo que hacer. Nuestra señora nos ha llamado. Los que se atrevieron a desafiarla, los que se atrevieron a pensar que podían vencerla, pagarán por ello. Con sus vidas.

Los wyrran emitieron sonidos de furia y júbilo al oír sus palabras.

Él levantó una mano para hacerlos callar.

—Primero, tenemos que reunir a más druidas y encontrar a los guerreros que pensaron que podían escapar. Debemos movernos rápida y silenciosamente. Nuestro primer objetivo es un druida. Deirdre necesita un sacrificio para recuperar su cuerpo.

Los wyrran empezaron a aullar y a balancearse hacia delante y hacia atrás, ansiosos por ponerse en marcha.

—Nos dividiremos en dos grupos. La mitad de vosotros se quedará aquí para seguir preparando la montaña para Deirdre. La otra mitad vendrá conmigo. Tenemos a un druida que cazar.

Cuando se dio la vuelta para marcharse, sintió que algo lo rozaba.

Muy bien hecho, Dunmore.

—Señora. —Se detuvo y esperó a que Deirdre dijera algo más. Añoraba verla. Era la cosa más hermosa que había visto nunca. Su cabello blanco que caía hasta el suelo y sus ojos blancos eran un espectáculo digno de contemplar. La haría suya si ella se lo permitiera.

Has congregado a mis wyrran. Esperemos que regreses con un druida igual de rápido.

Dunmore inclinó la cabeza.

—A vuestras órdenes.

Serás recompensado. Te doy mi palabra.

—Cualquier cosa por vos —susurró, pero ya se había ido. Sintió su pérdida de manera tan penetrante como sus huesos sentían el frío.

Demostraría su valía ante ella, aunque fuera lo último que hiciera. Por lo menos, le debía eso.

Quinn nunca habría esperado encontrar a Lucan sentado en el gran salón en mitad de la noche. El hecho de que su hermano estuviera con la mirada perdida sumido en sus pensamientos le decía todo lo que necesitaba saber.

—¿No podías dormir? —le preguntó.

Sobresaltado, Lucan levantó hacia él sus ojos verde mar.

—No. Y tampoco Fallon. Ha ido a buscar algo para comer.

Quinn se sentó en el banco de la mesa, frente a Lucan.

—¿Qué os mantiene despiertos?

—Isla.

—¿Crees que nos está mintiendo?

Lucan negó con la cabeza y las dos trenzas que tenía en las sienes se balancearon.

—En absoluto. Temo que nos esté diciendo la verdad, y todo es muy inquietante.

—No esperábamos otra cosa —dijo Fallon, entrando en el salón desde la cocina. Tenía una copa en la mano y Quinn sabía que estaba llena de agua, ya que Fallon había dejado de beber vino.

—Es muy poderosa —afirmó Quinn—. Aunque no se puede comparar con Deirdre, puedo sentir su magia. Y es fuerte.

Lucan asintió.

—Creo que todos la sentimos. El hecho de que luche con el mal que hay en su interior le permite usar ese poder para el bien.

—¿Durante cuánto tiempo tendrá el control? —preguntó Fallon—. Deirdre recuperará su poder. Solo es cuestión de tiempo y, cuando lo haga, hará recaer toda su cólera sobre nosotros y usará a la drough.

Quinn dejó escapar el aire.

—Si conseguimos cortar el vínculo que tiene con Isla, estaremos en una posición mucho mejor.

—Eso es mucho suponer, hermano —dijo Lucan—. Tentamos a Isla para que se quedara jugando con la posibilidad de que un artefacto pueda romper ese vínculo. Espero que no nos hayamos equivocado.

Fallon pasó un dedo por el borde de la copa.

—Es un riesgo que tenemos que correr, y ella también lo sabe. La necesitamos aquí. Su escudo nos puede ayudar enormemente y, con los guerreros que tenemos, si ocurre algo podemos matar a Isla.

Quinn esperaba que no tuvieran que llegar a eso.

—Isla es tan víctima como nosotros. Si el artefacto que están buscando Galen y Logan no puede ayudarla, tal vez los druidas que lo custodian nos puedan llevar hasta otro.

—No lo sé —contestó Lucan—. Las circunstancias nos son desfavorables. Deirdre también estará buscando el artefacto. Ni siquiera estamos seguros de lo que ese objeto hace.

—Pero ni siquiera sabríamos de su existencia si Isla no nos lo hubiera contado. Le debemos eso —dijo Quinn.

Fallon lo miró.

—Nadie ha dicho que no debamos ayudar a Isla. Haremos todo lo que podamos. Ahora tenemos más guerreros, y otra druida. Si contamos a Isla, tenemos mucha más magia. Todo depende de ganarle ventaja a Deirdre antes de que recupere sus poderes.

—Ojalá supiéramos dónde están los otros artefactos —dijo Lucan—. Podríamos enviar a varios guerreros a buscarlos.

Fallon se recostó en su silla y tomó un largo trago.

—Me contento con que haya una posibilidad de escapar del control de Deirdre, aunque solo sea eso.

—Necesitamos más —murmuró Lucan.

Quinn tomó aire e hinchó las mejillas. Deirdre siempre iba un paso por delante de ellos. Eso no era un buen augurio para el destino del mundo.

—¿Es que vuestras mujeres os han echado de la cama? —preguntó Hayden mientras bajaba por las escaleras.

Fallon se rió.

—Probablemente Larena esté buscándome.

Hayden puso los ojos en blanco, se sentó al lado de Quinn y puso una mueca.

—Ya vale. No quiero escuchar tus proezas sexuales.

Quinn vio la sombra de una sonrisa en la cara del guerrero rubio, pero desapareció rápidamente.

—En realidad, estamos hablando de Isla.

—¿Sobre qué, exactamente? —preguntó Hayden, y los miró duramente y con intensidad.

¿Era la imaginación de Quinn o Hayden se había puesto a la defensiva?

—Estábamos hablando sobre lo que puede ocurrir si ninguno de los artefactos consigue ayudarla —contestó Lucan.

Fallon dejó su copa en la mesa y se pasó una mano por la cara.

—Lo cierto es que queremos mantener a todo el mundo a salvo. Si solo hubiera guerreros aquí, no creo que estuviéramos tan preocupados.

—Pero hay druidas —dijo Quinn—. Y la magia de Isla es incluso más poderosa que la de Sonya.

Hayden los miró, uno por uno. Querían algo de él, y temía saber exactamente lo que era.

—Queréis que un guerrero se quede con ella todo el tiempo, alguien que sepa si está actuando de manera diferente y que la detenga antes de que sea demasiado tarde.

—Algo así, sí —respondió Fallon. Se inclinó hacia delante y apoyó los codos en la mesa—. No queremos que se sienta como una prisionera.

—Pues lo parecerá si hay un guerrero siguiéndola a todas partes. ¿Por qué no hacer que alguien la vigile discretamente?

Lucan enarcó una ceja.

—¿Te estás presentando voluntario?

Hayden levantó las manos. Sabía que no tenía que haberse sentado con los hermanos.

—No. Dejadme fuera de esto. Todo el mundo cree que la voy a matar.

—¿Y no vas a hacerlo? —preguntó Quinn.

Hayden no se dejó engañar por el tono tranquilo del más joven de los MacLeod. Quinn era a veces demasiado inteligente.

—Me has pedido que confíe en vuestra decisión y eso es lo que estoy haciendo.

—Creo que tú serías la persona adecuada —dijo Lucan—. Hablo en serio, Hayden. Eres imparcial respecto a su historia y no sientes pena por ella. No sientes nada.

Oh, por supuesto que sentía algo, aunque no quería darle rienda suelta ni dejar que los hermanos se enteraran.

—Preferiría que se lo pidierais a otra persona.

—Broc está en una misión. De no ser así, hablaríamos con él. —Fallon se encogió de hombros—. Si de verdad no quieres hacerlo, encontraremos a alguien.

Hayden apretó la mandíbula. No quería que nadie espiara a Isla, no cuando él mismo ya lo estaba haciendo.

—Bien —refunfuñó—. Yo lo haré. ¿Confiáis en mí lo suficiente como para saber que no la voy a matar?

—Sí —dijo Quinn—. Vi lo protector que te mostraste con ella cuando la trajiste al salón. Eso no habría cambiado si no hubieras descubierto nunca que es una drough.

—Puede que sí o puede que no —bromeó Hayden—. Nunca lo sabremos, ¿no?

Quinn sonrió lentamente y con complicidad.

—Puede que sí o puede que no.

Hayden le mantuvo la mirada. ¿Su deseo por Isla era tan evidente que Quinn se había dado cuenta? Seguramente, no.

Quinn dio una palmada en la mesa con las dos manos y se levantó.

—Creo que va siendo hora de que regrese a mi cama, con mi mujer.

Fallon asintió y salió con Quinn del salón, dejando a Lucan a solas con Hayden.

—Habría pensado que espiar al Isla era lo que querías —dijo Lucan.

Hayden se frotó los ojos cansados con el pulgar y el índice. ¿Es que todo el mundo veía su atracción por Isla?

—Preferiría estar fuera, cazando y matando a los guerreros de Deirdre.

—Como todos. Quinn dijo que estarías bien, pero me pregunto si tener aquí a una drough es demasiado para ti. No te culparía.

—No se trata del drough que mató a mi familia —dijo Hayden—. Nos está ayudando a luchar contra Deirdre. Por ahora, eso es suficiente. Si se vuelve contra alguno de nosotros, seré el primero en detenerla.

Lucan frunció los labios.

—Espero que no tengamos que llegar a eso. A las mujeres les gusta Isla.

—Por el bien de todos, ojalá todo salga como esperamos. ¿Qué probabilidades tenemos?

—Me temo que pocas.

Hayden asintió. Odió el hecho de oír en voz alta sus propios pensamientos.

—Desafortunadamente, estoy de acuerdo.

—¿Por qué no te fuiste con Galen, si no te importa que te lo pregunte?

—Logan necesitaba marcharse —contestó Hayden—. Aunque me habría gustado ir yo mismo a localizar a los druidas y el artefacto.

—¿Le pasa algo a Logan?

—A todos nos pasa algo. Tú lo sabes mejor que nadie.

Lucan resopló.

—Sí, lo sé. ¿Hay algo que podamos hacer por él?

—Ya lo has hecho. Dejaste que se fuera con Galen.

Lucan se frotó la barbilla y se removió en el asiento. Sus ojos verde mar lo miraban de forma interrogativa.

—Suéltalo ya —dijo Hayden con un suspiro.

—¿Qué quieres decir?

—Quieres preguntarme algo. Hazlo. Si no quiero responder, no lo haré.

Lucan se rió y sacudió la cabeza.

—Siempre me gustó tu franqueza.

—Algunos lo llamarían grosería.

—Puede ser. —Volvió a reírse—. Fue Ramsey quien te llamó grosero, ¿verdad?

Hayden sonrió.

—Correcto. Ahora, haz esa pregunta.

La sonrisa se desvaneció y Lucan lo miró de forma sombría.

—Has mencionado que un drough mató a tu familia.

Hayden se miró las manos. Si quería que el castillo MacLeod fuera su hogar, y si deseaba confiar de verdad en los hermanos, no tenía sentido ocultarles lo que le había ocurrido a su familia. Aunque no le gustaba hablar de su pasado, se sentía lo bastante unido a esos hombres como para compartirlo con ellos.

—Así es.

—No lo sabía, Hayden. No tienes que decir nada más.

Hayden pensaba que sí. Después de todo, los MacLeod le habían dado un nuevo hogar.

—Creo que sí. ¿Deseas saber lo que pasó?

—Solo si quieres contármelo —contestó Lucan.

—Me habían herido en una batalla con un clan rival. La herida no era mortal, pero yo no estaba en buena forma y tenía que descansar. Sabía que era cuestión de tiempo que mi clan me encontrara, así que me acomodé en una arboleda y me vendé las heridas.

Hizo una pausa e inspiró profundamente, incapaz de mirar a otro sitio que no fueran sus manos.

—Cuando me desperté, sentía un dolor como no había sentido nunca. Había una mujer delante de mí, una mujer con un cabello blanco antinatural y unos ojos que me atravesaron el corazón.

—Deirdre —dijo Lucan.

Hayden asintió.

—Cuando se hubo pasado el dolor y ya no me sentía como si los huesos se me fueran a salir de la piel, la oí reír. Sabía que tenía que alejarme, así que me puse en pie de un salto y eché a correr. No miré atrás ni me paré. Algo me decía que tenía que llegar a mi familia. Cuando lo hice, los encontré… —Se aclaró la garganta dos veces antes de poder continuar—. Estaban muertos. Mi madre, mi padre y mi hermano. Todos estaban muertos, los habían asesinado brutalmente.

—¿Qué ocurrió luego? —preguntó Lucan.

—Apenas tuve tiempo de asimilar lo que había pasado cuando los wyrran y otros guerreros me rodearon. Me dejaron inconsciente y, cuando me desperté, estaba en Cairn Toul y Deirdre me vigilaba. Estaba furiosa porque me había atrevido a huir y quería castigarme. Utilizó su cabello para azotarme la espalda hasta desollarme, y mientras lo hacía se burlaba de mí, contándome que había enviado a un drough a matar a mi familia. Lo había perdido todo, así que me agarré a lo único que me quedaba: el odio y la venganza.

—Eso explica tu aversión hacia los drough. Todos nos lo preguntábamos, y yo sabía que tenía que haber algo horrible para que odiaras tanto a Cara. Lo siento, Hayden.

—No odio a Cara, odio que tenga sangre drough en las venas y alrededor del cuello. A todos nos han ocurrido cosas horribles. —Hayden se encogió de hombros. Se sentía incómodo hablando de algo que todavía lo obsesionaba—. A tu clan lo asesinaron. También a mi familia.

—Gracias por contármelo. —Lucan se puso en pie, rodeó la mesa y agarró a Hayden del hombro—. Aunque no tengamos la misma sangre, somos hermanos. Todos los guerreros que hay aquí son mis hermanos. No lleves tus cargas tú solo. Terminarán enterrándote.

Hayden esperó a que Lucan estuviera en lo alto de las escaleras y susurró:

—Es demasiado tarde, Lucan. Ya me han enterrado.

14

Isla salió de la torre horas antes de que amaneciera. Había descansado todo lo que había podido, pero se negaba a caer en un sueño profundo en el que las pesadillas la esperaban.

Estando en su nuevo dormitorio había dejado vagar su mente hasta los recuerdos de la panadería y las recetas favoritas de su padre.

De pronto decidió ir a descubrir qué le ofrecían las cocinas del castillo MacLeod. No tenía nada que hacer y necesitaba mantenerse ocupada para no volverse loca pensando que Hayden casi la había besado.

Para su sorpresa, encontró todo lo que necesitaba para preparar las deliciosas tortas de crema de su padre. Se alegró de estar sola mientras intentaba volver a manejarse en la cocina. Hacía mucho tiempo desde que había cocinado por última vez o incluso desde que había estado en una cocina. Orientarse le llevó más tiempo de lo que le habría gustado. Sin embargo, en cuanto lo consiguió lo recordó todo rápidamente, como si no hubieran pasado cinco siglos.

Estaba tan concentrada cocinando que no se dio cuenta de que salía el sol ni de que otras personas se habían unido a ella.

—Huele de maravilla —dijo Marcail mientras se situaba en el extremo opuesto de la enorme mesa de trabajo—. ¿Qué estás horneando?

Isla levantó la mirada y sonrió. Ladeó la cabeza y se frotó la nariz con el hombro, ya que tenía las manos llenas de harina.

—Tortas de crema. Eran las favoritas de mi madre.

—Estoy deseando probarlas.

Cara entró en la cocina e inhaló.

—Todo el castillo huele estupendamente. ¿Quién es el responsable y qué vamos a comer?

—Es Isla —dijo Marcail—. Está haciendo tortas de crema.

Cara cerró los ojos, gimió y se lamió los labios.

—Hace años que no como una torta de crema. ¿Cuánto les falta?

Isla las miró a ambas y sintió que la aprensión le pesaba como una piedra en el estómago. ¿Y si no sabían bien? No podría soportar la vergüenza.

—Poco —contestó.

—¿Qué estás haciendo ahora? —preguntó Marcail, y se inclinó hacia delante para echar un vistazo.

—Flan.

Cara se humedeció los labios.

—Me muero de hambre. ¿Cuánto tiempo llevas aquí abajo?

Isla se encogió de hombros y continuó removiendo los ingredientes en el cuenco.

—No lo sé. Un rato, supongo.

—Desde bastante antes del alba —dijo una profunda voz masculina. Una voz que hizo que todo el cuerpo de Isla se estremeciera y que sintiera un hormigueo entre las piernas. Una voz que estaba aprendiendo a reconocer demasiado bien.

Levantó la mirada y vio a Hayden en la puerta, con Larena y Fallon. Sus ojos negros la observaban con atención, estudiándola, examinándola. Isla solo podía pensar en sentir su duro cuerpo junto al suyo y en que casi la había besado.

—No podía dormir y decidí hacer algo útil. —Siguió batiendo los huevos e hizo todo lo posible por no mirar a Hayden.

—Tengo la sensación de que mi estómago te lo agradecerá —dijo Fallon—. Pero no tenías que hacer todo esto.

Isla no se molestó en responder. Mantuvo toda su atención en el flan para asegurarse de que no quedara ningún grumo y de que saliera tan suave como solía ser el de su padre.

Las mujeres comenzaron a prepararlo todo para el desayuno sin dejar de charlar. Isla no tenía que levantar la vista para saber que Hayden y Fallon seguían en la cocina. Tampoco tenía que comprobar si Hayden tenía la mirada fija en ella, porque sentía su cálida mirada con tanta certeza como sentía el calor de los hornos.

Larena se rió y dijo:

—Galen va a sentir perderse esto.

Isla dejó a un lado el cuenco y fue a vigilar las tortas. Le bastó echar un vistazo a los hornos para confirmar que estaban listas. Las sacó y dejó que los humeantes dulces se enfriaran.

Hayden se acercó hasta quedarse a su lado. Ella observaba las tortas y se fijaba en todos los errores que había cometido y por los que su padre la habría regañado. La próxima vez lo haría mejor.

—Huelen muy bien y parecen muy sabrosas —comentó Hayden—. ¿Cuándo puedo probarlas?

—Deja que se enfríen. Están demasiado calientes.

La cercanía la estaba volviendo loca. Casi alargó una mano para tocarlo, para acariciar su piel bronceada y sus duros músculos. Logró contenerse en el último momento y cerró los puños con fuerza.

—No tenías que dormir en la torre —murmuró él—. Mis aposentos estaban a tu disposición.

Isla tragó saliva y se alegró de estar dándoles la espalda a los demás.

—No tenía derecho a usar tu dormitorio si había otro sitio donde podía dormir.

—Supongo que la torre te va bien.

Isla lo miró y notó que le costaba respirar. Hayden fijaba en ella sus ojos negros, en cuyas profundidades ardía el deseo, el mismo deseo que había visto en su mirada la noche anterior, cuando casi la había besado.

—¿De verdad?

—Sí. Te da la intimidad que necesitas.

—¿Qué te hace pensar eso?

Él levantó un hombro.

—No es difícil de adivinar. En Cairn Toul siempre estabas sola. Tiene sentido que aquí también quieras tener privacidad.

—¿Crees que me conoces?

Él se inclinó hasta quedarse junto a su oreja.

—Creo que te conozco mejor que la mayoría.

Hayden giró sobre sus talones y salió de la cocina sin decir nada más. Isla dejó escapar el aire; no se había dado cuenta de que había estado conteniendo la respiración. Ya que Hayden no estaba, podía relajarse y volver a concentrarse en lo que estaba haciendo.

Regresó a la mesa de trabajo y al flan. Tenía que fijar su atención en otras cosas que no fueran Hayden y lo que la hacía sentir.

Y, sin embargo, echaba de menos sus ojos oscuros, sus miradas silenciosas y su comportamiento imponente. Añoraba su aroma a madera y especias. En cualquier otra situación sería un líder por derecho propio.

Al pensar en él recordó su aparición en la torre. ¿Por qué había ido? ¿Para asustarla? ¿Para hablar con ella? ¿Para besarla?

A pesar de que quería preguntárselo, tenía miedo de conocer la respuesta. Lo mejor sería olvidar que casi la había besado. Además, Hayden era el hombre menos adecuado hacia el que sentirse atraída. Era inadecuado en muchos sentidos.

Entonces, ¿por qué quieres besarlo?

Isla suspiró. La respuesta no era sencilla. Era cierto que deseaba besarlo. Deseaba… demasiado. Había cosas que nunca podría tener y, cuanto antes se diera cuenta, mejor sería para todos. Sobre todo para ella.

Cuando acabó de cocinar estaba exhausta, pero de una forma agradable. Se sentía muy bien horneando dulces de nuevo, inmersa en una cocina. Aunque no estaba segura de cómo sabría todo, era un comienzo.

El desayuno fue más alegre que la cena anterior. Aun así, la drough se dio cuenta de que había algo que preocupaba a los hermanos MacLeod.

Sonya estaba callada, y fue entonces cuando Isla supo que estaban preocupados por Broc.

—Broc ya debería haber regresado —dijo Ramsey.

Isla pasó la mirada de Ramsey a Hayden y después la centró en la cabecera de la mesa, desde donde la observaban los MacLeod.

—¿Cuál es el único sitio en el que Deirdre se siente a salvo, poderosa?

—Cairn Toul —respondió Quinn.

Isla asintió.

—Estoy segura de que está allí. Tiene que armar de nuevo a su ejército. Reunirá a todos los wyrran que queden vivos allí.

Lucan cogió a Cara de la mano y le preguntó a Isla:

—Anoche no podía dormir y estuve pensando en Deirdre. ¿Hay alguien más a quien pueda recurrir para que la ayude?

Isla se encogió al pensar en Dunmore. Ansiaba el poder y la inmortalidad y siempre estaba deseando hacer lo que Deirdre le pidiera.

—Hay un hombre, un humano al que Deirdre usaba para cazar druidas.

—Dunmore —dijo Marcail con la voz cargada de malicia—. El bruto que me cazó.

Isla observó a Marcail mientras esta jugueteaba con las cintas de oro que sujetaban sus numerosas y pequeñas trenzas.

—Marcail tiene razón. Dunmore se presentó ante Deirdre cuando era solo un muchacho. Había visto a los wyrran y los siguió de vuelta a Cairn Toul.

—¿Y Deirdre no lo mató? —preguntó Lucan—. No me puedo imaginar que un simple muchacho le resultara útil.

Isla se encogió de hombros y bajó la mirada hacia la mesa.

—Deirdre no es tan complicada como creéis. Quiere poder, y quiere que la adoren.

Fallon dejó escapar el aire con brusquedad.

—Entonces, cuando Dunmore la conoció, ¿se inclinó ante ella como si fuera una diosa?

—En cierta manera —contestó Isla, y giró la cara hacia Fallon—. Hacía exactamente lo que ella deseaba, lo tenía doblegado. Empezó haciendo pequeñas cosas para ella.

—¿Cómo qué? —preguntó Quinn.

—Robar. Asesinar. Cualquier cosa para demostrar su lealtad. Pronto ella lo envió con los wyrran a conseguir druidas. Lo puso al cargo de los wyrran y terminó siendo una de sus personas de confianza.

Larena frunció el ceño.

—Deirdre es todo magia. Sigo sin comprender por qué un humano le resultaba útil. Aunque la adorara, solo podría servirla unos años.

—Tal vez lo estás mirando desde el punto de vista equivocado —dijo Hayden—. Tal vez mantuvo a Dunmore porque podía proporcionarle algo.

—¿El qué? —preguntó Lucan—. ¿Qué podría hacer él que un guerrero o incluso un wyrran no podrían hacer?

Ramsey se inclinó hacia delante.

—Interactuar con otros. A ella le gustaba que sus guerreros permanecieran en su forma de guerreros. Así no podían entrar en una aldea ni hablar con nadie.

Isla no podía creer que nunca hubiera pensado en ello. Dunmore siempre la había irritado, así que se había mantenido todo lo alejada de él que había podido.

—Creo que tienes razón, Ramsey.

—Yo también —asintió Hayden—. Tiene sentido.

Fallon se giró hacia Isla.

—¿Alguna vez te mandó Deirdre a las aldeas?

—No. —Isla se humedeció los labios e intentó no mostrarse inquieta—. Ella tenía otras cosas previstas para mí.

Arran elevó la voz desde el otro extremo de la mesa.

—¿Cuánto tiempo vamos a esperar antes de salir a buscar a Broc?

—Si no vuelve en unos pocos días, dudo que haya algo que buscar —dijo Isla—. Si Deirdre lo detecta, hará todo lo posible por capturarlo. Su cólera será feroz, y él será el primero en sufrirla.

Lucan se pasó una mano por la cara, en la que se reflejaba la preocupación, y fijó en ella la mirada.

—¿De cuánto tiempo crees que disponemos antes de que ataque?

—Como he dicho antes, no lo sé con seguridad. Necesita la sangre de un druida para recuperar los poderes perdidos. Si aún no ha enviado a Dunmore a buscar uno, no tardará en hacerlo.

De repente se abrió la puerta del castillo y Broc entró dando grandes zancadas. Aunque estaba exhausto, no tenía muy mal aspecto. Sonrió y se acercó a las mesas.

—¿Esas caras largas son por mí? —preguntó.

Ramsey se levantó y sacudió la cabeza.

—Por todos los santos, Broc, ¿por qué has tardado tanto?

El guerrero alado levantó una mano al ver que los demás también empezaban a hacer preguntas. Se sentó a la mesa y le hizo un gesto con la cabeza a Larena, que le tendió una copa de agua. Se la bebió de un trago, se limpió la boca con la mano y miró a todos los que había sentados a la mesa.

—Deirdre está en su montaña.

—Como sospechaba Isla —dijo Fallon—. ¿Qué más? ¿Hay wyrran?

Broc hizo una mueca.

—Esos pequeños bastardos nunca se van. Hay más de los que pensaba. Han estado limpiando la montaña, pero más inquietante que los wyrran es que Dunmore ha vuelto.

Isla apretó las manos con fuerza en el regazo. A pesar de que esperaba estar equivocada, parecía que conocía a Deirdre mucho mejor de lo que quería.

—Otra vez, como Isla sospechaba. —Fallon se recostó en la silla y entrelazó los dedos sobre el estómago—. Déjame adivinar: están buscando un druida.

Broc asintió.

—No tienen ni idea de dónde encontrarlo, así que estarán buscando un tiempo.

Isla escuchó atentamente a Broc mientras relataba todo lo que había oído del discurso que Dunmore les había dado a los wyrran. Si alguien podía entrar en la montaña sin ser detectado, ese era Broc. Era un enemigo formidable y se alegraba de que estuviera aliado con los MacLeod.

Al pensar en Cairn Toul, Isla recordó a Phelan. Quería preguntarle a Broc por él, pero no deseaba que todo el mundo se enterara. Cuando Cara le llevó a Broc un plato de comida, las otras mujeres se levantaron para recoger la mesa.

Isla dudó. Cuando solo quedaron Quinn, Broc, Ramsey y Hayden, supo que tenía que preguntárselo, aunque deseaba que Hayden se marchara. No quería que se enterara de más fechorías suyas; sin embargo, no había manera de evitarlo.

—Broc, tengo que hablar contigo.

Él asintió y se metió un gran trozo de pan en la boca.

Isla sintió que se le hacían nudos en el estómago. Estaba muy nerviosa porque todos descubrieran sus oscuros secretos, aunque tenía que saber la respuesta.

—¿Recuerdas la puerta en la montaña que Deirdre nos prohibió abrir?

Broc dejó de masticar y la observó atentamente. Tragó saliva y asintió.

—Fui allí cuando empezó el ataque. Oí algo o a alguien que rugía ahí abajo.

—No había nada cuando entraste.

Él apartó la comida y la estudió con mirada grave.

—¿Qué había ahí abajo, Isla?

Ella tragó saliva para deshacer el nudo que se le había formado en la garganta.

—Un guerrero llamado Phelan Stewart.

—¿Qué? —Broc puso las dos manos sobre la mesa. Entornó los ojos y la miró duramente.

Isla podía sentir a los demás guerreros observándola. Su presencia hacía que su situación fuera todavía más incómoda, pero ya había empezado a hablar. Tenía que terminar con aquello.

—Deirdre lo mantuvo allí encadenado durante... décadas.

—¿Cómo llegó hasta allí? —preguntó Quinn.

A Isla le costaba respirar. Siempre le ocurría cuando pensaba en Phelan y en lo que le había hecho.

—Yo lo llevé allí cuando era solo un niño.

15

Hayden nunca habría esperado oír esas palabras de labios de Isla. Aunque sentía repugnancia, al ver la cara angustiada de Isla supo que se arrepentía de haberlo hecho.

—¿Qué ocurrió? —preguntó al ver que nadie más lo hacía.

Ella lo miró. Sus ojos azul hielo se habían agrandado y estaban llenos de remordimiento. Parecía sorprendida porque él hubiera hablado.

—Lavena había tenido una visión de un gran guerrero del clan Stewart que podría ayudar a Deirdre a hacer cosas sorprendentes.

Quinn apoyó los antebrazos en la mesa.

—¿Qué cosas?

Isla se encogió de hombros.

—Lavena nunca lo dijo. Sin embargo, la otra parte de su visión fue una de las más claras que tuvo. Describió a Phelan perfectamente, dónde estaría y qué edad tendría. Deirdre pensó que sería la oportunidad perfecta para criar al niño a su manera.

—¿Para que cuando liberara a su dios se plegara a sus deseos? —preguntó Ramsey.

Hayden cerró los puños. A pesar de que no había pasado tanto tiempo en la montaña de Deirdre como otros guerreros, ese pequeño espacio de tiempo le había dejado cicatrices en el alma que nunca desaparecerían. No podía imaginarse a un niño allí.

Desvió la mirada hacia Isla. ¿Qué podía hacer que una mujer que supuestamente luchaba contra el mal que había en su interior dejara a un niño al cuidado de Deirdre?

No tardó en saber la respuesta.

—Deirdre amenazó a tu sobrina, ¿no es así?

Antes de que Isla apartara la mirada, él pudo ver la respuesta en sus ojos. Asintió y parpadeó rápidamente.

—No tenía más remedio que encontrar a Phelan. Deirdre sabía que enviar a Dunmore y a los wyrran sería una insensatez. Necesitaba que Phelan se presentara ante ella por propia voluntad.

—Isla... —dijo Broc cuando ella se calló.

Isla parpadeó y miró alrededor, como si hubiera estado sumida en sus recuerdos.

—Tenía que engañar a Phelan para que decidiera abandonar a su familia. Deirdre todavía no había vuelto malvada a Grania y pensé que tenía una oportunidad para ganar su libertad. Phelan confió en mí y yo lo envié al sufrimiento.

—Cielo santo —murmuró Quinn, y se levantó para caminar frente a la mesa—. ¿Qué le ocurrió? Si estaba encadenado, supongo que no confió en Deirdre.

Isla negó con la cabeza. Parecía tan desolada que Hayden sintió deseos de ir hacia ella, abrazarla y reconfortarla.

—Phelan me culpaba —contestó Isla—. Y con razón. Se resistió a Deirdre muchas veces. Nada de lo que ella le hacía conseguía doblegarlo. Lo privó de comida, lo golpeó y, en una ocasión, incluso lo mató para después resucitarlo. Y él siempre se negaba a unirse a ella. Deirdre lo mantenía separado de todos, especialmente de otros guerreros. Yo era la única, aparte de Deirdre, que lo veía.

Broc puso los codos en la mesa y apoyó la frente en las manos.

—¿Cuándo liberó Deirdre a su dios?

—Cuando Phelan tenía dieciocho años. Yo lo había llevado a la montaña cuando tenía cinco —explicó Isla.

Hayden sintió que se le encogía el estómago al pensar en el guerrero.

—¿Cuánto tiempo lo tuvo encadenado después de haber liberado a su dios? Isla no podía mirarlo a los ojos y se puso pálida.

—Ciento cincuenta años.

—¡Maldición, Isla! —bramó Broc, y se puso en pie—. ¿Cómo pudiste hacerle eso a uno de nosotros?

Si Hayden pensó que ella se encogería de miedo y se echaría a llorar, estaba equivocado. La rabia se reflejaba en los ojos de Isla, volviéndolos fríos y duros. Se levantó lentamente, con los labios apretados mientras miraba a Broc.

—Sí, Broc, me arrepiento de haberlo llevado allí. Hice todo lo posible para ahorrarle muchas cosas terribles.

Broc tenía las manos cerradas con fuerza a los costados y su ira se hizo evidente cuando la piel se le volvió de color índigo.

—¿Le llevaste comida? ¿O mantas? ¿A eso lo llamas ahorrarle cosas terribles?

Hayden y Ramsey se levantaron al mismo tiempo que Broc. Hayden no estaba seguro de si debería intentar que Broc e Isla no se atacaran el uno al otro, porque llegados a ese punto, alguno iba a dejarse llevar por la rabia.

—Le llevé comida y mantas —dijo Isla—. Le evitaba las torturas cuando podía, e incluso hacía enfadar a Deirdre en muchas ocasiones para que descargara su furia sobre mí, y no sobre él. Yo fui quien lo liberó durante el ataque de los MacLeod.

A Hayden le sorprendieron sus palabras. ¿Es que nunca dejaría Isla de sorprenderlo? Hacía cosas que contradecían que fuera una drough. Tal vez hubiera conseguido realmente controlar el mal.

—¿Por qué nos estás contando todo esto? —le preguntó Hayden—. ¿Dónde está Phelan ahora?

En la cara de Isla se notaba el cansancio. Cerró brevemente los ojos.

—No sé dónde está. Lo liberé y le dije que huyera y que, si alguna vez necesitaba algo, que buscara a los MacLeod, en quienes podría confiar.

—¿Y piensas que te creyó?

—Lo dudo. Hay algo más. La sangre de Phelan era especial, podía curar a cualquier persona y cualquier cosa. Deirdre la bebía con regularidad para fortalecerse, ella misma y a sus poderes. —Se dio la vuelta y salió del castillo antes de que nadie pudiera hacerle más preguntas.

Hayden quería ir tras ella. Al fin y al cabo, se suponía que tenía que vigilarla. Pero había habido algo tan desgarrador en su voz que se sintió incapaz de hacerlo por el momento.

Cuando la puerta se cerró, Broc lanzó su copa al suelo y maldijo.

—Yo podría haberlo ayudado. Si hubiera llegado a él antes que Isla, podría haberlo traído aquí.

—No —contestó Hayden—. No confía en nadie, y no lo hará durante un tiempo. Nada de lo que le dijeras podría haber cambiado eso.

—Estoy de acuerdo —dijo Ramsey—. Puede que ya hayamos perdido a Phelan. Aunque no se puso de parte de Deirdre, estoy seguro de que su mal ya lo ha pervertido.

Quinn apoyó las manos en la silla de Fallon y sacudió la cabeza.

—No puedo imaginarme la soledad de permanecer separado de todos y de todo. Está ahí fuera, en un mundo que no conoce. Nos necesita.

—Nunca lo encontrarás —dijo Hayden.

Broc levantó una ceja con un gesto de rebeldía.

—Yo sí puedo encontrarlo.

—Y lo haremos —afirmó Quinn—. Aunque primero nos aseguraremos de que Dunmore y los wyrran no encuentren a ningún druida.

Ramsey se frotó las manos y entornó sus ojos grises.

—Ah, una batalla. Estoy listo.

Hayden estaba más que preparado. Esa vez, sin embargo, lo dejarían atrás. Pronto la batalla llegaría al castillo MacLeod y entonces desataría todo su odio y su ira y los dejaría caer sobre Deirdre.

Quinn apartó la silla.

—Tengo que hablar con mis hermanos. ¿Cuánto tiempo necesitas antes de salir de nuevo, Broc?

—Puedo salir ya —contestó.

Ramsey se rió y le dio una palmada en la espalda.

—¿Acaso no estamos todos preparados para salir inmediatamente?

—Descansa —dijo Quinn—. Te marcharás pronto.

Hayden le echó una mirada a Quinn antes de salir del castillo en busca de Isla. No le resultó difícil encontrarla. No había ninguna otra druida pequeña y morena por los alrededores.

Se quedó mirándola mientras ayudaba a sacar los escombros de las cabañas. Aunque no tenía la fuerza de un guerrero, trabajaba igual de duro.

Después de unos momentos, la siguió al interior de una cabaña.

—¿Por qué nos has hablado de Phelan?

Ella se detuvo con algunos restos en los brazos.

—Yo era la causante de que estuviera en la montaña.

—No. Lo era Deirdre.

Isla resopló.

—Soy culpable, Hayden. Podría haberme negado. Sé que corrí un riesgo al contároslo, pero tenía que hacerlo. Hay que encontrar a Phelan. Tiene que saber que hay buenas personas en el mundo.

Todo lo que él pensaba que sabía de Isla por el hecho de ser una drough se estaba derrumbando lentamente, aunque con seguridad. Tal vez nunca olvidaría que se había convertido en una drough, pero se daba cuenta de que ella quería enmendar el pasado.

—Sé lo que piensas de mí —dijo Isla mientras echaba al exterior los trozos de madera.

Hayden enarcó una ceja.

—¿No hemos hablado ya de eso? No me puedes leer la mente.

—Tal vez no —contestó ella. Se agachó y empezó a recoger más madera rota—. Sin embargo, sé que la furia y la repulsión que Broc ha mostrado por mí también las sientes tú.

—No voy a negarlo. Es así al oír hablar de cualquier hombre o mujer a los que hayan llevado a Cairn Toul. Saber que era solo un niño me asquea.

A pesar de que ella le daba la espalda, Hayden pudo ver su caída de hombros.

—No puedes tener un concepto de mí más bajo del que yo ya tengo.

Hayden quería odiarla, deseaba sentir cualquier otra cosa que no fuera la atracción, el deseo que lo consumía. Sin embargo, cada vez que estaba con ella, cada vez que Isla hablaba, aprendía cosas que rompían el molde en el que la había encasillado.

Como ellos, Isla estaba luchando contra Deirdre, pero de otra manera. Mientras que Hayden y los demás guerreros batallaban contra ella abiertamente, Isla estaba intentando corregir los actos que Deirdre la había obligado a realizar.

El guerrero suspiró. Por mucho que odiara admitirlo, Deirdre había obligado a Isla. Si él hubiera estado en su lugar, estaba seguro de que habría tomado las mismas decisiones.

—¿Qué vas a hacer cuando Broc encuentre a Phelan? —le preguntó él.

Isla se enjugó el sudor de la frente, recogió más madera y la lanzó al exterior.

—Quiero asegurarme de que encuentre un hogar. Espero que sea el castillo MacLeod.

—¿Crees que te perdonará?

Isla soltó un bufido e intentó levantar un pesado trozo de madera. Hayden se lo cogió de las manos y lo tiró con facilidad a la pila que había fuera de la cabaña.

Isla se sacudió las manos y negó con la cabeza.

—No soy ninguna necia. Phelan ha prometido matarme y, por lo que le hice, tiene todo el derecho a cumplir su promesa.

A Hayden no le gustó el impulso repentino que sintió de protegerla. No dijo nada mientras ella se dirigía a la siguiente cabaña.

Se quedó fuera y la dejó trabajando con Larena. No iba a conseguir nada más de Isla por el momento. Se pondría a trabajar mientras intentaba digerir la información que ella le había dado.

Ya había decidido cuál quería que fuera su cabaña. Era la que había quedado más dañada y estaba apartada de las otras. Aislada, justo como él. Y por una buena razón.

Ya estaban empezando a talar árboles y a prepararlos para cuando comenzaran a reconstruir por segunda vez. Solo tardarían unos días más en levantar la primera cabaña.

Hayden trabajó incansablemente, yendo de una cabaña a otra. Ninguno de ellos podía hacer nada hasta que llegara el primer ataque. Hasta entonces, prepararían la aldea.

Horas después, cuando el sol ya estaba bien alto, Hayden se dio cuenta de que Isla ya no estaba en la aldea. Se llevó el odre de agua a los labios y sintió el líquido fresco cayéndole por la garganta.

La brisa procedente del mar lo refrescaba, pero nada podía compararse a una zambullida en el agua.

—Ya hemos terminado de limpiar —le dijo Duncan cuando salió de una cabaña—. Tres tenían pocos daños, cinco necesitan reformas estructurales y el resto hay que tirarlas abajo.

Hayden asintió.

—Bien. Comprueba con Lucan si tenemos lo necesario para reconstruirlas o para trabajar en las que tienen daños estructurales. Sé que Fallon quiere que dejemos listas tantas como podamos.

—¿Espera más guerreros? —preguntó Ian, y se acercó hasta quedar al lado de su gemelo.

A Hayden siempre le sorprendía que fueran exactamente iguales. Si llevaran el cabello de la misma manera, nunca sabría diferenciarlos.

—A Fallon le gusta estar preparado. Si Galen y Logan encuentran a los druidas y los convencen para que regresen con ellos, dormirán en el castillo y nosotros nos quedaremos en las cabañas.

Camdyn tendió una mano y Hayden le pasó el odre de agua.

—Yo dormiré en cualquier parte.

—Todos sabemos lo que es dormir en cualquier parte —dijo Ian riéndose—. Este suelo rocoso será más cómodo que el foso.

Aunque Hayden nunca había visto el foso en la montaña de Deirdre, había oído lo suficiente como para saber que la mayoría no salían vivos de él.

—Ian, busca a Lucan y cuéntale lo que hemos hecho.

—¿Y tú adónde vas? —preguntó Camdyn.

—Tengo que ocuparme de otro asunto.

Duncan cruzó los brazos sobre el pecho y una media sonrisa asomó a sus labios.

—¿Ese asunto tiene ojos azules?

Hayden resopló con desdén.

—Por si quieres saberlo, Duncan, voy a darme un baño. Aunque el mar es lo suficientemente grande para los dos, usa otra playa si pensabas hacer lo mismo. No quiero que me molesten.

Se dio la vuelta y se marchó antes de que pudieran hacer otro comentario. Mientras se alejaba, Hayden podía oír sus risas y que Ian bromeaba con Duncan. Rodeó el castillo hasta llegar al camino que había detrás del jardín de Cara.

Sabía que tenía que buscar a Isla, pero si la seguía a todas partes, se daría cuenta de lo que estaba haciendo. Le concedería algo de intimidad y después la buscaría.

Hasta entonces, iba a disfrutar de un largo baño.

Isla se alegró de que le permitieran estar sola. Nadie la seguía y nadie le preguntó adónde iba. ¿Se fiarían de ella los MacLeod?

Tenía la sensación de que sí. Un poco. Sin embargo, si eran tan inteligentes como ella pensaba que eran, deberían ser precavidos y tenerla vigilada. Era lo más práctico, especialmente por su vínculo con Deirdre.

Isla encontró el camino que llevaba a la playa desde el jardín de Cara. Era empinado y casi tropezó un par de veces, pero las vistas eran sobrecogedoras.

El olor del mar era estimulante, sentir la espuma y las olas rompiendo en los acantilados la vigorizaba y los gritos de las alcas se añadían al esplendor del paisaje.

Podría quedarse durante horas allí de pie, contemplando el revuelto mar azul y la espuma blanca. Incluso días. La constante ida y venida de las olas la tranquilizaba y aliviaba el dolor que hacía que los músculos de los hombros se le tensaran por la ansiedad.

Bajó hasta la playa con cuidado de no pisar alguna piedra suelta y romperse algo. Aunque se curaría, le dolería de todos modos.

Una vez en la playa, se quitó los zapatos y se bajó los gruesos calcetines de lana. Se quedó a la orilla del mar, donde las olas rodaban sobre sus pies y le mojaban el borde del vestido.

El agua le otorgaba una sensación tan deliciosa y tan libertadora que se levantó el vestido hasta las rodillas y se metió un poco más en el mar. A pesar de que estaba más fría de lo que pensaba, el hecho de sentir la fuerza de las olas arrastrándola y empujándola alimentó su magia como nunca habría imaginado.

El mar, como la tierra, era un conductor del poder de los druidas. Por primera vez en siglos, Isla se abrió a la magia pura, probándose a sí misma y al mal que llevaba en su interior.

Sintió que el pecho se le ensanchaba mientras la magia y la alegría la llenaban, rodeándola hasta que se perdió en ellas. Inmersa. Extasiada. Encantada.

Nunca antes había sentido nada tan correcto ni tan satisfactorio para su magia. Se balanceó con las olas y se convirtió en un solo cuerpo con el viento. La magia aumentó en su interior como una luz brillante dispuesta a estallar en su pecho.

En ese momento, el mal que había dentro de ella desapareció, ocultándose, aunque no se fue para siempre.

Isla estaba tan inmersa en la magia que le llevó un momento darse cuenta de que había algo más en el agua con ella. Abrió los ojos a tiempo de ver a un hombre surgir de entre las olas espumosas, como si fuera una deidad vengadora. Se giró para mirarla e Isla se quedó sin respiración.

No podía apartar los ojos de Hayden, cuyo lacio cabello rubio le caía hasta los hombros. Era una asombrosa silueta recortada contra la brillante luz del sol y las aguas oscuras. Todo puro músculo. Y hombre.

El agua le resbalaba por la cara y por los hombros, le bajaba por el pecho y el abdomen para desaparecer otra vez en el mar. Estaba con los brazos apartados del cuerpo, agresivo y dominante, como si estuviera listo para la batalla.

Iluminado por el sol, parecía un dios saliendo del agua, dispuesto a vengarse de quien se había atrevido a perturbar su tranquilidad.

Isla intentó apartar la mirada, pero el cuerpo de Hayden la tenía paralizada. Los músculos de su estómago estaban tan definidos que podía verlos con claridad. Deseaba recorrerlos con los dedos, sentir la fuerza de sus brazos rodeándola.

Él se acercó. El mar bajaba por su cuerpo con cada paso que daba, provocándola al dejar al descubierto cada vez más piel hasta que apareció desnudo, maravillosa y asombrosamente desnudo. La mirada de Isla descendió hasta su verga, gruesa e hinchada, que apuntaba hacia arriba. Aunque había visto hombres antes, ninguno había sido como Hayden.

Sintió una respuesta visceral. Se le olvidó respirar y pensar mientras el corazón le golpeaba erráticamente el pecho. La reacción que tenía ante Hayden era sorprendente y... maravillosa. Se detuvo tan cerca que ella podría haberse inclinado hacia delante y besarle el pecho.

Recordó lo que era acariciar aquel cuerpo musculoso, tenerlo contra ella, con el calor de Hayden rodeándola. Y que los dioses la ayudaran, lo quería otra vez. Estaba desesperada por acariciarlo, por sentirse como la mujer que siempre había querido ser.

—Si te quedas, voy a tomarme el beso que se me negó anoche.

Isla se estremeció, no por el agua fresca ni la brisa, sino por la verdad absoluta y emocionante que escondían las palabras de Hayden. Nada podría hacer que se moviera en ese momento.

Quería que la besara, y al diablo con las consecuencias.

16

Hayden sabía que estaba cometiendo un error. Nunca debería haberse acercado a Isla, a su aroma ni a sus labios encantadores. Pero ya lo había hecho y no había vuelta atrás. No le había mentido: si no se marchaba, iba a besarla.

Y no le importaban las consecuencias.

En cuanto lo había rodeado la magia, seductora y relajante, había sabido que era ella. La magia de Isla se sentía de forma diferente a la de los otros druidas, era más fuerte, más firme y más poderosa.

Con sus poderes, podría haberse quedado bajo el agua y alejarse buceando. Ella nunca habría sabido que estaba allí. Sin embargo, había surgido de entre las olas sin pensárselo dos veces.

Por ella.

Tenía que verla y que tocarla. Tenía que sentirla.

Su mirada, cálida y curiosa, lo había recorrido de la cabeza a los pies. La lujuria se había apoderado de él en cuanto sintió que lo rozaba su magia y, al ver a Isla y descubrir que el deseo le oscurecía la mirada, el ansia lo había consumido.

Lo había hecho hervir, lo había alentado y lo había atravesado.

Ahora, mientras ella lo miraba con la misma necesidad que él sentía, Hayden supo que estaba perdido, a la deriva en unos ojos azul hielo que lo embrujaban. No podría apartarse de ella aunque lo intentara, a pesar de que sería lo mejor.

Solo un beso, uno pequeño. Sería suficiente para satisfacer su anhelo, esa hambre que llenaba el vacío en su interior. Un solo beso no les haría daño.

Una vez tomada la decisión, no dudó más. Introdujo los dedos en sus mechones, negros como la noche, y la atrajo hacia él. Isla ahogó un grito y subió las manos a su pecho, Hayden no supo si para apartarlo o para mantener el equilibrio.

Y no le importaba.

Isla dejó escapar el aliento mientras lo miraba, esperando. Él se estaba entreteniendo demasiado. El deseo, el ansia que lo invadía era inabarcable e incontrolable. Tanto que ni siquiera pensó en intentar negarlo una vez hubo agarrado a Isla.

Inclinó la cabeza y posó los labios sobre los suyos. En el instante en el que se tocaron, Hayden volvió a sentir la magia, esa vez mezclada con pasión y deseo.

Lo golpeó directamente en el pecho. Se enterró en su piel y le llegó al alma, un alma que pensaba que lo había abandonado mucho tiempo atrás.

Se apartó, sorprendido. No debería haber sentido algo tan intenso con un beso rápido. ¿Qué sentiría si le lamía los labios o hundía la lengua en su boca para saborearla de verdad?

Buscó la mirada de Isla, vio el asombro y el placer en sus profundidades y quiso más. Necesitaba más.

Si antes había pensado que la deseaba, no fue nada comparado con la emoción que ahora lo embargaba. Salvaje. Primitiva. Innegable. Nunca había experimentado un deseo tan fuerte corriendo por sus venas, negándolo a cualquier otra cosa que no fuera Isla.

La apretó contra el torso, aplastándole los pechos contra él para poder sentir hasta el último centímetro de su cuerpo. Tomó aire bruscamente cuando sus pequeñas manos le acariciaron el abdomen suavemente, enardeciéndolo de una forma increíble. Sus ojos luminosos estaban muy abiertos mientras lo miraba con una mezcla de asombro y anhelo. Una combinación embriagadora para cualquier hombre.

Isla se miró las manos, como si se acabara de dar cuenta de que lo estaba acariciando. Tragó saliva, sintiendo el pulso acelerado en la garganta, y subió las manos hasta sus hombros. Lo tocaba de manera reverente y excitante. Y él deseaba más.

Hayden intentó darle tiempo para que lo tocara, pero el deseo lo invadió por completo. Le ladeó la cabeza hacia él y la rodeó con los dos brazos mientras la volvía a besar. En esa ocasión la besó sin prisas, aprendiendo su textura, su sabor.

Deslizó la lengua sobre sus labios y cuando ella los abrió entró en su boca para reclamarla. Para conquistarla y capturarla.

Gimió al sentir su exquisito sabor y se hundió en el deseo que giraba a su alrededor. Isla era como el aguamiel, dulce y sabrosa. Y él debía tener más.

Giró la boca sobre la de ella. Sus lenguas bailaban juntas mientras la mantenía apretada contra él. La rodeaba con los brazos para sentir todas y cada una de sus curvas, exuberantes y femeninas. Ella le rodeó el cuello con las manos, le arañó suavemente el cuero cabelludo y hundió los dedos en su cabello húmedo.

Hayden sintió que ella se entregaba al beso y que su pasión evidente aumentaba. Cuando Isla le devolvió el beso con tanta intensidad como él la había besado, se estremeció y quiso más. Siempre más.

Un deseo líquido lo atrapaba y lo urgía a profundizar su unión, a hundirse en la dulce boca de Isla y en su cuerpo suntuoso. Alejarse de ella no era una opción, aunque sabía que era lo que debería hacer.

La incitó, la provocó y ardió de anhelo. El beso se encendió y se volvió desesperado mientras su pasión crecía con cada roce de la lengua de Isla contra la suya.

Incapaz de mantener las manos lejos de ella, Hayden descubrió el tacto de su dulce cuerpo desde la pequeña cintura que podía abarcar con las manos hasta sus pechos suculentos.

Le agarró un pecho, maravillándose por su tacto y por cómo aumentaba de tamaño entre su mano. El pene se le levantó al sentir que el pezón se endurecía, un pequeño capullo presionándole la palma de la mano, duro y sólido.

Tal y como él estaba.

Gimió dentro de la boca de Isla, una mezcla de deseo voraz y hombre satisfecho mientras ella arqueaba la espalda para presionar aún más el cuerpo contra su mano.

Isla contrajo los dedos, aún hundidos en el cabello de Hayden, cuando él empezó a masajearle el pecho. Dejó escapar un suave gemido que hizo aumentar el deseo y se le clavó a Hayden directamente en la ingle. Hizo círculos con el dedo alrededor del pezón y la sintió temblar.

Dejó que la anticipación aumentara mientras se acercaba cada vez más al duro pezón. Cuando por fin cerró los dedos sobre él para darle placer e incitarla con habilidad, Isla gimió suavemente. Él siguió acariciándola con los dedos y le apretó el pezón ligeramente.

Cuando ella se frotó contra él, Hayden disfrutó al sentir la dulce feminidad que lo tenía embelesado. Tembló de deseo. Nunca antes había deseado a una mujer de esa manera. Ni siquiera había soñado que pudiera sentir tal anhelo por nadie.

Estaba sorprendido por la pasión que ardía en Isla. Ella, la druida que siempre mantenía a raya las emociones, parecía romper su armadura con sus besos, con sus caricias.

Y Hayden estaba disfrutando con ello. Tal vez demasiado.

Deslizó las manos por la espalda de Isla para agarrarle el trasero y acercarla todavía más a él, a su pene, que ansiaba sentir más de ella. El gemido que dejó escapar Isla, dulce y suave, cuando la apretó contra su erección hizo que le temblaran las rodillas y su ansia aumentó hasta que se ahogó en ella. La deseaba como no había deseado nunca a una mujer.

Cuando empezó a considerar la idea de tumbarla en la arena y las rocas y rasgarle el vestido con las garras para hundirse en su calor húmedo, supo que era el momento de parar. Por ahora.

La tendría. Era inevitable ya que la había saboreado, ahora que conocía el tacto de su cuerpo.

Terminó el beso de mala gana y miró hacia abajo, a la cara aturdida de Isla. Ella tenía los labios húmedos e hinchados por el beso y al verlos se le endurecieron los testículos.

Tenía los ojos medio cerrados y el deseo ardía en sus profundidades azul hielo. Hayden sabía que podría tomarla en ese mismo instante, aunque no era el momento ni el lugar.

Deslizó los dedos por sus mechones oscuros y enrolló su cabello alrededor de la mano manteniéndola contra él, donde debía estar. Era demasiado tentadora.

Isla estaba de puntillas y aun así tuvo que inclinarse para besarla, para tomar sus labios una vez más. Se sentía impotente contra el deseo que ella le provocaba. Mientras la tuviera cerca, debía tocarla, tenerla.

Tembló mientras luchaba contra la necesidad de hundirse en su centro, caliente y suave. Se le estaba escapando el control como la arena se escabullía con la marea.

—Deberías regresar al castillo. —Incluso a él le pareció que su voz sonaba brusca.

Isla dio un paso atrás. Le rozó los hombros con la punta de los dedos antes de dejar caer los brazos a los lados.

De mala gana, casi temiendo que no pudiera volver a abrazarla, le soltó el cabello y el cuerpo.

Como ella no decía nada, Hayden le estudió el rostro para saber qué sentía. Todavía había deseo en su mirada, necesidad, pero era evidente que estaba recobrando la compostura rápidamente.

El hombre que había en él quería recordarle cómo podía hacer que se olvidara de todo de nuevo, cómo podía avivar su pasión solo con un beso.

—Terminaremos esto —le prometió.

17

Isla permaneció en la playa mucho tiempo después de que Hayden se alejara. Todavía podía saborearlo, sentirlo en la boca y en el cuerpo. Se humedeció los labios y se estremeció por la pasión que aún había en su interior. Durante un instante pensó en seguirlo y volver a besarlo.

Miró hacia abajo y vio que el borde del vestido estaba empapado y que el agua se arremolinaba a su alrededor. La magia que el mar había invocado no se parecía a nada que hubiera sentido antes. Era salvaje y pura, como su deseo por Hayden.

Deseo. Cerró los puños con fuerza y le dio la espalda al mar. Ignoró los pinchazos de las piedrecillas que se le clavaban en los pies. Las grandes rocas la invitaban a sentarse y contemplar la belleza de la costa, pero no podía.

Había tenido mucho cuidado de no trabar amistad con nadie para que Deirdre no usara a esas personas contra ella, como había hecho con Grania y Lavena. Ahora se encontraba en una situación en la que Hayden le podía gustar mucho. Peligrosamente.

No era cuestión de si Deirdre iba a recuperar su magia, sino de cuándo lo conseguiría. Cuando llegara ese momento, terminaría encontrándola y usaría todo lo que tuviera a su disposición contra ella. Y eso incluía a todos los que habitaban el castillo MacLeod.

Isla miró la imponente estructura del castillo, construido al borde de los acantilados. A pesar de la destrucción, del fuego, del abandono e incluso del aislamiento, las rocas todavía se erguían orgullosas y desafiantes. Como los propios MacLeod.

¿Podría ella encontrar el mismo coraje? ¿Se atrevería a sentirlo?

Se sentó para ponerse las medias y los zapatos y después comenzó a subir por el sendero que llevaba al castillo. Estaba a medio camino cuando resbaló.

Una mano la agarró del brazo e impidió que se cayera. Isla miró hacia arriba y vio a Marcail, sonriéndole.

—Creo que te encuentro en un buen momento —dijo Marcail.

Isla le devolvió la sonrisa y recuperó el equilibrio.

—Gracias. Este camino es peligroso. Me sorprende que Quinn no te haya dicho que no bajes por aquí.

—Oh, sí que lo ha hecho. —Marcail se encogió de hombros y los ojos le brillaron—. Pero te he visto y quería hablar contigo.

Isla se incorporó y se sacudió las manos.

—¿Sobre qué?

Marcail señaló hacia una parte del camino que giraba a la izquierda.

—Cara me habló de este sendero. ¿Te gustaría dar un paseo?

—Muy bien. —Isla miró hacia el castillo. Fuera lo que fuera lo que Marcail quería decirle, deseaba hacerlo en privado.

La siguió por el camino. Discurría algunos metros por debajo del borde de los acantilados y pudo ver que, en su tiempo, lo habían usado mucho.

—Quinn me contó que solían emplear este sendero para cazar cuando era un muchacho —dijo Marcail. Miró hacia atrás y se encogió de hombros—. Cara lo usó cuando escapó. Quiso huir para que Deirdre no le hiciera daño a Lucan.

—Deirdre habría venido por Lucan de cualquier manera.

Marcail se detuvo y se giró para mirarla.

—Lo sé. Yo misma presencié lo malvada que es Deirdre. Lavena vio una pequeña parte, pero Sonya y Cara solo han oído historias. Me gustaría que siguiera siendo así.

—A todos nos gustaría. —Isla había visto más horrores de los que cualquiera podría comprender, aunque no iba a decírselo a Marcail.

Su amiga se sentó en el suelo y se llevó las rodillas al pecho. Isla hizo lo mismo un momento después y, aunque Marcail tenía la mirada fija en el mar, supo que estaba preocupada. Enseguida se dio cuenta de por qué.

—No puedes recordar el conjuro para dormir a los dioses, ¿verdad?

Marcail suspiró y sacudió la cabeza.

—Esas llamas negras a las que me arrojó Deirdre le hicieron algo a mi magia. Incluso después de que Quinn me sacara de ellas, casi morí.

—Ese fuego no era para mantenerte viva, como las llamas azules de mi hermana, sino para tenerte apartada de todos. Te habrían matado. Tu magia te protegió. Sin embargo, al hacerlo, perdiste algo de ella.

—La perdí casi toda. Para empezar, no era una druida demasiado fuerte —dijo Marcail con tristeza—. Mi madre pensó que ya era hora de dejar atrás las viejas tradiciones. Cuando murió, yo había perdido muchos valiosos años de aprendizaje sobre cómo usar y controlar mi poder.

—¿Qué ocurrió?

—Mi abuela era una mie especialmente poderosa. Me enseñó todo lo que pudo mientras vivió. Solo empecé a recordar el conjuro cuando estuve en el foso y me enamoré de Quinn.

Isla se quedó con la boca abierta.

—¿Lo recordaste? ¿Por qué no lo usaste?

—Recordé algunas partes. Mi abuela lo había hecho de manera que no lo recordara hasta que me enamorara. —Se llevó una mano a los ojos para enjugarse una lágrima—. Cuando entré en las llamas negras, estas se llevaron el conjuro. Lo he probado todo para recuperarlo.

Isla se inclinó hacia delante y puso una mano sobre la de Marcail. No había tocado a nadie voluntariamente hasta que había llegado al castillo MacLeod. Ahora le parecía casi natural.

—¿Cara y Sonya no han podido ayudarte?

—Cara todavía está aprendiendo a utilizar su magia. Sabe aún menos que yo, y Sonya ha intentado ayudarme. Nada ha funcionado.

—Quieres saber si yo puedo hacer algo.

Marcail la miró con sus inusuales ojos turquesa y asintió.

—Tu magia es muy poderosa. ¿Hay algo que puedas hacer?

—Ojalá pudiera. —Desvió la mirada hacia el mar, incapaz de ver el dolor en los ojos de Marcail—. Una vez que te han quitado la magia, no puedes recuperarla. El hecho de que aún conserves algo me dice que tenías una gran magia en tu interior.

—Y la perdí.

Isla se levantó y le tendió una mano.

—Hiciste lo que debías hacer para que Deirdre no consiguiera el conjuro. No te quites valor, Marcail. Hiciste lo correcto.

—¿De verdad? —Aceptó la mano de Isla y se puso en pie.

—Sí.

Marcail dejó escapar el aire y cerró los ojos con fuerza durante un momento.

—Díselo a los guerreros. Siguen esperando que recuerde el conjuro.

—¿Quinn sabe que no puedes recordarlo?

—Sí, y también sus hermanos.

—Entonces, los demás deben saberlo. Es mejor que no sigan teniendo esperanzas.

Marcail la miró con tanta pena que Isla casi se puso a llorar.

—Aunque saben que existe la posibilidad de que el conjuro se haya desvanecido para siempre, odio tener que decepcionarlos.

Isla sabía muy bien lo que era eso.

—Lo entenderán.

—Gracias de todas formas —dijo Marcail, y comenzó a volver sobre sus pasos hacia el castillo.

Isla se levantó la falda empapada y corrió tras ella.

—Marcail, espera. Hay algo que puedes hacer. No sé si te ayudará pero, ya que desciendes de druidas poderosos, puede que funcione.

—¿Qué es? —le preguntó, y se giró hacia ella. El rostro se le había iluminado con la esperanza.

—Encuentra lo que alimenta tu magia, ya sea la tierra, los árboles, el agua, lo que sea. Ve allí y ábrete a la magia.

—Eso fue lo que hice mientras estaba en el foso. —Frunció el ceño con preocupación—. Casi me perdí en la magia.

Isla asintió.

—Sí, existe ese riesgo. Debe haber alguien contigo, alguien que te saque si es necesario. Con el bebé, no querrás arriesgarte.

Marcail bajó la mirada y se llevó las manos al estómago.

—No quiero hacerle daño a mi hijo. Quinn ya ha perdido demasiadas cosas y no soportaría enfrentarme a él si algo de lo que hiciera dañara a nuestro bebé.

—Entonces, espera —le aconsejó Isla—. Algunos meses más no marcarán ninguna diferencia. Hasta entonces, alimenta tu magia. Tu bebé debería ayudarte a fortalecerla.

—¿Quieres decir que el niño tendrá magia?

Isla se encogió de hombros.

—No veo por qué no. A pesar de lo que ocurrió en Cairn Toul, sigues teniendo poder.

Marcail se rió y empezaron a bajarle lágrimas por la cara.

—Temía que no quedara nada para el bebé.

Isla no estaba tan segura de que eso fuera malo. En esos tiempos la magia solo atraía el peligro, a Deirdre, y a los cristianos, que amenazaban a cualquiera que tuviera creencias distintas a las suyas. Sin embargo, no iba a condenar los sueños de Marcail para su hijo aún no nacido. El mundo se encargaría pronto de hacerlo.

Deirdre quería gritar de frustración, pero no podía. Flotaba como un espíritu, incapaz de hacer otra cosa que no fuera comunicarse con Dunmore y sus wyrran. E incluso eso agotaba su limitada magia.

A pesar de que había intentado contactar con Isla muchas veces, o bien la pequeña zorra estaba muerta o su magia era tan insuficiente que Isla podía ignorarla. Ninguna de las dos posibilidades era buena. Necesitaba a Isla. Si los MacLeod y sus guerreros no la hubieran dejado extenuada, sabría al instante si estaba viva.

Por supuesto, si recuperara todo su poder, encontrar a Isla viva o muerta carecería de importancia. Ahora tenía que hacer que sus wyrran encontraran un druida para volver a tener un cuerpo.

Hasta entonces, si Isla estaba viva era libre de hacer lo que deseara. Después… Deirdre sonrió. Después, haría lo que ella le ordenara y pagaría con su vida.

Salió flotando de sus aposentos por el pasillo, donde había encontrado a Grania muerta en un charco de sangre. No sabía quién la había matado, pero lo descubriría y desollaría a los responsables.

Aunque al principio Grania no era más que un instrumento para presionar a Isla, después de varias décadas la niña había llegado a gustarle. Habían pasado mucho tiempo juntas y Deirdre había sabido que mantendría a Grania con ella para siempre.

Sin embargo, le habían arrebatado a la niña, se la habían llevado en un abrir y cerrar de ojos.

La furia creció en su interior, alimentando el mal y ayudándola a recuperar su magia. Siguió nutriendo su ira. Cada vez que veía un druida muerto, un wyrran o un guerrero asesinado, o su montaña destruida, pensaba en los MacLeod.

Había querido que los hermanos se aliaran con ella. Ahora, lo único que deseaba era verlos muertos, a ellos y a cualquier guerrero que osara aliarse con ellos.

El resto del día se le hizo eterno a Isla. Ni siquiera la preocupación que había tenido por si el flan y las tortas sabrían bien podía ayudarla a aclarar el embrollo de sensaciones que sentía.

Al menos, Hayden estaba en la aldea ayudando a reconstruir las cabañas, y no tenía que verlo y recordar el beso.

Hasta que llegó la cena. Le había resultado imposible no mirarlo y, cuando lo había hecho, se había encontrado con su mirada. La hacía ser demasiado consciente de él y de lo que le habían hecho sus besos.

Sintió calor y la sangre se le volvió fuego en las venas. Tenía una sensación extraña y aun así agradable en la boca del estómago. Respiraba con dificultad y no podía pensar con claridad.

Quería haberse ido antes del salón, pero todo el mundo deseaba decirle lo mucho que les habían gustado las tortas. Solo cuando prometió hacer más pudo marcharse.

Ahora, mientras se dirigía a la torre, se preguntó si no debería haberse quedado. Tal vez podría haber hablado con Hayden.

¿Y decirle qué?

No lo sabía. No tenía experiencia en ese tipo de cosas. Todo era nuevo para ella, sobre todo ese deseo, el anhelo interminable y siempre presente que él había provocado cuando apareció en su dormitorio y casi la besó.

En el pasado, a veces había conocido a algún hombre que había despertado su interés, aunque nunca se había permitido hacer nada al respecto. Era quien era, y eso significaba que debía estar sola.

Suspiró y alargó la mano para coger el peine. Cepillarse el cabello siempre la había calmado. Se sentó en el borde de la cama y observó la luz de la única vela bailar en la pared opuesta mientras se peinaba.

No supo cuánto tiempo estuvo así hasta que captó un olor a especias y bosque.

Hayden.

Hayden le cubrió la mano con la que sostenía el peine. Lo cogió y, lenta y tiernamente, comenzó a cepillarle el cabello. Deslizaba con dulzura el peine desde la cabeza a las puntas, que llegaban a la cintura de Isla.

—Hay algo irresistible en ver a una mujer peinándose.

Isla se estremeció al escuchar su voz, profunda y potente.

—Solo es un quehacer.

—Creo que no. Y creo que tú lo disfrutas tanto como yo.

Ella se humedeció los labios e intentó no pensar en su boca firme, que la había besado hasta casi hacerle perder el sentido. Después de ese beso, habría hecho cualquier cosa que él le hubiera pedido. Y temía que eso no cambiaría nunca.

—Quiero terminar lo que empezamos en la playa —le susurró Hayden al oído.

Isla sintió un escalofrío recorriéndole la piel y se puso nerviosa por la expectación y la excitación. Se giró para mirarlo, con miedo de que hablara en serio y temiendo que no lo hiciera.

Aunque la luz de la vela dejaba gran parte del rostro de Hayden en sombras, veía sus ojos negros. Incluso a la débil luz reconocía el anhelo, el ansia que vislumbraba, porque era lo mismo que sentía ella.

—No sé si es sensato —dijo. Tenía que mantenerlo alejado de ella, aunque solo fuera para permanecer cuerda.

Él sonrió a medias y su sonrisa, cómplice y seductora, hizo que el corazón le diera un vuelco.

—Por supuesto que no es sensato. Sin embargo, he intentado no acercarme a ti. Y no he podido. ¿Y tú?

Isla abrió la boca para decir que sí, pero eso sería mentir, a él y a sí misma.

—No.

Fue todo el incentivo que necesitó Hayden. Se arrodilló en la cama y la rodeó con sus brazos, lenta y firmemente. En cuanto esas bandas de acero la aprisionaron, Isla se sintió perdida. Sus propios brazos le rodearon el cuello y el cabello, rubio y sedoso. Le caía por los hombros, espeso y dorado, contrastando fuertemente con la oscuridad de sus ojos.

Esos ojos la observaban. Hayden la estudiaba, esperando su reacción.

—¿Deseas esto? Dime la verdad. Tengo que saberlo.

—Sí, Hayden. Lo deseo. —Lo deseaba tanto como no había deseado nada en toda su vida.

Antes de que hubiera terminado de pronunciar la última palabra, Hayden posó los labios sobre los suyos. El beso fue apasionado y ardiente, intenso y devorador. Con cada roce de la lengua de Hayden sobre la suya, Isla sentía que su cuerpo lo reclamaba, se sentía viva.

La pasión se le enroscó en el vientre y la urgió a continuar, le rogó que siguiera al deseo que le calentaba la sangre por todo el cuerpo.

Todo lo que era, todo lo que había sido y todo lo que quería desapareció en los brazos de Hayden. Él hacía que el mundo se desvaneciera, dejándolos solos a los dos y a su pasión innegable.

Ella tiró del alfiler que le sujetaba el tartán sobre el corazón mientras él le levantaba la falda hasta la cintura. Se oyó un sonido sibilante cuando el tartán cayó al suelo y, entonces, Isla tiró de la camisa de Hayden. Quería quitársela para poder acariciar su piel bronceada y sus poderosos músculos.

—Quítate el vestido antes de que te lo desgarre —gruñó mientras se quitaba la camisa azafrán por encima de la cabeza y la tiraba al suelo.

Isla se apresuró a deshacerse de la ropa y, cuando levantó la mirada, vio que Hayden estaba de pie junto a la cama, gloriosamente desnudo, mirándola.

Se quedó sin respiración, extasiada una vez más por la perfección absoluta, por la belleza total de Hayden. Era como si los propios dioses lo hubieran esculpido, modelándolo como guerrero supremo, indomable y salvaje.

Y con una maravillosa combinación de amante peligroso y excitante.

Isla deslizó un dedo por su pecho, bajando hasta la estrecha cintura y pasando por las caderas delgadas y los muslos musculosos. Nunca antes había tocado a un hombre así, nunca había deseado hacerlo. Y no se cansaba de Hayden.

Él se arrodilló entre sus piernas, le quitó un zapato y luego el otro. Después empezó a bajarle las medias, siempre mirándola a los ojos.

La promesa de placer que Isla vio en sus profundidades oscuras hizo que su deseo aumentara, palpitando constante y profundamente. Deseaba que la besara. Deseaba que la acariciara.

Se estremeció de pasión al sentir los dedos de Hayden recorriéndole lentamente la piel. Le bajaba las medias muy despacio, como si quisiera prolongar el dulce tormento que le causaba al tocarla.

Dejó caer la cabeza hacia atrás cuando él le quitó la primera media y le levantó el pie para besarle el tobillo. No pudo evitar gemir al sentir sus manos en las caderas, bajando para quitarle la media de la otra pierna.

Isla separó las caderas de la cama cuando Hayden le acarició el sexo. Sus dedos jugueteaban con los rizos que tenía entre las piernas y la tentaba al tocarla, aumentando su expectación.

El sexo le palpitaba ansiando el contacto. Por Hayden.

Él se tomó el mismo tiempo con la segunda pierna que con la primera, tentándola pausada y dulcemente. Esa vez, tras quitarle la media, le besó la rodilla.

Isla se agarró a la manta para sujetarse y para intentar controlar el torbellino de sensaciones que la inundaba. Temía y anhelaba lo que vendría a continuación. Y, cuando Hayden se incorporó y se inclinó sobre ella, supo que, pasara lo que pasara, nunca se arrepentiría de abandonarse a la pasión que él le provocaba. Una pasión que la engullía.

18

Hayden no había visto nunca nada tan exquisito ni tan imponente como Isla desnuda y deseosa debajo de él.

Tenía el cabello negro esparcido a su alrededor, el pecho le subía y le bajaba rápidamente y sus sorprendentes ojos azul hielo no dejaban de mirarlo. Estaba excitada y preparada. Esperándolo.

Su cuerpo esbelto y curvilíneo parecía sacado directamente de sus sueños. Quería tocarla por todas partes, aprender cada matiz de su cuerpo para darle un placer tan intenso y tan increíble que no fuera capaz de hilar dos palabras seguidas.

El problema era por dónde empezar.

Se sentía incapaz de negarse a saborearla, así que se inclinó y la besó. Ella se abrió ávidamente, espoleando su anhelo ardiente y llevándolo a nuevas cimas, sumergiéndolos a los dos en las peligrosas llamas del deseo.

Isla le acariciaba los costados con manos indecisas y suaves y le recorría la espalda. Por donde ella pasaba los dedos la piel se le encendía con rastros de calor.

Cada caricia, cada suspiro lo sumergía un poco más en el hechizo de Isla. Hacía que la ansiara y la codiciara más que cuando la había encontrado en Cairn Toul.

Se puso de lado y le colocó una mano en la cadera mientras profundizaba el beso. Ella gimió en su boca, impaciente. Hayden deslizó una mano por la redondez de su cadera, pasando por la curva de la pequeña cintura hasta el pecho.

Le acarició con el pulgar la parte inferior del pecho antes de tomarlo en la mano. El pezón estaba duro y firme, ansiando sus caricias.

Quería ir despacio, saborearla, pero el deseo lo invadía. Podía sentir la pasión creciente de Isla y supo que tendría que esforzarse para no perder el control o le haría daño.

El hecho de que estuviera besando y acariciando a una drough no disminuyó su pasión. No se preguntó por qué, simplemente lo aceptó por el momento. Más tarde se preguntaría cómo era posible que la deseara de aquella manera.

Gimió cuando ella le arañó la espalda, causándole escalofríos. Nunca había ansiado, anhelado ni necesitado a nadie como necesitaba a Isla en ese momento.

La besó hacia el cuello y continuó besándola hacia abajo, hasta el valle que formaban sus pechos, e hizo girar el pezón entre los dedos. Ella jadeó y de sus labios seductores se escaparon suaves gemidos de deleite.

Hayden ansiaba adentrarse en ella; sin embargo, se contuvo. Quería saborearla un poco más, aprender más de ella antes de rendirse a la necesidad.

Isla arqueó la espalda y ahogó un grito cuando él le pellizcó el pezón. Hayden sonrió y le rodeó el otro pezón con los labios. Hizo girar la lengua alrededor incitándolo, acariciándolo, hasta que Isla susurró su nombre.

Al escuchar su nombre de labios de Isla algo se movió en su interior que pensó que había muerto hacía mucho tiempo. En su voz había pasión, asombro y alegría.

Hayden podría quedarse horas lamiéndole los pechos, pero había mucho más por explorar y disfrutar. Le elevó las caderas para apretarse contra ella y, al sentir su cuerpo suave y flexible, creyó enloquecer de deseo.

Podría entrar en ella en ese momento, hundirse en su humedad caliente. Sin embargo, antes quería oírla gritar su nombre y ver cómo su cuerpo se sacudía por el clímax.

Después, la tomaría.

Despacio. Completamente. Saboreando cada momento.

Isla estaba cegada por el deseo. El anhelo le atravesaba el cuerpo como si fuera un tormento, la abrumaba con una necesidad intensa y salvaje. Sentía la piel muy sensible y la sangre le hervía en las venas. Cada pequeño roce, cada caricia de Hayden alimentaba las llamas en su interior.

Ansiaba que le siguiera tocando los pechos. Nunca había sentido nada parecido, nada tan sorprendente. El latido que sentía entre las piernas se intensificó e hizo que frotara las caderas contra él. El calor la consumía, la pasión la quemaba.

Tomó aire entrecortadamente cuando Hayden se situó entre sus piernas y le separó los muslos con sus grandes manos. Levantó la negra mirada hacia ella, retándola a detenerlo, y se inclinó para lamerle el sexo.

Ella gimió, atrapada entre el deseo que la recorría y la vergüenza de que Hayden la viera tan abierta. Pronto ganó el deseo, cuando la lengua de Hayden le acarició hábilmente el clítoris. Isla se olvidó de respirar cuando el placer, puro e increíble, la venció.

Era demasiado. Las sensaciones que la sacudían eran demasiado puras y poderosas. Intentó apartarse, pero Hayden la mantenía firmemente sujeta por las caderas. Cuando pensaba que no podría sentir nada más intenso, que el deseo no podría crecer más, todo su mundo se hizo añicos.

Gritó el nombre de Hayden mientras un éxtasis como no había conocido nunca la llenaba y la envolvía. Incluso cuando su cuerpo empezaba a calmarse, deseó más.

Antes de que pudiera tomar aliento, Hayden se inclinó sobre ella, poniéndole las manos en la espalda. La giró y la levantó hasta que quedó a horcajadas sobre él y, Hayden, sentado al borde de la cama.

Su erección, dura y firme, los separaba. Ella deseaba tocarlo y acariciarlo como él había hecho. Quería darle el mismo placer, y esperaba que se lo permitiera.

Le tomó el rostro entre las manos y le acarició los rasgos duros y cincelados. Le perfiló los labios con un dedo y se sorprendió cuando él se lo metió en la boca.

Hayden le lamió el dedo y lo succionó, con los ojos ardiendo de deseo. Isla sabía que era el momento de decirle que ningún hombre la había tocado antes, aunque temía que, si lo hacía, no la deseara. Y no pensaba permitir que la rechazara.

La miraba como a una mujer, no como a una posesión o a una drough. La miraba como ella había deseado que la mirara. Y la tocaba como solo había soñado ser tocada.

Hayden cerró suavemente los dedos alrededor de su muñeca y se sacó el dedo de la boca. Le besó la palma de la mano y le lamió la piel.

—Cuánta pasión —susurró.

Isla se estremeció. Nunca había pensado que vería esa faceta de Hayden, una faceta que le llegaba al alma. Y de la que estaba disfrutando enormemente.

—No puedo esperar más. —Él le besó el cuello, donde le latía el pulso—. Debo tenerte.

Isla le rodeó el cuello con los brazos.

—Entonces, tómame.

La agarró de las caderas y la levantó hasta que quedó justo encima de su pene. La movió hacia delante y hacia atrás, de manera que la punta se frotaba contra su sexo, húmedo y sensible.

Ella echó la cabeza hacia atrás y gimió de placer. Él la hizo bajar lentamente hasta introducir la punta de la verga y ella lo sintió grande e imponente mientras empezaba a expandirla.

La alarma la invadió. Abrió la boca para decirle que aún era virgen, pero antes de que pudiera decir nada, Hayden se metió en ella al mismo tiempo que tiraba de su cuerpo hacia abajo.

Isla no apartaba la mirada de él y vio que abría los ojos por la sorpresa y que fruncía el ceño, enfadado. Aunque sentía dolor, se negaba a mostrar debilidad y a gritar. Hayden era grande, demasiado grande para ella.

—¿Por qué no me has dicho que no te han tocado antes? —le preguntó en voz baja en la que se dejaban sentir la furia y la incredulidad.

Isla se encogió al oír ese tono.

—Pensé que no me desearías.

Él le puso suavemente una mano en la cara.

—Si lo hubiera sabido, no te habría hecho daño. Habría ido más despacio, pero te seguiría deseando.

Ella parpadeó sin saber qué decir. Se sentía culpable por el dolor. Sin embargo, por la expresión de Hayden supo que él se culpaba.

—¿Mi falta de… experiencia no importa? —preguntó, dubitativa.

Él le pasó el pulgar por el labio inferior y la besó sonoramente, completamente.

—No. ¿Te duele?

—Se me está empezando a pasar.

—Bien —contestó él, y le echó las caderas hacia delante.

Isla se mordió el labio y esperó sentir más dolor. Sin embargo, el calor inundó su cuerpo. Cuanto más se movía contra él, más deseaba. Había pensado que era grande. Sin embargo, ahora que su cuerpo se había ajustado, Hayden se deslizaba aún más dentro de ella, llenándola todavía más.

—Sí —murmuró él, y le besó el cuello, justo debajo de la oreja—. Ábrete a mí.

Isla era incapaz de hacer otra cosa que no fuera lo que Hayden quería. Él le movía las caderas lentamente y con cariño mientras su cuerpo seguía ajustándose a él. Cuando la hubo penetrado totalmente, Hayden gimió y le cubrió la boca con la suya. La besó profundamente, sin prisa.

—Muévete como quieras —le dijo.

Durante un momento Isla solo pudo permanecer allí sentada. Sentirlo en su interior bloqueaba todo lo demás. Giró las caderas y se movió hacia delante y hacia atrás. La fricción de sus cuerpos volvió a prender en ella las llamas del deseo.

Sentía que se estaba acercando de nuevo a lo que había experimentado antes del primer clímax. Lo quería otra vez, quería sentirlo con Hayden dentro de ella.

Se agarró a él cuando sus emociones comenzaron a girar vertiginosamente, fuera de control. Hayden la rodeaba con los brazos y tenía la respiración entrecortada y acelerada mientras la embestía.

Gimió y comenzó a deslizarla hacia arriba y hacia abajo a lo largo de su pene. Lo único que Isla podía hacer era experimentar la dicha de tenerlo llenándola. Hayden aceleró el ritmo y se hundió más profundamente, tanto que le llegó al vientre.

Isla lo oyó susurrar su nombre un segundo antes de que le hundiera los dedos en la espalda y la embistiera con dureza y rapidez. Ella sintió que se derramaba en su interior y, para su sorpresa, tuvo un segundo orgasmo.

Hayden la apretó contra el pecho y le acarició suavemente el cabello hasta que su cuerpo se calmó. Todavía estaba dentro de ella y la abrazaba con tanta ternura como haría un amante.

Ella dejó caer la cabeza sobre su hombro y suspiró. Él la levantó para salir de su interior y la tumbó en la cama. Entonces se levantó y fue hasta la jarra de agua.

Isla lo observó mientras echaba agua en un paño y lo escurría. Hayden se sentó a su lado y le separó las piernas. A ella nunca se le habría ocurrido que tuviera que limpiarse.

No hablaron mientras Hayden le lavaba la sangre y el semen, primero a ella y luego él mismo. Isla esperaba que entonces se marchara, que dijera algo bonito y que se fuera. En lugar de eso, simplemente se quedó mirándola.

—Te has ofrecido a mí —le dijo—. ¿Por qué?

Isla apartó la mirada. ¿Cómo le explicaba que se había sentido atraída hasta un punto que no comprendía? ¿Que no había querido rendirse pero que su cuerpo había tomado el control?

—¿Está mal querer sentir un poco de felicidad? ¿No la merezco? —replicó.

Él alargó un dedo y empezó a juguetear con las puntas de su cabello.

—Yo nunca he dicho eso. Solo me estoy preguntando por qué yo.

—¿Quieres decir por qué tú si desprecias a los drough?

—Sí.

Isla dejó escapar el aire.

—Tú me has visto. A pesar de quién soy y de lo que soy, has visto a mi verdadero yo. Ya ha habido otros hombres que me han deseado y algunos han intentado forzarme. Aunque nunca ningún hombre me había mirado con tanto deseo ni me había besado con tanto fuego y tanta ansia.

Se hizo el silencio hasta que finalmente Isla preguntó lo que necesitaba saber.

—¿Por qué yo? ¿Por qué has venido a mí si odias lo que soy?

—Es una buena pregunta, ¿verdad? —dijo él—. No estoy seguro de poder contestarla.

Ella se sentó y casi alargó una mano hacia Hayden, pero cambió de opinión en el último momento.

—Has sido tierno conmigo y te has preocupado al saber que era virgen. Te doy las gracias por ello.

Hayden se llevó a la cara un mechón de su cabello e inhaló.

—Creo que los dos hemos hecho muchas tonterías.

—Pase lo que pase, no me arrepentiré de lo que ha ocurrido esta noche.

Él dejó caer su cabello y se levantó. Comenzó a vestirse sin decir nada más. Isla lo observaba, fascinada por todas las facetas de Hayden.

Cuando terminó, la miró y se encaramó a la ventana. Ella esperaba verlo en forma de guerrero y así saber por fin de qué color era, pero Hayden se fundió en las sombras y desapareció.

19

Hayden sabía que estaba siendo un necio. Mientras se alejaba de Isla, deseaba volver. Saber que ningún hombre la había tomado antes le había sorprendido hasta lo más profundo de su ser. Se había puesto furioso con ella por no decírselo, y consigo mismo por ser duro con ella.

Pero, por todos los santos, era una mujer apasionada. Había sacado una parte de él que no sabía que tuviera.

Saber que había sido el primero en tomar su cuerpo espectacular lo excitaba y le hacía anhelar saborearla de nuevo.

Entró a sus aposentos por la ventana. Deseaba que Logan estuviera allí, aunque sabía que no se confiaría a su amigo. Lo que había ocurrido entre Isla y él era privado.

Porque no quieres que otros sepan que has estado con una drough.

A pesar de que quería negarlo, era parte de la razón. Por mucho que quisiera pensar que Isla era diferente, no lo era. Era una drough, llevaba el mal en su interior. Tal vez lo hubiera apartado de momento, pero lo cierto era que había hecho cosas terribles.

Se quitó las botas y se pasó las manos por la cara, cansado hasta el alma. Se tumbó en la cama y se colocó un brazo sobre los ojos.

No importaba cuánto lo intentara, el sueño lo eludía. Seguía viendo la hermosa cara de Isla y su sorprendente cuerpo. Todavía podía escuchar sus gemidos, sus suaves gritos de placer. Había gritado su nombre, como él había deseado.

Debería haberse quedado con ella. Si lo hubiera hecho, la habría tomado de nuevo. Le había dado placer, de eso estaba seguro. Sin embargo, su primera experiencia sexual debería haber sido con alguien que se preocupara por ella, alguien que se quedara con ella.

Él no era ese hombre. A pesar de todo, por mucho que se arrepintiera de estar con ella, se preguntaba si tendría la suficiente fuerza de voluntad para apartarse la próxima vez.

Sabía que no.

—Maldición —farfulló.

Eso no podía estar sucediéndole a él. Cuando había encontrado a sus padres, les había jurado que descubriría a su asesino y que se vengaría. Como el guerrero más fuerte de su clan, siempre había estado allí para proteger a su familia. Nunca les había fallado hasta aquel momento.

Y con la muerte de su familia, Deirdre había ido por él. Aquella noche habían cambiado muchas cosas. Todo lo que él había sido había muerto con su familia.

Isla se había levantado temprano y estaba horneando algo en las cocinas. Había conseguido dormir algunas horas sin pesadillas; en lugar de eso, había soñado con Hayden y con sus besos. A pesar de que era un respiro, le había hecho darse cuenta de todo lo que había perdido mientras estaba en Cairn Toul.

Estaba dolorida, y cada movimiento que hacía le recordaba la noche que nunca olvidaría. Incluso ahora, trabajando la masa del pan, no podía evitar pensar en Hayden.

Aunque nada había cambiado, veía el mundo con otros ojos. Sabía lo que ocurría entre un hombre y una mujer. Sin embargo, experimentarlo ella misma, y con alguien como Hayden, le ofrecía una nueva perspectiva.

Ahora entendía las miradas que se intercambiaban amantes como Cara y Lucan, Marcail y Quinn y Larena y Fallon. Reconocía las sonrisas secretas que compartían y los pequeños roces.

Debería haber sido suficiente. Meses atrás, habría sido suficiente. Sin embargo, ahora que había sabido lo que podría haber sido su vida, lo que podría ser, quería más. Quería lo que tenían Cara, Marcail y Larena.

Sus probabilidades de encontrar alguna vez ese tipo de felicidad eran escasas, aunque se permitiera sentirse cerca de alguien. Pero el deseo estaba allí y temía que siempre existiría.

—Otra vez te has levantado temprano, por lo que veo —dijo Cara mientras entraba en las cocinas y empezaba a preparar el desayuno.

Isla se encogió de hombros.

—Solía pasar casi todos los días en las cocinas, horneando. Aún me parece lo más normal.

—Pues sé que los hombres lo disfrutarán. —Cara sonrió y metió las manos en la masa—. Ya que Galen se ha ido durante un tiempo, tal vez algunos de los otros puedan aprovechar.

Isla sonrió.

—Le horneaste a Galen un trozo de pan solo para él, ¿verdad?

—Así es —contestó, riéndose entre dientes—. Es como un muchacho, pidiendo siempre comida. Incluso viene a la cocina e intenta robar algo. Sentirá haberse perdido tus tortas.

—Hornearé de más cuando vuelva. —Isla pronunció esas palabras sin darse cuenta de que a lo mejor no seguiría allí cuando Galen regresara.

Cara dejó de amasar y la miró.

—Entonces, ¿vas a quedarte? Me preocupaba que siguieras queriendo marcharte.

—No estás pensando en irte, ¿verdad, Isla? —preguntó Marcail mientras entraba en la cocina—. Pensé que habías decidido quedarte.

Isla intercambió una mirada con Cara.

—No me voy a ir. Todavía.

—Bien —dijo Marcail, y avivó los fuegos de los hornos—. Nos gusta tener a otra mujer por aquí.

Cara se giró hacia Marcail.

—¿Cómo te sientes esta mañana?

Al escucharlas hablar del embarazo de Marcail y los mareos que sentía cada mañana, Isla echó de menos compartir los problemas con su hermana, como solía hacer. Había pensado que no necesitaba a nadie, pero al estar con las otras mujeres había cambiado de opinión.

Larena se puso a su lado. En su mirada se reflejaba la preocupación.

—¿Va todo bien?

Isla forzó una sonrisa y asintió.

—Solo estaba pensando en mi hermana.

—Entonces, ¿estabais muy unidas? —preguntó Marcail.

Isla recordó las noches que pasaban despiertas hablando, soñando con cuando conocieran a sus maridos y formaran sus propias familias. Incluso después de que Lavena se casara, habían estado muy unidas.

—Sí.

—Ojalá hubiera tenido una hermana —dijo Cara con melancolía.

Larena rodeó la mesa de trabajo y la abrazó.

—La tienes. Nos tienes a todas nosotras.

Marcail fue hacia ellas y se abrazaron. Fue un momento conmovedor e Isla se sintió como una intrusa.

—Sí —afirmó Cara—. Sois mis hermanas, como Sonya e Isla.

Isla sabía que no debían incluirla y que Cara solo estaba siendo amable. Aun así, era agradable. Sonrió y continuó amasando. Ese momento le había tocado una parte del corazón que había creído muerta para siempre.

Cuando dejó la masa para que subiera, ya había conseguido controlar de nuevo sus emociones. Y era algo bueno, ya que estaban a punto de desayunar y todos se encontraban en el gran salón.

Malcolm entró al castillo y se sentó en el extremo más alejado de la mesa. Solo habló con Larena cuando pasó a su lado, y muy brevemente. En los ojos de la guerrera, Isla vio el sufrimiento que sentía por su primo.

Había visto ese derrotismo en otros hombres. Aunque Malcolm estaba vivo, no vivía. Solo existía hasta que le llegara la hora de morir. Hasta entonces, vagaría como una mera sombra de lo que había sido.

En cuanto vio a Hayden, se olvidó de Malcolm. Con solo mirarlo se le aceleraba el corazón. Aunque intentó no mirar en su dirección, no pudo evitarlo. Era magnífico.

Frunció el ceño al darse cuenta de que él ni siquiera le dedicaba una mirada. No había esperado que hincara una rodilla en el suelo y declamara poesía, pero habían compartido algo especial.

¿O no? Aunque para ella había sido extraordinario, tal vez para Hayden ella solo había sido alguien con quien aliviar la necesidad. Si ese era el caso, la trataría como hacía normalmente.

Sin embargo, según avanzaba el desayuno, Isla no sintió su mirada ni una sola vez. Se esforzó por mantenerse alejada de él, por muy duro que fuera. Hayden nunca la había buscado ni había hablado con ella a menos que tuviera algo que decirle, aunque la había mirado. Siempre había sentido su mirada.

Levantó la vista y se dio cuenta de que Ramsey la estaba observando. Sus ojos grises parecían verlo todo. Si no hubiera sabido que no tenía magia, habría pensado que era un druida. Era por la forma en que la miraba, como si le pudiera ver el alma. Su padre solía mirarla así.

—Estás preocupada —le dijo.

Isla miró a su alrededor y confirmó que todo el mundo estaba inmerso en sus conversaciones y no lo habían oído.

—Por supuesto que sí. Deirdre no está muerta.

—Es más que eso. Llevar esas cargas sola no es bueno. Deberías compartir lo que te preocupa.

A Isla le costaba respirar. Esas habían sido las palabras exactas de su padre en muchas ocasiones. Solía recitar esas palabras de los antiguos druidas cada vez que algo le preocupaba, a ella o a su hermana.

Ramsey enarcó una ceja.

—¿No estás de acuerdo?

—Mi padre solía decirme eso.

—Pues era un hombre sabio. ¿Lo escuchabas?

Isla asintió lentamente.

Ramsey se encogió de hombros y mordió una torta de avena.

—Entonces, tal vez tengas en cuenta mi consejo.

Ella se inclinó hacia delante para que solo él la oyera.

—¿Había un druida en tu familia?

Él se quedó quieto y volvió a mirarla con sus duros ojos grises.

—Desde el principio de los tiempos ha habido druidas en estas tierras. Todos tenemos druidas entre nuestros ancestros.

—Cierto.

Isla se enderezó. Lo que Ramsey había dicho era verdad, pero sabía que había más cosas en su pasado de las que decía.

Incapaz de evitarlo, miró a Hayden. Él le daba la espalda y estaba hablando con Camdyn. Se arrepintió de haberlo mirado en cuanto lo hubo hecho.

Cuando acabó el desayuno, se apresuró a salir del castillo. Necesitaba alejarse de Hayden todo lo que pudiera para evitar hacer alguna tontería.

—Isla, espera —dijo Larena desde detrás.

Se detuvo hasta que Larena la alcanzó.

Larena sonrió. Tenía los ojos brillantes.

—¿Adónde vas?

—Se me ha ocurrido que a lo mejor puedo ser de ayuda en la aldea. Oí a Quinn comentar que la mayoría de los hombres ha ido a buscar más madera.

—Sí. Ya hemos reconstruido la aldea una vez. Aunque espero que esta sea la última, de alguna manera sé que no será así. No hasta que Deirdre muera.

Isla se detuvo junto a la primera cabaña.

—Estuve aquí no hace mucho. Deirdre me había enviado a los MacClure después de mandar a los wyrran a la aldea para buscar a Cara.

—¿Por qué estabas con los MacClure?

—Cuando el clan de los MacLeod fue destruido, los MacClure fueron los primeros en apoderarse de sus tierras. Deirdre los veía como un medio para conseguir el control. Les ofreció poder y les prometió que, si alguna vez la necesitaban, los ayudaría.

Larena cruzó los brazos sobre el pecho mientras escuchaba.

—¿Cumplió esa promesa?

—Por supuesto que no. Como tampoco cumplió la promesa de que nadie atacaría nunca a los MacClure.

—Entonces, te envió con ellos… ¿por qué?

Isla paseó la mirada por la aldea destruida. Había sido un lugar agradable, no tan rico como algunos ni tan pobre como otros.

—Para ver de lo que podía enterarme y para hacerles creer que ella los ayudaría a descubrir quién se había atrevido a masacrar a su pueblo.

—Entiendo.

Isla pasó la mano por la fachada de la cabaña.

—Entonces pude sentir la magia de Cara. La odié por haberme traído de vuelta a la tierra de los MacLeod.

—¿De vuelta? —Larena abrió mucho sus ojos de color azul grisáceo—. ¿Estabas aquí cuando asesinaron al clan?

Para su vergüenza eterna.

—Deirdre también estaba. Me hizo mirar. No mientras lo destruía, sino después. Vimos a los hermanos llegar a caballo y descubrir lo que había ocurrido. Yo despreciaba todo lo que tenía que ver con los guerreros y a cualquiera que llamara la atención de Deirdre. Estaba siendo injusta, lo sé. Los guerreros no tenéis elección. Vuestro dios os escogió.

—Tú tampoco tuviste elección. Ningún druida la tiene —contestó Larena en voz baja—. ¿Por qué me has contado todo esto?

—No estoy segura —dijo Isla—. Sé que Cara me miró aquel día y que vio la mirada de odio que le lancé. Y aun así, me sonríe y me llama hermana.

Larena tomó aire profundamente y dejó caer los brazos a los costados.

—Cara tiene un corazón sorprendente. Se preocupa por todos y por todo. Además, si queremos sobrevivir a esta guerra, debemos permanecer unidos.

—Divididos caeremos —murmuró Isla.

—¿Cómo dices?

Sacudió la cabeza.

—Solo es algo que solía decir mi padre.

Larena pasó junto a ella y abrió la puerta de la cabaña.

—Aquí fue donde trajimos a Malcolm después de que lo atacaran. Pensé que moriría aquella noche, pero sobrevivió. Como tú. Ahora tienes un nuevo futuro por delante, Isla. Olvida el pasado.

Era más fácil decirlo que hacerlo. Isla se giró al escuchar unos pasos y se quedó helada al ver a Hayden y a Duncan. Los dos hablaron con Larena, aunque solo Duncan la miró a ella.

Cuando Duncan se paró a su lado, Isla no sabía qué esperar. Pensaba que Hayden también se detendría; sin embargo, continuó caminando y desapareció en el interior de una cabaña, Isla suponía que para empezar a trabajar.

—Duncan —dijo cuando el guerrero se quedó mirándola.

Sus ojos castaños la observaban con dureza.

—Quiero preguntarte algo.

—Duncan… —le advirtió Larena.

Isla levantó una mano para hacerla callar.

—Pregunta —le dijo a Duncan.

—¿Por qué no nos ayudaste? ¿Por qué no luchaste contra Deirdre? —quiso saber. Hablaba en voz baja, con dureza. Su ira se escuchaba en cada palabra.

Isla se agarró las manos por detrás de la espalda e inspiró profundamente.

—Ojalá pudiera decirte que sí lo hice. Ojalá pudiera decirte que he luchado contra Deirdre desde el momento que nos capturó. Pero sería mentira.

Duncan se inclinó hacia ella y su rostro quedó a solo unos centímetros del suyo.

—Aquel día podríamos haberla derrotado.

—No, no podríais haberlo hecho. No sé si os habría ayudado, Duncan. Y no importa, porque estaba lejos de la montaña, bajo el control de Deirdre. Cuando llegué, la batalla casi había terminado. Liberé a todos los que pude.

—Podrías estar mintiendo.

Isla se encogió de hombros y apartó la mirada.

—Puedes creer lo que quieras.

Contuvo el aliento, esperando que Duncan le hiciera más preguntas. Sin embargo, después de un momento se marchó. Le sorprendía que nadie se hubiera enfrentado a ella como acababa de hacer él, y en cierta manera se alegraba de que lo hubiera hecho. Todos merecían respuestas, aunque estas no les gustaran.

20

Hayden necesitó todo su control para no lanzarse a apartar a Duncan de Isla. Aunque no debería querer defenderla, así era.

Soltó un juramento y puso las manos en la pared que tenía enfrente. Se inclinó hacia delante y dejó caer la cabeza. No tenía que haber visto el enfrentamiento, no cuando su sentido del oído era tan bueno.

Las palabras de Isla seguían resonando en su cabeza mucho tiempo después de que se hiciera el silencio. ¿Qué estaría haciendo? ¿Se habría ido de la aldea? ¿Estaría en los acantilados, como el primer día?

—Fascinante.

Hayden se dio la vuelta y se encontró a Lucan apoyado en la entrada. Tenía los brazos cruzados sobre el pecho y un tobillo descansaba sobre el otro.

—Dime una cosa —dijo Lucan—: ¿la vigilas porque quieres o porque se te pidió?

Hayden casi cedió al impulso de acercarse a él y golpearlo.

—Porque se me pidió.

—Umm. Entonces, ¿por qué esa furia?

Hayden frunció el ceño. Había estado de espaldas a Lucan, no había manera de que supiera que la ira lo consumía.

Lucan enarcó una ceja y señaló hacia delante con la barbilla mientras miraba hacia abajo.

Hayden bajó la vista y vio que las garras rojas habían salido de las dos manos. Ni siquiera las había sentido, no se había dado cuenta de que su dios había intentado liberarse.

—Es propio de un highlander proteger y defender a las mujeres —dijo Lucan. Elevó un hombro con indiferencia, pero su mirada era directa y dura—. Sin embargo, Isla puede cuidarse sola.

—Lo sé.

Lucan se apartó de la pared y apretó los labios con ironía.

—Tal vez lo sepas. Y aun así, es extraño que la necesidad de cuidar y defender no desaparezca aunque así sea.

Hayden lo miró, preguntándose adónde quería llegar. Era imposible que alguien se hubiera enterado de que Isla y él habían pasado la noche juntos. Había tenido cuidado de ni siquiera mirarla y, aun así, siempre sabía que estaba cerca. La olía, la notaba… la sentía. Era inquietante y perturbador.

—Dime lo que tengas que decir, MacLeod —dijo Hayden. No quería seguir hablando. Tenía que saber dónde estaba Isla. Después de todo, los MacLeod le habían pedido que la vigilara.

Lucan sonrió vagamente y giró sobre sus talones.

—No tengo nada que decir. Solo estaba divagando.

Hayden no lo creyó. Lucan nunca buscaba a nadie a menos que quisiera o necesitara algo. Lo que quería de él era un misterio.

No perdió tiempo pensando en ello. En cuanto se hubo marchado, pudo empezar a buscar a Isla. ¿Quería hacerlo realmente? Tenía muchas probabilidades de encontrarla sola, lo que significaba que hablaría con ella.

Después de lo que habían compartido, pensaba que estar cerca de esa mujer no era buena idea. Había sido un infierno estar con ella en el gran salón. Había estado muy cerca y, a la vez, muy lejos.

Lo único que podía hacer era recordar cómo su dulce cuerpo había cobrado vida entre sus brazos, cómo se le había calentado la piel con sus caricias. Solo había escuchado a Camdyn a medias, y muchas veces le había pedido que repitiera algo porque no podía concentrarse.

Si actuaba de esa manera cuando Isla estaba en la misma estancia, ¿qué haría si la tenía al lado?

No quería descubrirlo. Había cedido al deseo de tenerla, pero no lo volvería a hacer. No sucumbiría otra vez.

Aunque había sido la experiencia más gloriosa de su vida, ella era una drough. No era la responsable de la muerte de su familia y, aun así, tenía los mismos orígenes. Todos eran iguales. Y, si creía eso, había corrompido el recuerdo de su familia.

Se frotó los ojos con el pulgar y el índice. ¿Cuándo se habían complicado tanto las cosas? ¿Cómo podía una mujer tan pequeña trastornar tanto su mundo y hacer que dudara de todo?

Suspiró y volvió a desear que Logan estuviera allí. Tal vez las bromas de su amigo pudieran disipar parte de su melancolía.

Se enderezó y paseó la mirada por la cabaña. Había mucho trabajo que hacer. Eso lo mantendría ocupado y lo ayudaría a olvidarse de los ojos azul hielo y del cabello sedoso de color ébano.

Se agachó y levantó una viga que se había caído del techo. Estaba carbonizada y no podía volver a usarse como tal, pero sí para otras cosas.

La sacó de la cabaña y la lanzó a un lado. Después volvió dentro para sumergirse en el trabajo.

Isla apoyó la cabeza en la parte posterior de la bañera de madera. Le dolían los músculos del trabajo de limpieza que había estado haciendo en las cabañas. A pesar de que le había mantenido la mente ocupada, siempre había sabido que Hayden no andaba lejos.

No había hablado con ella desde que se había ido de la torre la noche anterior y, por lo que sabía, tampoco la había mirado.

Había esperado a medias que saliera en su defensa cuando Duncan se había enfrentado a ella, y eso solo demostraba lo poco que lo conocía. Que se hubieran besado y que hubieran compartido sus cuerpos no significaba nada para él.

Y no debería significar nada para ella.

Terminó de lavarse y se incorporó en la bañera. Habría preferido bañarse en la torre; sin embargo, subir la bañera y el agua por las escaleras empinadas habría llevado demasiado tiempo. Por eso había usado el dormitorio vacío de Galen.

Salió del agua vigorizante, se secó y se vistió. Todo el mundo se preparaba para dormir y el castillo estaba en silencio, pero a ella la esperaban varias horas de soledad.

Con el cabello todavía sujeto en lo alto de la cabeza, salió de los aposentos y se dirigió a la torre. Dobló una esquina y se encontró a Broc cortándole el paso.

Desde que se había enterado de lo que había ocurrido con Phelan, estaba enfadado. Y con razón. Lo que había hecho estaba mal, y nada de lo que hiciera podría arreglarlo.

Se detuvo a unos pasos de él y esperó. Al ver que no hablaba, supo que tenía que hacerlo ella.

—Entiendo que estés enfadado.

—No, no lo entiendes —replicó—. Estoy enfadado contigo, sí, y también conmigo mismo. Oí a Phelan días antes del ataque. Sabía que era un grito de guerrero, sabía que Deirdre tenía a alguien encadenado ahí abajo y, aun así, no hice nada.

—De haber ido, no habrías podido liberarlo. Deirdre había anclado las cadenas con magia. La única manera de soltarlas era con un hechizo, y yo lo memoricé.

Broc apoyó la espalda contra la pared, con la barbilla pegada al pecho.

—Hubo muchos a los que pudimos haber ayudado a lo largo de los años.

—Probablemente. Aunque nos habrían matado casi con total seguridad. Deirdre no lleva bien la traición. Ahora estarías muerto y, entonces, ¿quién habría ayudado a los MacLeod?

Él giró la cabeza e hizo una mueca.

—Deirdre siempre sospechó de mí. Caminaba sobre la cuerda floja.

Isla solo podía imaginárselo. A pesar de que en muchas ocasiones había querido enfrentarse a la bruja e intentar salvar a todos los druidas que había visto morir, las vidas de Lavena y de Grania habían estado en juego.

Tal vez debería haber perdido las vidas de su hermana y de su sobrina años atrás. Se preguntó si habría cambiado algo.

—No te resultará fácil encontrar a Phelan —le dijo a Broc—. Tiene un poder especial.

Broc se giró de manera que quedó apoyado en la pared solo sobre un hombro.

—Cuéntamelo.

—Su dios es Zelfor, el dios del tormento. Phelan puede cambiar lo que le rodea a su antojo.

—No lo entiendo.

—Cuando estaba con él, hizo que su prisión oscura y húmeda se desvaneciera y aparecimos en las tierras altas, rodeados de sol y con el brezo floreciendo a nuestro alrededor.

Broc dejó escapar un silbido.

—Es un gran poder. Aunque, ¿para qué querría usarlo Deirdre?

—Deirdre tenía muchos planes, aunque yo no sabía nada de la mayoría. Lo que conozco es su último objetivo.

—Dominar el mundo. —Broc torció los labios en una mueca—. Se encargó bien de que todos se enteraran.

—Encuentra a Phelan. Tengo que saber que está bien, aunque no quiera regresar contigo.

—Te juro que lo encontraré lo antes que pueda.

Era todo lo que Isla podía pedir.

—¿Cuándo te marchas?

—Pronto.

Isla asintió, pasó por su lado y siguió el camino hacia la torre. Cuando llegó, entró en el dormitorio oscuro.

Encendió la vela y paseó la mirada por la habitación. Se mantenía ocupada durante el día para que su mente no vagara, pero por la noche no podía contener los recuerdos y los pensamientos.

Se quitó los zapatos, las medias y el vestido. Se quedó de pie junto a la cama solo con la camisa y empezó a soltarse el cabello. Una pequeña corriente de aire le hizo saber que no estaba sola.

El corazón le dio un vuelco al pensar que podía ser Hayden. ¿Quién más la había visitado en mitad de la noche?

Dejó el último prendedor en la mesa y se dio la vuelta para quedarse frente a su visitante. Sintió mariposas en el estómago al ver al guerrero, impresionante e imponente, que se erguía delante de ella.

Su piel era de un rojo oscuro y profundo. Los ojos de Hayden, que solían ser negros como la noche, eran del mismo color carmesí que la piel y las garras. No intentaba ocultar los colmillos con los labios. En lo alto de la cabeza, entre el cabello rubio, Isla vio unos pequeños cuernos escarlata y el humo que salía de los extremos.

No había deseo en sus ojos rojos ni la amabilidad que había visto la noche anterior. Tampoco vio la repugnancia que Hayden había sentido al enterarse de que era una drough. Lo que vio reflejado en sus ojos de guerrero era... resignación.

No debería sorprenderse. Le había pedido que terminara con su vida.

—¿Has venido a matarme?

Hayden negó con la cabeza y los mechones rubios le rozaron los hombros.

Isla se acercó a él. No llevaba la camisa azafrán, tenía el pecho desnudo. Deseaba acariciarlo, deslizar las manos por sus músculos. Sin embargo, la falta de deseo que veía en Hayden se lo impedía.

—Entonces, ¿por qué estás aquí?

Él apartó la mirada, como si no fuera capaz de responder.

—¿Acaso importa?

—Sí.

Hayden gruñó y dio un paso hacia ella, pero Isla no se amilanó. Había visto y experimentado mucho más de lo que Hayden podía mostrarle.

La cogió fuertemente por los brazos, causándole dolor. Ella no gritó ni le dejó ver que le estaba haciendo daño. Al mirar sus ojos, esos ojos carmesí de guerrero, vio que estaba luchando consigo mismo sobre si empujarla lejos de él o no.

Isla decidió por él. Levantó los brazos y lo empujó por el pecho, usando solo la magia suficiente para que diera unos cuantos pasos hacia atrás.

—No quieres estar aquí, así que vete. Yo no te he obligado a entrar en esta torre —dijo con los dientes apretados. La furia crecía en su interior a cada segundo y no intentó aplacarla.

En lugar de eso, la liberó y dejó que aumentara.

Hayden enseñó los dientes y volvió a gruñir.

—No me mientas, drough. Sé que los druidas cuentan con hechizos para hacer que un hombre desee a una mujer.

Isla echó la cabeza hacia atrás y se rió.

—¿Eso es lo que crees que he hecho? ¿Tienes tan poca experiencia con el deseo que no puedes distinguir tus anhelos del impulso de un hechizo?

—Como si un hombre pudiera notar la diferencia.

—Un hombre, no. ¿Un guerrero? Con certeza.

La miró con los ojos entornados.

—No debería desearte.

—Yo tampoco debería desearte —admitió ella.

Su furia se desvaneció tan rápidamente como había aparecido. No podía negar que su cuerpo respondía a Hayden, y una parte de ella ni siquiera quería intentarlo. Solo quería sus caricias, sus besos y su cuerpo.

—Vete o quédate, Hayden, pero decídete ya.

21

Sabía que debería marcharse. Diablos, nunca debería haber ido a la torre de Isla, aunque no había podido evitarlo. No había encontrado paz a lo largo del día pensando en ella y en la noche que habían pasado juntos.

Había pensado en enseñarle su forma de guerrero para provocar que lo rechazara. Cualquier cosa para romper el dominio que tenía sobre él.

Sin embargo, no se había asustado de él. De hecho, le había mostrado su propia furia y eso le había sorprendido, al igual que la fuerza de su magia cuando lo había apartado.

Estaba ya demasiado involucrado, no había nada que pudiera hacer.

Dio un paso hacia ella. Casi se regocijó cuando los seductores labios de Isla se curvaron en una sonrisa. No sabía cómo algo tan sencillo podía conmoverlo, y no le importaba.

Ella le dio un pequeño empujón y, cuando golpeó con las rodillas el borde de la cama, se sentó, suspirando, impaciente por tocarla.

—Es un color precioso —murmuró ella mientras le acariciaba los brazos, subiendo hasta los hombros—. Carmesí. El tono del deseo.

Hayden solo podía permanecer sentado mientras ella le acariciaba la piel roja. Sus largas uñas le arañaban el cuero cabelludo cuando hundía los dedos en su pelo. Y entonces cerró los dedos alrededor de los cuernos.

Hayden abrió mucho los ojos y el anhelo lo invadió rápidamente. Completamente. Era poderoso y adictivo y, la pasión, vertiginosa y hermosa. Y el deseo… Por todos los santos, el deseo lo atenazó, exigiéndole que tomara a Isla.

Nadie le había acariciado los cuernos antes y no estaba preparado para la potente reacción ni el ansia que lo asaltó, súbita y real.

—Esto te gusta —susurró Isla seductoramente. Se inclinó hacia delante y le lamió el lóbulo de la oreja. Su cálido aliento se le deslizaba sobre la piel.

Hayden intentó tragar saliva, intentó mantener la respiración constante, pero solo podía pensar en que Isla le estaba tocando los cuernos, acariciándolo y provocándolo hasta el punto que casi derramó su semilla en ese momento.

El clímax revoloteaba a su alrededor, dispuesto a arrastrarlo al abismo interminable del placer. Sin embargo, no estaba preparado. Todavía no. Quería que Isla gritara con él, que su cuerpo latiera con su propio orgasmo.

Le agarró las muñecas y le apartó las manos de los cuernos y del placer paralizador que sus caricias le ofrecían. Al mismo tiempo los hizo girar a ambos y tumbó a Isla en la cama, sujetándole firmemente los brazos por encima de la cabeza.

Con cuidado de no cortarla con las garras, se cernió sobre ella.

—¿Cómo sabías que al tocarme los cuernos me harías eso?

—No lo sabía. Nunca había visto unos cuernos como los tuyos y quería sentirlos.

Isla apretó sus caderas contra él. Hayden cerró los ojos y gimió. Se apretó contra ella mientras el deseo, acallado solo un momento antes, emergía a la superficie. La deseaba en ese preciso momento, quería levantarle la camisa y penetrarla de una sola embestida, profundamente y con fuerza.

La necesidad era tan potente que Hayden se estremeció. La última vez le había hecho daño, pero no volvería a hacerlo.

—Debes parar —gruñó Hayden cuando Isla se frotó otra vez contra él—. Te deseo con demasiada desesperación.

Isla levantó la cabeza y posó los labios sobre los suyos. Hayden se apartó bruscamente; no quería herirla con los colmillos.

—Tranquilo, Hayden —murmuró—. No puedes hacerme daño.

Sin embargo, él sabía que sí. Con solo un pensamiento aplacó a su dios y esperó a que el color rojo desapareciera de su piel antes de hablar.

A pesar de que la camisa de Isla era fina y dejaba ver el perfil de sus pezones oscuros, no era suficiente. Hayden agarró el cuello del delicado tejido y lo desgarró por la mitad sin apenas pensar. En cuanto Isla estuvo desnuda para él, se regaló la vista con sus pechos.

Eran pequeños, pero firmes y deliciosos. Los pezones respondieron rápidamente a su boca y a su lengua endureciéndose y haciendo que Isla se estremeciera cada vez que él los lamía y succionaba.

Sus gemidos llenaron la torre e hicieron arder a Hayden de deseo. Anhelaba más. La piel de Isla sabía a nieve, pura y deliciosa. ¿Cómo se le había ocurrido mantenerse alejado de ella, negarse tal festín?

Isla se agarró a sus hombros, hundiéndole las uñas en la piel. Él sabía dónde acariciarla, cómo tocarla para darle placer. Ella deseaba volver a acariciarle los cuernos, ver su nariz llamear y sentirlo estremecer.

La reacción que Hayden tenía ante ella era embriagadora. Isla quería más, más de él.

Ahogó un grito cuando Hayden se deslizó entre sus piernas y le cubrió el sexo con una mano. Podía sentir su propia humedad en los dedos de Hayden mientras él la abría y la atormentaba.

La acariciaba suave e insistentemente, mimándola, avivando todavía más las llamas del deseo.

Isla contuvo el aliento cuando le rozó el clítoris con una suave caricia. Lo hizo dos veces más y la llevó a la cima enfebrecida del anhelo. Y de la necesidad.

Levantó las caderas y gritó cuando Hayden le introdujo un dedo. Todo su cuerpo se regocijó ante el contacto, al sentirlo en su interior.

Hayden la besó y en el beso se reflejó toda su ansia. Empezó a meter y sacar el dedo al mismo tiempo que movía la lengua en su boca, acariciándola hábilmente.

Sus caricias eran suaves y firmes, delicadas y duras a la vez. No dejaba de acariciarla y le exigía que tomara todo lo que le ofrecía y que le diera lo mismo a cambio.

Isla era incapaz de hacer nada más. El placer era demasiado intenso y, sus caricias, demasiado tiernas, pero su cuerpo deseaba más, buscaba más cuanto más grande era su anhelo.

Se enroscaba en su interior sin parar de crecer, llevándola cada vez más cerca del clímax.

Cuando ya pensaba que no podría soportarlo más, Hayden introdujo otro dedo en su interior.

—Hayden —murmuró ella. Su cuerpo se movía con voluntad propia contra la mano de Hayden y buscaba la satisfacción que aún parecía estar fuera de su alcance.

Al ver que él no cesaba esa exquisita tortura, alargó una mano entre ellos por debajo del tartán para agarrarle el rígido pene. Era más grande de lo que había pensado, grueso y duro como el acero. Sin embargo, la punta era suave como la nata.

Isla movió la mano hacia arriba y hacia abajo, oyó que él siseaba y notó que se le tensaban los músculos.

Su deseo estaba subiendo tan rápido como la marea. Intentó contener el clímax que quería estallar dentro de ella.

Pero Hayden tenía otros planes.

Se apartó lo suficiente para quitarse el tartán con un movimiento brusco y se volvió a inclinar sobre ella.

—Siento tu magia cada vez que me tocas. Me hace arder.

Isla nunca había oído que la magia de un druida penetrara en otra persona, como Hayden afirmaba. ¿Era eso lo que parecía conectarlos, lo que los unía a pesar de todo?

Pronto se olvidó de su magia y de lo que le provocaba a Hayden, cuando él le separó las piernas con una rodilla y sintió la erección sobre su sexo.

Se miraron a los ojos. Él se deslizó en su interior despacio y con firmeza hasta que estuvo completamente hundido en ella, llenándola perfectamente. Hayden suspiró levemente, un sonido que apenas se oyó.

Isla se perdió en las profundidades oscuras de sus ojos. Durante un momento, medio segundo tal vez, había visto en su interior. Y la había dejado ansiosa, queriendo ver más.

Hayden movió las caderas y la fricción volvió loca a Isla. Su cuerpo le recordó el placer que la esperaba. Levantó las piernas y le rodeó con ellas la cintura, haciendo que Hayden se hundiera más profundamente en su interior.

Él empezó a moverse con embestidas largas y lentas. Cada vez que la verga se deslizaba en su interior, Isla se sentía más cerca del orgasmo.

Hayden aceleró el ritmo hasta hundirse en ella con fuerza, rápida y profundamente. No dejaba de mirarla a los ojos y los suyos llameaban de pasión mientras la llenaba una y otra vez con su cuerpo.

—Ven conmigo —le pidió.

Isla estaba muy cerca. Podía sentir crecer el clímax, llevándola cada vez más alto. Y entonces se encontró volando. Gritó su nombre mientras se sacudía con la fuerza del orgasmo.

Hayden continuó embistiéndola. Sus caderas chocaban contra las de Isla hasta que dejó escapar un grito y enterró la cabeza en su cuello, mientras su propio orgasmo lo reclamaba.

Durante unos momentos ninguno se movió. Lo único que se oía en la torre eran sus respiraciones, aceleradas y entrecortadas. El corazón de Isla tardó bastante tiempo en calmarse. Incluso entonces, tener a Hayden encima era maravilloso, increíble. Le encantaba sentirlo, sus duros músculos y el fabuloso calor que irradiaba.

Él se sostenía en los antebrazos, cada uno a un lado de la cabeza de Isla. Ella dejó caer las piernas y el guerrero levantó la cabeza.

En lugar de marcharse, como ella había asumido que haría, Hayden salió de ella y los movió a ambos hasta que sus cabezas descansaron en la almohada.

Isla se giró hacia él para absorber su calor y se sorprendió cuando Hayden la rodeó con un brazo.

Los ojos se le llenaron de lágrimas. Ningún hombre la había abrazado nunca con tanta ternura. Durante el resto de su vida, durara lo que durara, no volvería a meterse en la cama sin pensar en los abrazos de Hayden.

Le dibujó círculos en el pecho con una uña y debió de encontrar un punto sensible, porque Hayden tomó aire bruscamente.

Cerró una mano sobre la suya y la miró sonriendo.

—Nada de cosquillas.

Isla sonrió.

—Me encanta tocarte. Eres todo duro músculo y piel suave.

Él resopló como respuesta y le soltó la mano.

—Y tú eres todo curvas femeninas y tersura sedosa.

Isla podía sentir los latidos de Hayden debajo de ella y cómo su pecho subía y bajaba con cada respiración. La arrullaba y le daba una sensación de calma que no había tenido desde antes de que Deirdre la raptara. Ni siquiera le molestaba que Hayden le pasara las manos por la espalda, marcada por las cicatrices.

—¿Te gusta estar aquí?

Le sorprendió la pregunta.

—Tengo miedo de que todo sea un sueño, de volver a despertarme en Cairn Toul. A veces me resulta difícil aceptar la franqueza de la gente, su sinceridad.

—Pero lo has hecho.

Asintió contra su pecho.

—Lo estoy intentando. Había abandonado toda esperanza. En los druidas, en los guerreros, en la vida en general.

—Es muy fácil hacerlo. Creo que todos lo hemos hecho en algún momento.

—¿Qué te cambió a ti? —le preguntó Isla.

Hayden se quedó en silencio un momento.

—Tras escapar de Cairn Toul estuve vagando continuamente.

—¿Estabas buscando algo?

—Supongo —respondió mientras elevaba el hombro sobre el que no se estaba apoyando—. Una noche, sentado frente a una hoguera, oí a alguien. Como era muy cauteloso, me escondí. Él se acercó al fuego y miró al lugar exacto del árbol en el que me escondía.

Isla sonrió.

—¿Quién era?

—Galen. Supe enseguida que era un guerrero.

—¿Y aun así confiaste en él?

Hayden resopló.

—Hay algo en Galen que hace que confíe en él. Aunque sabía que lucharía con él si tenía que hacerlo, enseguida estuvo claro que era un amigo. Un día después Ramsey se unió a nosotros.

—Entonces, ¿los tres permanecisteis juntos? —A Isla le sorprendía que Hayden se estuviera abriendo a ella, y estaba deseosa por saber más cosas de él.

—De vez en cuando. A pesar de que nos separábamos, siempre nos volvíamos a encontrar años después. Un día, de camino a verlos de nuevo, me encontré con Logan.

Se calló e Isla levantó la cabeza para mirarlo a la cara.

—¿Qué ocurrió?

Hayden la miró.

—Parecía perdido, como si no supiera qué hacer con su vida. Lo llevé conmigo a ver a Galen y a Ramsey. El desamparo que había en él terminó desapareciendo. Siempre nos hacía reír con sus bromas y sus burlas.

—Vosotros dos estáis muy unidos.

—Me recuerda a mi hermano.

Isla volvió a apoyar la cabeza en el hombro de Hayden.

—Me alegro de que conocieras a Logan. Todo el mundo necesita a alguien con quien poder contar.

—Sí. —Enredó los dedos en su cabello y la atrajo aún más hacia él.

Isla sintió que se le cerraban los ojos y no intentó impedirlo. Descansaría solo unas horas en brazos de Hayden. Unas horas en el paraíso.

Fue lo último que pensó antes de quedarse dormida.

Hayden supo el momento exacto en el que Isla se quedó dormida. Aún estaba atónito por haberle contado tantas cosas. No había sido su intención. Había querido descubrir más cosas de ella.

Se había dicho a sí mismo que la dejaría cuando se quedara dormida, pero ahora que había llegado la hora, se sentía muy bien tal como estaba. Eso, sin embargo, solo le traería problemas al día siguiente.

Cuanto más tiempo pasaba cerca de ella, más sucumbía al deseo de poseerla y le resultaba cada vez más difícil alejarse. Había intentado convencerse de que no había hablado con ella en todo el día porque no quería que los demás sacaran conjeturas, aunque en realidad sabía que, si estaba con ella, caería en la tentación y la tomaría.

Sin importar quién anduviera cerca.

Todo el mundo sabía que odiaba a los drough. Sin embargo, cuando había tomado en brazos a Isla en Cairn Toul, la había deseado. Solo a ella. Su pasión había disminuido un poco al enterarse de que era una drough, y aun así no había sido suficiente para mantener las distancias.

Había aliviado a su cuerpo de la necesidad que sentía, pero le dolía el alma por lo que le estaba haciendo al recuerdo de su familia. ¿Qué pensarían de él si pudieran verlo?

Dejó de pensar en ello. La satisfacción que lo había invadido felizmente se estaba evaporando con rapidez, y no estaba preparado para eso.

Dejó la mente en blanco y no tardó en ponerse a pensar en la mujer que tenía entre los brazos. Cerró los ojos y sonrió al recordar que ella había vuelto a gritar su nombre.

Revivió cada detalle de su pasión. A pesar de que había disfrutado mucho con ella, tenía que decirle que no podían continuar así.

Debió de haberse quedado dormido, porque cuando despertó Isla tenía una mano en su pene y lo acariciaba con seguridad y confianza. Gimió y se echó hacia delante para que la mano de Isla se deslizara por todo su miembro.

—Ah, por fin te has despertado —susurró ella.

Hayden no pudo pensar en ninguna respuesta. Isla le acarició la erección con el pulgar y enjugó una gota de semen de la punta de su verga. Con la otra mano le agarró los testículos y los hizo rodar suavemente en la palma.

Hayden nunca había sentido tanto placer, un tormento tan maravilloso. Las mujeres lo habían tocado antes, aunque ninguna como Isla. Ninguna de esa manera. Isla tenía un toque especial. Era como su magia, extraordinaria y vibrante.

Hacía que la piel le hormigueara y que la sangre le ardiera.

Cuando ella bajó la cabeza, se le olvidó respirar. Se quedó helado, inmóvil, con los músculos en tensión. Observó, embelesado, cómo sus labios se cernían sobre su verga.

Ella lo miró y sus ojos azul hielo brillaron con excitación y pasión. A Hayden se le aceleró el corazón y la erección se le hinchó aún más.

Isla sonrió seductora y sensualmente. Cerró los labios sobre la verga de Hayden y lo tomó por completo en la boca.

Hayden abrió los labios e inspiró bruscamente al sentir el calor y la humedad de los labios de Isla rodeándolo. Se estaba hundiendo y girando fuera de control con cada caricia de su lengua.

Y disfrutaba cada momento.

—Isla —susurró, y puso los ojos en blanco.

Enterró las manos en su cabello y le agarró la cabeza mientras se hundía en su boca caliente. Ella lo lamía y lo succionaba y lo único que él podía hacer era disfrutar del placer maravilloso que era una tortura.

Isla no dejaba de mover la boca hacia arriba y hacia abajo por toda su erección. Hayden se sentía perdido en el placer, con la dicha de aquellos labios sobre su pene.

Ninguna mujer lo había tomado así nunca por propia voluntad y el que Isla lo hubiera hecho no le pasaba desapercibido. En realidad, hacía que la deseara todavía más. Si eso era posible.

Llegó a un punto, mucho más rápido de lo que le habría gustado, en el que supo que, si no la detenía, se derramaría en su boca. Por mucho que aquello lo tentara, quería estar en su interior una vez más.

Agarró los esbeltos hombros de Isla y la tumbó de espaldas. Ella intentó alcanzarlo de nuevo, pero él la puso boca abajo y le elevó las caderas. Le pasó los dedos por el sexo y notó que estaba empapada y muy excitada.

Justo como la quería.

Justo como la necesitaba.

Se situó en su entrada y la embistió por detrás con fuerza y rapidez. Isla gimió y echó hacia atrás la cabeza, entregándose al placer.

Isla estaba caliente y lo envolvía estrechamente. Hayden estaba tan excitado que temió no poder esperarla.

Ella jadeó. Dejaba escapar suaves gritos cada vez que él movía las caderas. Hayden alargó una mano, llevó el pulgar a su clítoris y empezó a acariciarla con círculos lentos y firmes.

Giró las caderas sin atreverse a hacer nada más para no terminar demasiado pronto. La sensación de su cuerpo moviéndose contra la suavidad de Isla aumentaba su deseo de llegar a la cima.

Isla comenzó a echarse hacia atrás para moverse contra él, correspondiendo a sus embestidas. No se guardaba nada, le daba todo lo que tenía y más.

Hayden entraba y salía de ella y deseaba tocarle el alma con cada movimiento, marcarla para que no pudiera pensar en nadie más que no fuera él. Para que solo lo deseara a él.

Quería que temblara cuando la tocara, que soñara con él. Igual que él hacía con ella. A pesar de que no deseaba estar tan ansioso por Isla, así era.

Y quería asegurarse de que ella sintiera lo mismo.

Isla era apasionada y enseguida empezó a echar las caderas hacia atrás buscando más. Gritó más fuerte y comenzó a respirar entrecortadamente.

—Hayden, por favor —le rogó.

Siguió acariciándola con el pulgar y entró y salió de ella con movimientos largos y fuertes. Cerró los ojos y apretó la mandíbula al sentir el calor de Isla, su humedad resbaladiza que lo arrastraba y lo acogía en su interior.

Vagamente, la oyó gritar, exclamó su nombre. Él estaba demasiado perdido en la pasión, demasiado perdido en ella.

Cuando sintió las paredes de su sexo contraerse a su alrededor al alcanzar el clímax, Hayden echó hacia atrás la cabeza y gritó su nombre, abandonándose finalmente al orgasmo, a ella.

La oleada de placer lo invadió durante lo que le pareció una eternidad. Cada estremecimiento de su cuerpo lo hacía hundirse aún más en Isla, acercarse a ella más de lo que había estado nunca de una mujer.

Cuando por fin abrió los ojos, se sentía más tranquilo y feliz que nunca. En calma.

Le dio un beso en el hombro e hizo rodar ambos cuerpos hasta que quedaron tumbados de lado. Ella le dedicó una sonrisa somnolienta por encima del hombro y se quedó dormida. Hayden no podía correr el riesgo de quedarse y enfrentarse a lo que encontraría por la mañana si se despertaba a su lado.

No podía arriesgarse a encontrarla arraigada en él aún más profundamente de lo que ya estaba.

Se levantó, se vistió y esperó hasta que estuvo seguro de que Isla no se iba a despertar. Debería hablar con ella en ese mismo momento, decirle que se había acabado, pero lo que habían compartido había sido demasiado especial como para arruinarlo con palabras crueles y duras.

Al día siguiente podría aplastar lo que estuviera surgiendo entre ellos.

Saltó a la ventana y se dio la vuelta para mirar hacia la cama una vez más. Isla aún estaba de lado, con el cabello largo y espeso esparcido a su alrededor como seda negra. Tenía la piel rosada y la luz de la luna iluminaba todas las horribles cicatrices que tenía en la espalda y que él no había notado al abrazarla.

Era hermosa y tentadora. Demasiado tentadora como para arriesgarse a probarla de nuevo.

22

Isla rodó sobre su espalda y se estiró, sonriendo. Le sorprendió ver que la luz del sol se colaba por la ventana. ¿Había dormido tranquila esas pocas horas antes de que amaneciera?

Giró la cabeza y vio que Hayden se había ido. Intentó tragarse la decepción y suspiró. Aunque él ya no estaba en la torre, las sábanas todavía conservaban su aroma a madera y especias.

Incapaz de evitarlo, rodó sobre la almohada de Hayden, la apretó contra ella e inhaló profundamente. Deseó haberlo encontrado a su lado al despertar. Acariciarlo mientras dormía había sido una experiencia sorprendente.

Lo había observado a placer. Aun dormido era magnífico y, aunque sus músculos estaban relajados, su poder y su fuerza eran evidentes. Lo había acariciado de la cabeza a los pies, se había aprendido el tacto de su cuerpo esbelto y firme.

Sonrió al recordar cómo lo había tomado en la boca. Hayden se había sorprendido, de eso estaba segura, y pronto se había abandonado al placer. Ella nunca habría pensado que disfrutaría tanto dándole placer a un hombre. Y entonces había conocido a Hayden.

Ella mejor que nadie debería saber lo rápido que podía cambiar la vida. Y aun así, no había estado preparada para la pasión que Hayden había despertado en ella.

Le resultaría muy fácil soñar con un futuro con él, pero no había vivido quinientos años sin adquirir algo de sabiduría.

Le rugió el estómago cuando el aroma a pan recién hecho llenó la torre. Aunque podría quedarse en la cama todo el día y pensar en Hayden, había cosas que hacer.

Se levantó y miró la camisa desgarrada. Afortunadamente, tenía otra. Una vez vestida, cogió el peine. En vez de dejarse el pelo suelto, decidió trenzárselo para que no le estorbara al trabajar.

Se sujetó la trenza con la fina tira de cuero y salió de la torre. Se sentía extraña sin tener el cabello alrededor, aunque así era más cómodo.

Cuando llegó al gran salón, ya había allí varios guerreros. De una sola mirada vio que Hayden no se encontraba entre ellos. Sin embargo, sí estaban los hermanos MacLeod.

La saludaron con un gesto cuando pasó por su lado, camino de la cocina. Sintió un cosquilleo en la mente, algo extraño y nuevo. Y no le gustó. Le recordó demasiado a cuando Deirdre se metía en su cabeza.

Se detuvo y se llevó una mano a la sien. Cerró los ojos y sintió que el dolor aumentaba. Usó la magia para apartar a quien fuera, o lo que fuera, que estuviera intentando entrar en su cabeza.

—¿Estás bien? —le preguntó Broc.

Abrió los ojos y vio que el salón daba vueltas. Alargó una mano para recuperar el equilibrio y la cerró sobre un fuerte brazo.

—Vaya —dijo Broc—. Tienes que sentarte.

—No. —El pinchazo se había ido igual de rápido que había aparecido—. Estoy bien, solo un poco mareada.

Fallon se levantó y fue hacia ella.

—¿Estás segura de que solo es eso? A lo mejor Sonya puede ayudarte.

Isla vio que Broc se ponía tenso al escuchar el nombre de la druida pelirroja.

—No necesito ver a Sonya. Ya me ha ocurrido otras veces —mintió—. No es nada.

No quería que ninguno supiera que se sentí inquieta y preocupada por lo que acababa de pasar. Cuanto menos supieran, mejor. Por lo menos, hasta que tuviera algunas respuestas.

Broc miró por detrás de ella y frunció el ceño. Le clavó los dedos en el brazo. Isla no se había dado cuenta de que él la tenía agarrada.

Ella le puso una mano en el pecho y le sonrió.

—Gracias. Tengo que ayudar a los demás.

Miró detrás de ella y vio a Hayden a la entrada del castillo. Estaba mirando a Broc con ojos asesinos. A su lado, Arran parecía sorprendido y bastante curioso.

Ella los ignoró a todos y entró en la cocina, donde las cuatro mujeres estaban preparando el desayuno. Sonya fue la primera en levantar la mirada. Le sonrió a modo de saludo y se giró hacia los hornos.

—Aquí estás —dijo Larena—. Nos preocupaba que tal vez no te sintieras bien.

Isla cogió la jarra de manos de Marcail.

—Me he quedado dormida.

—Me alegro de que descansaras —dijo Cara mientras cortaba el pan.

Marcail ladeó la cabeza y las trenzas le cayeron en la cara.

—Tienes el aspecto de una mujer satisfecha.

Entonces todas se volvieron a mirarla. Isla se obligó a permanecer tranquila, se encogió de hombros y dijo:

—Dormir bien puede hacer eso.

Se dio la vuelta y entró en el gran salón. Por lo menos allí nadie la miraba como si supieran que la noche anterior había quedado más que satisfecha.

Las demás la siguieron con las manos llenas de fuentes rebosantes de comida. Isla vio que faltaban Fallon, Camdyn y Hayden, pero no le dio mucha importancia. La forma en que las mujeres seguían mirándola la hacía sentirse muy incómoda.

Cogió algo de pan y queso con la intención de irse a la playa. Estaba a punto de excusarse cuando oyó gritar a alguien en la parte de arriba y levantó la vista.

La voz de Hayden se elevaba por encima de la de Fallon y Camdyn mientras discutían.

Aunque no estaba segura de lo que ocurría, supo por cómo la piel de Hayden se estaba volviendo roja que su ira aumentaba.

—Si quieres que alguien la vigile, hazlo tú —gritó Hayden—. Tengo cosas mejores que hacer que espiarla.

Fallon miró por encima de la barandilla hacia abajo, al salón, y la vio.

—Hayden… —le advirtió.

Isla supo al instante que estaban hablando de ella. Empezó a sudar de la furia y la vergüenza. No podía dejar de mirar la espalda de Hayden y deseaba que se girase para mirarla.

—No es lo que crees —oyó que decía Lucan.

Sin embargo, sabía que lo era. No confiaban en ella y lo entendía. La habían estado siguiendo para vigilarla.

Se enderezó y se giró hacia la puerta del castillo.

—Voy a dar un paseo.

—Iré contigo —se ofreció Marcail.

Isla la detuvo con una mirada.

—Preferiría estar sola.

Marcail volvió a sentarse despacio en el banco. El dolor se reflejaba en sus ojos de color turquesa, pero a Isla no le importó. No había sentido tanta humillación en toda su vida. Aunque Deirdre había hecho muchas cosas, nunca la había hecho sentirse como si estuviera de más.

Salió al patio interior y atravesó la puerta. Quería seguir caminando y no volver a mirar el castillo MacLeod. Sin embargo, había dado su palabra de que mantendría el escudo y no iba a romper esa promesa.

Se dirigió hacia la aldea. Allí encontraría soledad y algo en lo que ocuparse para no pensar en lo que Hayden había dicho y hecho.

Sabía que Isla estaba en el salón incluso antes de que Fallon mirara hacia abajo. No había querido que las cosas se le escaparan de las manos. Pensó que hablar con Fallon lo resolvería todo. Sin embargo, él había querido que continuara vigilando a la drough.

Lo que Fallon no sabía era que él no podía arriesgarse a ello y nada de lo que le dijo le hizo cambiar de opinión. Por fin, Hayden había perdido el control y había permitido que la ira lo invadiera.

No había querido que Isla lo supiera y, por supuesto, no había querido que lo oyera. A pesar de sus buenas intenciones, ella lo había visto y escuchado todo.

La vio salir del salón, con la furia reflejándose en cada paso que daba. Tenía la espalda rígida y las manos apretadas, agarrando con fuerza el pan y el queso.

Estuvo a punto de ir hacia ella, de cogerla en sus brazos y de disculparse.

—Eso no ha estado bien, Hayden —le dijo Broc desde abajo.

Hayden suspiró y apoyó las manos en la barandilla. Camdyn se marchó, pero Fallon se quedó.

—¿Qué está ocurriendo? —preguntó Fallon—. ¿Ha pasado algo entre Isla y tú?

Sí.

—No. Simplemente, no quiero estar cerca de ella. No puedo.

Fallon dejó escapar el aire con brusquedad y lo agarró del hombro.

—Entonces, haré que otro la vigile.

Hayden debería haberse sentido aliviado. Y contento. Sin embargo, se sentía peor que una babosa. ¿Cómo era posible que su vida se hubiera alterado tanto? ¿Cuándo se habían complicado así las cosas?

Solía mantener el control, tomar decisiones con facilidad y no cambiar de opinión ni preguntarse si estaba haciendo lo correcto. Ahora, lo único que hacía era darle vueltas a lo que había hecho. Desde el primer momento que había visto a Isla muriéndose en aquella fría montaña, su vida había cambiado irrevocablemente.

Y no para mejor.

Había perdido el apetito y se sentía mal al pensar en quedarse sentado en el salón, con algunos mirándolo como si estuviera podrido y otros como si fuera el portador de la muerte. Giró sobre sus talones y buscó una ventana por la que salir.

Solo había un lugar al que podía ir, donde sabía que no lo molestarían: una de las cuevas.

Gracias a su dios llegó con facilidad a los huecos inaccesibles de los acantilados. Entró en una cueva poco profunda y se pasó una mano por la cara. Estaba oscura y fría, justo como él se sentía.

No había descansado tras abandonar la cama de Isla. No había hecho más que caminar por sus aposentos intentando encontrar la manera de salir de la situación en la que se encontraba. El primer paso era distanciarse de Isla todo lo que pudiera, lo que significaba dejar de vigilarla.

A pesar de haberlo conseguido, no le gustaba el vacío que sentía. Debería sentirse aliviado, feliz de no ser ya responsable de esa mujer.

Entonces, ¿por qué sentía la loca necesidad de ir a buscarla y de explicarle por qué había dicho todo aquello?

Se sentó en el suelo de la cueva y observó el mar. Las olas se estrellaban contra las rocas creando espuma que subía hacia el cielo. El mar y la tierra estaban en constante batalla y, por mucho que aguantara la tierra, el agua siempre ganaba.

Si Isla hubiera sido cualquier otra persona él podría haber disfrutado de la pasión que habían compartido sin sentir que estaba traicionando a su familia. No tendría el impulso de apartarla cuando lo único que quería era atraerla contra él y volver a besarla.

¿Por qué todo tenía que ser tan difícil? Habían pasado décadas desde la última vez que había conocido a una mujer que lo intrigara como Isla. ¿Por qué no podía ser una mujer normal?

Sabía que parte del atractivo de ella era su magia y cómo lo afectaba. Quería ignorarlas a ambas, pero temía no ser lo suficientemente fuerte.

Abrazar a Isla, besarla, acariciarla… Amarla había sido tan bueno… Como si toda su vida se hubiera creado para dirigirse a ella, para encontrarla y disfrutar del momento en el que la había besado por primera vez.

Odiaba que algo tan bueno pudiera estar tan mal.

23

Deirdre sintió que su magia disminuía. Alzó un puño con rabia, pero atravesó la pared de su dormitorio. Si Dunmore y los wyrran regresaran con un druida, podría estar completa otra vez.

Sin embargo, su furia se debía a más que a eso. Aunque había intentado alcanzar a Isla y durante un momento pensó que lo había conseguido, el vínculo de había desvanecido demasiado pronto.

Con su magia tan débil, no estaba segura de si había conectado con ella. Incluso había enviado un puñado de wyrran para que intentaran localizarla.

Si la habían capturado, ella se encargaría de rescatarla, aunque no pensaba que ese fuera el caso. O Isla estaba muerta, o había intentado escapar. Como Grania y Lavena ya no estaban, no había nada que pudiera usar para que hiciera lo que quería.

Durante cinco siglos había luchado para que Isla se pusiera de su lado, pero la druida era más fuerte de lo que ella pensaba.

Había buscado a Lavena por su capacidad para ver el futuro. Sin embargo, la hermana a la que debería haber doblegado era Isla. Oh, Isla era para ella una esclava en más de un sentido, y aun así la druida nunca había dejado de luchar.

De haber visto antes las señales del poder de Isla, se habría esforzado más para que aceptara el mal. No pensaba que la druida supiera lo poderosa que era su magia y, si por ella fuera, nunca lo sabría.

Sería suya de nuevo. Haría cualquier cosa para tenerla.

La trenza le cayó a Isla sobre el hombro y le golpeó el brazo cuando se inclinó para recoger una jarra rota del suelo de una cabaña. La tiró a través de la puerta abierta y se secó el sudor de la frente con el dorso de la mano.

Vio una sombra por el rabillo del ojo y se giró hacia la ventana. Había dejado las contraventanas abiertas para dejar pasar el sol y la brisa. Era Malcolm, el primo de Larena, con un brazo apoyado en el alféizar. Vio que mantenía el brazo derecho inutilizado apretado contra el costado.

Tenía el rostro macilento y llevaba una barba sucia que le ocultaba la mayor parte de la cara, pero aun así Isla podía ver que era atractivo. Ni la barba ni las cicatrices podían ocultar sus vibrantes ojos azules, sus mejillas hundidas ni su fuerte mandíbula. Su cabello rubio era más oscuro que el de Hayden y con más cuerpo. Malcolm tenía un mechón que le caía constantemente sobre la frente y se enredaba en sus largas pestañas.

—Hola —dijo ella al ver que él se limitaba a mirarla.

—¿Por qué siempre estás sola?

Ella enarcó una ceja y se rió entre dientes.

—¿Y tú me lo preguntas? ¿Tú que pasas solo la mayor parte del día?

Él paseó la mirada por la cabaña. Tenía los labios apretados, como si siempre estuviera gruñendo.

—Trabajas como si te importara lo que ocurre aquí.

—¿Crees que no es así?

—¿Y por qué debería importarte? Te irás pronto.

Isla lo miró. La brisa del mar le revolvía el pelo sobre los hombros.

—¿Cómo lo sabes?

—Porque tú y yo somos iguales. —La miró fijamente—. Estamos aquí porque por ahora es donde tenemos que estar. Sin embargo, pronto cambiarán las cosas y nos iremos. Está en tus ojos. Cualquiera que sepa lo que buscar puede verlo.

Ella se quedó callada, atónita. ¿Era tan transparente? Por supuesto, les había dicho a los MacLeod que se iría y Malcolm podría haber escuchado la conversación.

—¿Larena sabe que tienes intención de irte? —preguntó Isla.

Malcolm se apartó el mechón de la frente.

—He intentado decírselo, pero no me escucha. Ahora este es su hogar.

—Por lo que sé, también es el tuyo.

—Yo no tengo hogar —afirmó con voz neutra—. Me lo quitaron.

Isla sabía hacia dónde se dirigía la conversación y decidió ser directa.

—Y me culpas a mí.

Malcolm hizo una mueca y cerró la mano izquierda en un puño.

—Tú no me atacaste. No usaste garras para desgarrarme la cara y el cuerpo. Tú no me inutilizaste el brazo.

—Tienes suerte de estar vivo, Malcolm. Deberías alegrarte de que Broc te encontrara y de que Sonya pudiera curarte.

—Debería, pero no es así. Habrían hecho mejor dejándome morir. —Dejó escapar el aire con brusquedad—. No pienses que no les estoy agradecido. Fallon me ha permitido quedarme y me ha aceptado como uno de los suyos.

—Sin embargo, tú ibas a ser el señor de las tierras de tu familia —terminó la frase por él—. Te quitaron la vida.

—Como a ti.

Isla apartó la vista. Se sentía incapaz de seguir mirando sus ojos angustiados. En su mirada estaba la tristeza, la rabia y la amargura que también había dentro de ella. Y le apenaba que nadie pudiera hacer nada por él.

—¿Qué hay entre Hayden y tú? —preguntó Malcolm.

Isla giró la cabeza hacia él.

—¿Qué quieres decir?

—Estoy solo, pero eso no quiere decir que no vea cosas. Vi el beso que compartisteis en la playa. Me sorprendió teniendo en cuenta lo mucho que Hayden desprecia a los drough.

Ella le dio una patada a la pata rota de una mesa.

—Si alguna vez hubo algo entre nosotros, ya se ha terminado.

—Me pregunto si es verdad —murmuró Malcolm. Se dio la vuelta y se marchó.

Isla sacudió la cabeza y siguió trabajando. Horas después oyó que alguien pronunciaba su nombre y, al levantar la mirada, vio a Cara en la puerta de la cabaña. Tenía el brazo extendido y en la mano llevaba un odre de agua.

—Gracias —dijo Isla. Cogió el odre y bebió largamente. Se enjugó una gota de agua de la barbilla con el dorso de la mano y se apoyó contra la puerta. Había trabajado sin parar durante horas para mantener la mente ocupada, y le había funcionado.

Cara paseó la mirada por la cabaña.

—Has estado trabajando mucho.

—No puedo quedarme sentada sin hacer nada. Tengo que mantenerme ocupada.

Sin embargo, ahora que estaba parada se encontró pensando en Hayden. Miró más allá de Cara, al centro de la aldea, donde otros guerreros se habían reunido para descansar.

Aunque no vio a Hayden, estaba segura de que no andaba lejos. Nadie había salido de la zona desde que la había protegido con su escudo.

—No está aquí —dijo Cara.

Isla apartó la mirada y esperó que la mujer no dijera nada más. Debería haber sabido que no sería así.

—Deberíamos haberte dicho que alguien estaría vigilándote.

—Sí, deberíais haberlo hecho. —Miró a Cara. A pesar de que quería estar furiosa, al ver sus ojos honestos de color caoba no encontró la ira en su interior.

Cara se humedeció los labios y jugueteó con el odre.

—Aunque Lucan y sus hermanos confían en ti, confesaste que cuando Deirdre te controla no eres tú misma. Querían asegurarse de que todos estuvieran a salvo en caso de que ocurriera.

—Creo que están haciendo lo correcto. Si me lo hubieran dicho, lo habría entendido.

Cara sonrió y su rostro se iluminó.

—Me alegro. ¿Por qué no vienes con Marcail y conmigo? Nos estamos quedando sin hierbas.

Isla había pasado sola la mayor parte de los últimos quinientos años. Tal vez ya era hora de que se uniera a los demás.

—Me gustaría.

—Entonces, ven —dijo Cara, y la cogió de la mano para sacarla de la cabaña—. Ahora toca divertirse.

Isla la siguió y vio que varios guerreros las observaban mientras atravesaban la aldea. Se preguntó cuál de ellos la seguiría ahora.

¿Por qué lo habría hecho Hayden en un principio? ¿Y por qué ella se preocupaba por eso?

Encontraron a Marcail esperándolas en un extremo de la aldea, cerca del viejo convento. Cara aminoró el paso y miró hacia las ruinas.

—Ellas me acogieron —dijo—. Las monjas se ocuparon de muchos niños abandonados.

Isla no pudo mirar el convento. Se sentía enferma al pensar en los niños que habían muerto allí. Le concedió a Cara un momento y se acercó a Marcail.

—¿Qué hierbas vamos a buscar? —le preguntó.

—Ninguna. —Marcail se rió e Isla frunció el ceño—. Le dije eso a Cara para sacarla del castillo. Es peor que Quinn mimándome.

Isla se rió al ver la travesura en los ojos de Marcail. Detrás de ellas Cara resopló y murmuró algo sobre vengarse.

Marcail tomó a Isla del brazo.

—No me malinterpretes, me gusta que Quinn se preocupe, pero a veces puede ser… —se encogió de hombros— abrumador.

—Me lo puedo imaginar. —A pesar de todo, Isla pensó que sería agradable tener a alguien que se preocupara por ella de esa manera.

Cara se puso al otro lado de Isla.

—No le hagas caso. A Marcail le encanta que andemos siempre a su alrededor. Será el primer niño que nazca en el castillo MacLeod en trescientos años. Todos estamos emocionados.

—¿Larena y tú queréis tener hijos? —preguntó Isla.

—Lo deseamos mucho —contestó Cara—. Aunque todavía no. Lucan... bueno, no quiere tener un dios dentro de él cuando tengamos un hijo. Yo le he dicho que no me importa, pero he cedido a sus deseos. Larena ha hecho lo mismo por Fallon.

—Beben un brebaje que Sonya les prepara, una mezcla de hierbas y magia.

Isla sabía exactamente de lo que estaban hablando.

—Lo conozco. Ayudaba a mi madre a hacer remesas de ese brebaje para nuestra aldea. Cada familia se turnaba todos los meses para fabricarlo.

Llegaron al límite del escudo de Isla y esta extendió las manos para detenerlas.

—No podemos continuar.

—Entonces, caminaremos bordeándolo —replicó Marcail, y sonrió.

Cara las hizo girar a la derecha y caminaron alrededor de la aldea, hacia la extensión de tierra que se abría antes de que los acantilados cayeran al mar. Era una gran distancia. Otras cinco aldeas podrían haberse situado allí y aún quedaría espacio.

Isla escuchó a Cara y a Marcail mientras hablaban de nombres de bebé y del futuro. Se dio cuenta del vacío que tenía en su vida y que ahora quería llenar.

Inmediatamente pensó en Hayden. ¿Cómo podía ser tan tierno y cariñoso por la noche, y en cuanto salía el sol la rehuía como si no hubieran compartido el placer más delicioso?

—¿Por qué frunces el ceño? —le preguntó Marcail—. Espero que no sea por Hayden. Estoy deseando verlo para echarle una reprimenda por lo que ha hecho esta mañana. Ha estado fuera de lugar.

Cara asintió enérgicamente.

—Ha estado comportándose de manera muy extraña desde... Bueno, desde que te trajo aquí.

Isla se encogió. Así que ella era la causa de su angustia. Tal vez fuera mejor si Hayden y ella mantuvieran las distancias. Era evidente que no eran buenos el uno para el otro.

Aunque se sentía furiosa, no quería que las otras mujeres se enfadaran con él.

—Hayden odia a los drough, y eso es lo que soy. Entiendo que se enfureciera.

Marcail y Cara la miraron como si de repente le hubieran salido cuernos. Y eso le hizo recordar que había acariciado los cuernos rojos de Hayden y que sus ojos habían llameado de deseo.

—Si no supiera que no es así, pensaría que hay algo entre vosotros dos —dijo Cara.

Tal vez fue por la mirada significativa que intercambiaron, pero Isla tuvo la sensación de que sabían exactamente lo que había ocurrido entre Hayden y ella.

Abrió la boca para responder en el mismo instante en que los sintió. Wyrran. Se detuvo y empujó a Marcail para ponerla detrás de ella.

—Isla, ¿qué estás haciendo? —preguntó Cara.

La magia negra no se podía confundir. Al igual que un mie podía sentir la magia de otro mie, un drough siempre sentía la presencia de magia negra.

Notó que se le helaba la sangre en las venas. No podían haberla encontrado tan pronto.

—Santo cielo —dijo Marcail, empleando la frase favorita de Quinn—. ¿Son wyrran lo que estoy viendo?

Isla observó a las cinco criaturas de color amarillo, que caminaban hacia el borde del escudo. Estaban encorvados hacia delante, buscando, con las largas garras extendidas al frente.

Isla se humedeció los labios y siguió mirándolos.

—No pueden vernos ni oírnos. Estamos a salvo.

—Te están buscando a ti, ¿verdad? —preguntó Cara.

Isla quería mentir, a pesar de que sabía que no podía.

—Así es.

Oyeron un grito detrás de ellas y, al girarse, vieron a varios guerreros corriendo en su dirección. Isla sabía que tenía que impedir que mataran a los wyrran. Si no regresaban con Deirdre, esta sabría que ella no estaba muerta.

—¡No! —gritó, y dio un paso hacia los guerreros que se acercaban—. Deteneos, por favor. Debéis permanecer dentro del escudo.

Sin embargo, los guerreros siguieron avanzando hacia ella. Se estaban convirtiendo mientras corrían, la piel y los ojos les cambiaban de color y las garras y los colmillos les crecían.

—¡Parad! —exclamó Isla de nuevo.

No funcionó y supo que tenía que usar la magia. La invocó en su interior y la hizo crecer para que afectara a todos los guerreros. Estaba a punto de liberarla a través de las palmas de las manos, pero se había tomado demasiado tiempo.

Antes de que pudiera usar la magia los tuvo encima. Duncan iba a la cabeza y su gemelo estaba justo detrás. Ian lo sobrepasó y la vio cuando ya era demasiado tarde.

Isla no tuvo tiempo de apartarse, solo de prepararse para la colisión. Ian la rodeó con los brazos mientras chocaban.

24

Desde la cueva, Hayden oyó que Isla gritaba y se puso en pie inmediatamente. No dudó ni un instante, supo que tenía que ir hacia ella. Saltó a lo alto de los acantilados sin pensárselo dos veces y la vio delante de los guerreros que corrían hacia ella.

Simplemente, reaccionó y en un segundo liberó a su dios y corrió hacia ella. Nunca había corrido tan rápido en toda su vida. Solo podía pensar en protegerla.

Por muy rápido que corriera y a pesar de los poderes de su dios, no pudo evitar que Ian la arrollara.

Cuando el guerrero la tiró al suelo, Hayden rugió con furia y se lanzó contra Ian. Le hundió las garras en la espalda, giró sobre él y lo apartó de Isla.

Ian se levantó con las rodillas flexionadas y los brazos apartados del cuerpo. Hayden contempló la piel de color azul claro de Ian. Habría pensado que sería Duncan el que atacara a Isla, no Ian.

—¿Quieres pelea? —le preguntó Ian, dando unos pasos hacia la derecha—. Pues te la daré.

Hayden lo imitó. Tenía la mirada fija en él, no veía otra cosa. Sonrió al sentir los músculos preparados para la lucha. Por algo se le había conocido como el mayor guerrero de su clan. Llevaba la batalla en las venas, y no tenía nada que ver con su dios.

Al ver que Ian movía los hombros, supo que iba a atacarlo. Estaba preparado. Chocaron brutalmente, con violencia. Hayden gruñó cuando las garras de su contrincante se le hundieron en el brazo.

Empezó a manar sangre y por un momento no pudo usar el brazo, pero comenzó a curarse casi al instante. Echó el brazo hacia atrás y golpeó a Ian en el pecho, hundiéndole profundamente las garras.

Ian abrió por la sorpresa sus ojos azules de guerrero, gruñó y le dio un puñetazo a Hayden en un riñón. Este se tambaleó hacia atrás y liberó a Ian, pero enseguida atacó de nuevo.

Antes de que tuvieran tiempo de chocar, los demás los rodearon. Hayden luchó contra las manos que lo sujetaban, ansioso por destrozar a Ian. Su oponente y él no dejaban de mirarse ni de pelear.

—Ya es suficiente, Hayden —gruñó Lucan.

Hayden no escuchaba. Su objetivo era acabar con el guerrero y no se detendría hasta que Ian estuviera muerto.

Vio que Duncan, el gemelo de Ian, y Quinn intentaban apartar a este. Sin embargo, consiguió liberar un brazo y volvió a lanzarse contra él.

Hayden dejó de forcejear y enseguida las manos que lo sujetaban se aflojaron. Era justo lo que quería. Apartó de un empujón a los guerreros y arremetió contra Ian.

Haría que pagara por herir a Isla.

Sintió que el dolor explotaba en su interior cuando las garras del guerrero azul le desgarraron la piel y los músculos. Pensaba darle su merecido. Terminaría con él aunque fuera lo último que hiciera.

Paralizada, Isla observaba con horror a Hayden apartando de ella a Ian, en toda su gloria de guerrero. Debería haber intentado llamar su atención y decirle que Ian no la había atacado.

De hecho, este la había protegido cuando habían caído al suelo.

En cuanto Hayden e Ian empezaron a luchar, supo que el final no iba a ser amistoso. Los guerreros los rodeaban e impedían que ella viera la lucha.

Se puso de puntillas y entonces sintió unas manos a ambos lados de su cuerpo. Al levantar la mirada vio a Marcail y a Cara.

—¿Qué ha ocurrido? —preguntó Cara.

Marcail tragó saliva. Estaba visiblemente afectada.

—Parece que Hayden ha querido proteger a Isla. Ha debido de pensar que Ian la había atacado.

Isla nunca olvidaría la cara de Hayden contraída por la furia y las garras extendidas mientras se arrojaba sobre Ian.

Cara se retorció las manos.

—Alguien tiene que hacer algo.

—No deberían estar luchando entre ellos —dijo Isla—. Es lo que querría Deirdre. Dividirnos.

Marcail le dio unas palmaditas en el brazo.

—Quinn y los otros los detendrán. ¿Ves? Ya los están separando.

Isla no estaba tan segura. Ya había visto esa mirada en los ojos de Hayden. Nada lo detendría hasta que su rival estuviera muerto.

Un momento después, los dos se habían liberado de sus compañeros y estaban peleando de nuevo. Isla no podía soportarlo más. Aunque la odiaran por ello, tenía que ponerle fin.

Se apartó de Cara y de Marcail e ignoró sus gritos, que le pedían que volviera. Cada vez que se derramaba la sangre de Hayden, ella daba un respingo. No la ayudaba el hecho de saber que no moriría.

—Apartaos —dijo mientras se acercaba a los hombres.

Arran la miró y rápidamente se hizo a un lado. Fallon fue hacia ella y estaba a punto de decir algo cuando Isla levantó una mano, sin dejar de mirar a Hayden y a Ian.

—No. Si quieres que esto termine, tienes que confiar en mí.

Fallon juró en voz baja.

—De acuerdo.

Isla se abrió camino entre los hombres hasta que estuvo en el círculo interior, con Hayden e Ian. Eran ajenos a su presencia y a cualquier otra cosa que los rodeara. Eso le daba ventaja.

Solo tenía una oportunidad para separarlos y llamar su atención. Rezó para que fuera suficiente.

Invocó su magia y la sintió moverse y girar dentro de ella. Abrió los dedos y mantuvo las manos sobre el estómago. La magia se reunió en el centro de su abdomen, sin parar de crecer hasta que apenas pudo contenerla.

La mantuvo todo lo posible y entonces elevó las manos hacia Hayden e Ian. La ráfaga de magia que salió de ella fue tan fuerte que tuvo que dar un paso atrás para no perder el equilibrio.

Su poder mantenía apartados a Hayden y a Ian, a pesar de sus esfuerzos por seguir luchando. Isla pasó la mirada de uno a otro y le asustó el brillo salvaje que vio en sus ojos.

—Hayden —lo llamó. Al ver que no le respondía, lo volvió a intentar—. ¡Hayden, mírame!

Por fin la mirada roja del guerrero se desvió hacia ella.

—Tengo que terminar esto.

—Ya está terminado.

—¡Él te atacó!

Isla no sabía con qué Hayden estaba hablando, si con el que la quería tener entre sus brazos, cuyas caricias le hacían desear más, o con el hombre que no siquiera podía soportar mirarla.

—¿Y a ti qué te importa? —le preguntó, pero no le dejó responder—. Hay wyrran. Ian y los otros iban a luchar contra ellos y yo estaba intentando evitarlo.

Hayden la miró con los ojos entornados.

—Libérame. Ahora.

Isla sabía que, si lo hacía, volvería a pelearse con Ian, y no podía permitirlo. Con un simple movimiento de la mano lo empujó hasta que atravesó el escudo. Al mismo tiempo liberó a Ian, que asintió levemente con la cabeza.

—¿Qué has hecho? —preguntó Lucan.

Sin embargo, Isla estaba demasiado ocupada observando a Hayden para responder. Si Deirdre hubiera sabido lo poco que le había faltado al guerrero para perder el control, habría hecho que lo capturaran al instante. Hayden podía perderse en su dios a la mínima oportunidad.

Fallon se detuvo delante de ella, impidiéndole ver.

—Contesta a Lucan —le ordenó.

—Estoy intentando salvarlo. Ninguno de vosotros, especialmente Hayden, se da cuenta de lo cerca que está de perderlo todo. Él está mucho más cerca de lo que nunca ha estado Quinn.

Giró sobre sus talones y se dirigió al castillo. Hayden necesitaba algo que matar y ella se lo había dado. Los wyrran.

Hayden se tambaleó hacia atrás por la fuerza de la magia de Isla. Sintió que atravesaba el escudo y supo que ella lo había echado al exterior.

La furia y el ansia de sangre se desvanecieron lentamente con la magia y lo dejaron perdido y vacío.

Miró a su alrededor. El castillo estaba ahí, lo sabía, pero no podía verlo. La tierra parecía yerma, sin gente, sin edificaciones y, desde luego, sin castillo.

Oyó un ruido a su derecha y, al girar la cabeza, vio a los wyrran.

—Santo cielo —murmuró.

Todo lo que Isla le había contado era verdad. ¿Por qué había querido evitar que los guerreros mataran a los wyrran? Tenía que haber una razón. Y aunque su instinto le gritaba que matara a las malvadas criaturas, volvió a cruzar la protección del escudo.

—Hayden —dijo Ramsey, y se acercó a él.

El guerrero rojo miró a los hombres que lo rodeaban, los guerreros a los que llamaba hermanos. Su mirada se detuvo en Ian y sintió que la humillación lo invadía. Él mejor que nadie sabía que no debía atacar a quienes luchaban a su lado.

—Ian… —empezó a decir.

Ian levantó una mano para hacerlo callar.

—No es necesario.

Sin embargo, Hayden sabía que sí lo era.

—Lo siento. No sé lo que me ha pasado.

En realidad, sabía exactamente lo que le había ocurrido: la necesidad de defender a Isla. Había sido algo instintivo, primario y tan profundo que no había podido pensar en otra cosa.

¿Estaba luchando contra su atracción por Isla basándose solamente en la memoria de su familia? ¿Acaso sus instintos sabían algo que él desconocía? Nunca antes los había negado, siempre había confiado totalmente en ellos, y ahora se lo cuestionaba todo.

Isla le hacía eso. Lo trastocaba todo, lo cambiaba todo y él no sabía lo que estaba bien.

—¿Hayden?

La voz de Ramsey lo sacó de sus pensamientos. Miró a los ojos grises de su amigo y vio sabiduría en ellos. Ramsey tal vez pudiera ayudarlo.

—Solo he sentido una furia igual una vez en mi vida. —Hayden bajó la voz para que los demás no lo escucharan. Se frotó la nuca y echó una mirada a los wyrran por encima del hombro—. Y nunca pensé que volvería a sentirla.

El escudo de Isla mantenía a los wyrran fuera y les impedía avanzar y ver nada del interior. Momentos después, se dieron la vuelta y se marcharon.

Ramsey cruzó los brazos sobre el pecho.

—¿Cuando asesinaron a tu familia?

Hayden asintió y cerró los ojos. Los recuerdos de su familia masacrada todavía lo obsesionaban.

—Todos caminamos por la cuerda floja. A veces podemos controlar lo que sentimos sin ningún esfuerzo y, otras, es imposible.

Hayden lo miró.

—Si fuera tan sencillo…

—¿Qué más ocurre? ¿Es Isla?

Por supuesto que era Isla, pero eso era privado. Fuiran los que fueran sus sentimientos por Isla, debía guardárselos para él solo.

—No —mintió.

Ramsey enarcó una ceja con gesto inquisitivo.

—Todos te oímos esta mañana en el salón, ¿y aun así matarías a uno de los tuyos para protegerla? Creo que hay más de lo que me estás contando. Aunque entiendo que necesites intimidad, hace tiempo que desapareció.

Hayden pensó en la boca seductora de Isla, en sus dulces besos y en su pasión incomparable. Pensó en lo que había sentido al abrazar su cuerpo cálido, en cómo podía inflamarlo con solo una caricia.

—Es… No puedo —dijo finalmente.

Ramsey dejó caer los brazos a los costados y asintió.

—Creo que lo entiendo. Tu odio por los drough te ha sustentado los últimos ciento ochenta años. Para ti el mundo es bueno o malo, sin zonas grises. Ahora que has encontrado una zona gris, no sabes qué hacer.

Aunque no era tan sencillo como eso, Ramsey tenía razón.

—¿Tú ves el mundo como bueno o malo?

—No. En todas las personas hay bien y mal. Fíjate en nosotros. Luchamos por el bien, a pesar de que llevamos en nuestro interior uno de los males más grandes que ha existido nunca. ¿Somos buenos o somos malos? Eso mismo puede y debe aplicarse a Isla.

—Tal vez —contestó Hayden.

Ramsey suspiró pesadamente.

—Estás luchando contra lo que te impulsa hacia ella. Estás luchando contigo mismo, Hayden. Si no tienes cuidado, la destruirás, y a ti también. Reconozco que el mundo sería mucho más fácil si pudiéramos clasificarlo todo como negro o blanco. Sin embargo, nada es tan simple.

A Hayden empezó a dolerle la cabeza. Su mundo había cambiado con el asesinato de su familia y cuando liberaron a su dios. No quería pasar por un trastorno parecido de nuevo, y ahí era exactamente donde se encontraba.

La primera vez casi lo había perdido todo. No estaba seguro de poder sobrevivir a una segunda.

25

Isla pasó el resto del día en la torre. Se sentía avergonzada por el rechazo que Hayden había mostrado hacia ella y sorprendida por su lucha con Ian. Por ella.

No quería hablar con nadie después de lo que había pasado. Marcail, Cara, Larena e incluso Sonya se habían turnado para intentar convencerla de que saliera de la torre. Pero ella estaba bien ahí.

Se había obligado a comer lo que le habían dejado mientras pensaba en sus opciones. Lo mejor sería que se fuera, lo había sabido desde el principio.

Había sido demasiado tentador ser parte de los MacLeod, sentirse bienvenida y rodeada de amigos. Sin embargo, había cometido un terrible error.

No podía irse ahora que el castillo necesitaba su protección más que nunca. No sabía si los wyrran habían ido para buscarla a ella o a los MacLeod, y no importaba. Habían ido y solo era cuestión de tiempo que aparecieran más.

Había muchos guerreros que podían defender el castillo. Sobrevivirían y, con las fuerzas de Deirdre mermadas, tendrían ventaja durante un tiempo.

Entonces pensó en las mujeres y en el niño que crecía en el vientre de Marcail. ¿Cómo podría abandonarlas ahora? Se habían convertido en sus amigas, incluso en sus hermanas. Abandonarlas sería cruel.

¿Y cuando Deirdre recupere la fuerza y se apodere de tu mente?

Sabía que era una posibilidad. Cuanto más tiempo tardara en encontrar un druida, mejor. Y también existía la posibilidad de que el artefacto y los druidas que Logan y Galen habían ido a buscar pudieran ayudarla a anular para siempre su vínculo con Deirdre.

Ya había oscurecido cuando por fin se decidió a salir de la torre. Se detuvo en el rellano que dominaba el gran salón, agradecida de no ver a Hayden. Solo estaban los MacLeod y sus mujeres. Los hombres se sentaban en las sillas frente a la chimenea apagada, y ellas estaban en sus regazos.

Inspiró profundamente para calmarse y bajó las escaleras. En cuanto la vieron, dejaron de hablar.

—Nos estábamos preocupando —dijo Cara. Tenía un brazo alrededor del cuello de Lucan y le pasaba los dedos por el grueso collar de oro.

Isla se detuvo al llegar frente a ellos.

—Me gustaría hablar con vosotros.

Marcail se mordió el labio con ansiedad.

—No vas a marcharte, ¿verdad?

—No. —Por lo menos, no todavía.

—¿Qué ocurre? —preguntó Fallon—. Si es por lo que ha ocurrido hoy, hablaré con Hayden.

Ella negó con la cabeza.

—Dejad a Hayden fuera de esto.

—No lo entiendo. —Lucan dejó su copa en el suelo, cerca de la silla—. Después de lo que ha hecho esta mañana, y de atacar a Ian, pensaba que querrías que se hiciera algo.

—Dejad a Hayden fuera de esto —repitió—. Lo que tengo que deciros no le concierne.

—Muy bien. ¿De qué se trata? —preguntó Quinn.

Isla inspiró profundamente.

—Quiero que me deis vuestra palabra de que alguien, que no sea ninguna de las mujeres, me va a seguir siempre. Debe ser alguien en quien confiéis, alguien que haga lo correcto cuando llegue el momento.

Larena inclinó la cabeza a un lado y se levantó del regazo de Fallon. Se puso detrás de la silla y apoyó un brazo en el respaldo.

—¿Y qué es lo correcto?

—Matarme.

Se hizo un silencio atronador, pero Isla lo esperaba. Los MacLeod y sus mujeres, de hecho todos en el castillo, se veían los unos a los otros como una familia. Y una no le pedía a su familia que la matara.

Fallon se inclinó hacia delante y frunció el ceño con una mezcla de indignación y confusión.

—Creo que deberías explicarte.

—Los wyrran han venido. Si están muertos...

—Hayden no les hizo nada —dijo Quinn.

Isla asintió y trató de ocultar su sorpresa. Se había preguntado cómo habría reaccionado el guerrero al verse fuera del escudo. No había acudido a ella, aunque Isla sabía que no lo haría.

—Le dirán a Deirdre que no han encontrado nada.

—¿No crees que le contarán que el castillo ha desaparecido? —preguntó Cara.

—No son tan inteligentes. Simplemente, contestarán a sus preguntas. Deirdre no sabe dónde estoy y seguramente no se imaginará que he terminado aquí. Al menos, por el momento. Así que no les preguntará a los wyrran.

—¿Estás segura? —dijo Quinn.

—Todo lo segura que puedo estar —contestó—. Pasé quinientos años con ella.

Lucan hizo una mueca con la boca.

—No lo sé. Deirdre puede ser muy reservada.

—Aunque sin duda me ocultó la mayoría de las cosas, conozco a los wyrran. Y sé que está segura de que he escapado. Supondrá que vosotros nunca confiaríais en mí, y que me mataríais o me daríais la espalda.

—¿De cuánto tiempo disponemos antes de que se dé cuenta de que estás aquí? —preguntó Fallon.

Isla pasó el peso del cuerpo de un pie a otro y se encogió de hombros.

—Recobrará todo su poder en cuanto le lleven un druida para que lo sacrifique. Poco después me encontrará.

—Deirdre ya ha mermado mucho el número de druidas —dijo Marcail—. Quedan pocos, y los que hay se mantienen ocultos para que no los encuentren.

—Ya no tiene a mi hermana para que la ayude —dijo Isla—. Podría llevarle meses, o pocos días. Yo pecaría de prudente.

Quinn asintió, mostrando su acuerdo.

—Entonces, ¿qué propones?

—No puedo irme ahora, con el escudo funcionando. Es cierto que hay numerosos guerreros para rechazar un ataque, pero cuantos más druidas tengáis aquí para proteger, más probabilidades hay de que se lleven a uno. Mi escudo mantendrá a todos a salvo hasta que llegue ese momento.

»Por no mencionar que tengo curiosidad por saber si Galen y Logan encuentran algo que pueda ayudarme. Las probabilidades son escasas. A pesar de eso, si hay algo que pueda servirme, serán los artefactos que puedan perjudicar a Deirdre.

Fallon miró a Larena, que estaba detrás de él, y preguntó:

—¿Y dónde entra tu muerte en todo esto?

—No quiero continuar viviendo como soy. Si Deirdre recupera sus poderes antes de que regrese Galen o si el artefacto no puede ayudarme, prefiero morir a estar en una situación en la que Deirdre me controle para llegar a cualquiera de vosotros.

—No —replicó Marcail—. Eres fuerte, Isla. Has luchado contra ella y contra el mal. Puedes seguir haciéndolo.

Isla recordó la época en la que había mirado el mundo como lo hacía Marcail. Hacía mucho tiempo de eso, y esa época había pasado para siempre.

—Lo hice por Lavena y por Grania. Lavena ya no está, y Grania intentó matarme cuando quise sacarla de la montaña. El puñal que ella tenía... Yo intenté...

—Fue un accidente —dijo Quinn—. Nadie te culpa.

Ella tragó saliva y siguió hablando.

—Yo sobreviví, conspiré y vi cómo los años pasaban para ellas. Ahora Deirdre no tiene poder sobre mí. ¿Es demasiado pedir que se cumplan mis deseos?

—No lo es —respondió Lucan. Acarició a Cara en la mejilla y ella se movió hasta quedar de pie a su lado—. Solo queremos encontrar otra manera.

—No hay otra manera. La habría encontrado en cinco siglos.

El highlander se levantó y se colocó las manos en las caderas.

—Preferiría que nos pidieras la cabeza de Deirdre, pero te doy mi palabra de que haré lo que pides, como he hecho antes.

—Yo también —dijo Lucan, y se incorporó para quedarse junto a su hermano.

Quinn bajó a Marcail de su regazo. Se puso en pie y soltó el aire bruscamente.

—También tienes mi palabra.

—Cuentas con la promesa de los tres —afirmó Fallon—. Nos aseguraremos de que lo sepan los demás.

Ella inclinó la cabeza, agradecida.

—Deirdre hacía bien en temeros. Vosotros provocaréis su caída.

Larena rodeó la silla para quedarse al lado de Fallon.

—¿Tienes alguna preferencia sobre quién quieres que te proteja?

—Quien os parezca que más se ajuste a ello.

—Nos parecía que era Hayden —dijo Quinn.

Isla bajó la mirada al suelo. Si iba a quedarse, debía acostumbrarse a ver a Hayden cada día. Y eso sería más difícil que luchar contra Deirdre.

—No hicisteis una buena elección.

—No estoy de acuerdo —replicó Fallon—. Yo estaba allí cuando te encontró en Cairn Toul.

—Quería proteger a alguien. Y no soy yo.

Lucan resopló.

—¿Y esta mañana? ¿Cómo lo llamarías? Todos lo vimos arremeter contra Ian porque pensó que estabas en peligro.

—Tendréis que preguntárselo a él. No tengo ni idea de por qué lo hizo. Yo soy... A Hayden no le gusta estar cerca de mí. —Por todos los santos, era casi imposible de decir. Cada vez le costaba más—. Respetad los deseos de Hayden y los míos con referencia a esto.

Fallon la observó mientras salía del castillo y esperó a que la puerta se cerrara tras ella para decir:

—Tal vez a Hayden no le guste estar cerca de ella, pero la necesita.

—¿Tú también te has dado cuenta? —preguntó Lucan—. Está claro para cualquiera que los mire.

Quinn sacudió la cabeza.

—Yo los vi besarse en la playa. No fue un simple beso, sino uno de...

—Pasión y deseo. —Cara terminó la frase por él—. ¿Por qué lo niegan?

Larena apoyó la cabeza en el hombro de Fallon.

—Él lo niega. Ella está intentando ser coherente a la vista de lo que Hayden ha hecho.

—Habría matado a Ian por ella. —Fallon besó a Larena en la frente—. He luchado junto a él y sé lo mortífero que puede ser, aunque en lo de hoy había algo diferente.

—Como si la vida de su mujer estuviera en juego —dijo Quinn—. Yo mataría por Marcail, sobre todo si creo que está en peligro.

Lucan miró a Fallon.

—Todos haríamos lo mismo por nuestras esposas.

Fallon volvió a mirar a la puerta. Deseaba que hubiera una forma de ayudar a Hayden y a Isla.

—¿A quién asignamos para que la vigile?

—Para que la proteja —lo corrigió Larena—. Estamos protegiendo a una amiga muy querida, Fallon.

Él sonrió, perdido en sus ojos de color azul grisáceo.

—¿A quién le pedimos que la proteja, amor?

—A Ian —respondió Marcail súbitamente.

Fallon miró a su cuñada.

—¿Te has vuelto loca, Marcail? ¿Después de que Hayden y él casi se matan?

Cara se rió.

—Ah, Fallon, de eso se trata.

Fallon miró a Lucan y a Quinn alternativamente y lo comprendió.

—Entonces, que sea Ian. Por lo menos, esto promete ser interesante.

—Muy interesante —dijo Quinn.

Isla se quedó en las sombras del patio interior. Los guerreros custodiaban el castillo a todas horas, eso no había cambiado aunque tuvieran el escudo.

No quería pasar la noche en la torre, con los recuerdos de Hayden. Ya habían sido suficientemente duras las horas que había pasado allí durante el día.

En el improbable caso de que acudiera a ella de nuevo, no podía estar ahí. No sería capaz de rechazarlo, y debía hacerlo para mantenerse cuerda. Anhelaba sentir sus caricias y saborear sus besos. Él era su mayor debilidad, una debilidad que no podía permitirse.

Tampoco podría soportar pasar otra noche entre sus tiernos brazos y después sentir que se distanciaba al llegar el día. Eso la destruía más que nada. Hayden tenía más poder sobre ella del que Deirdre había pensado tener nunca.

Eso la aterraba y le hacía darse cuenta de cómo habían crecido sus sentimientos por Hayden. Estaban inmersos en un juego peligroso. Hayden había sido el primero en decirlo, pero solo ella sabía lo ciertas que eran esas palabras.

Llegó a la aldea sin que la detectaran. Caminó de cabaña en cabaña, oculta entre las sombras, hasta que encontró una apartada de las demás. Justo lo que estaba buscando.

Se quedaría allí a pasar la noche, sola con sus recuerdos. Y con sus sueños.

26

Hayden luchó todo lo que pudo contra el deseo de ir a la torre. Se dijo que solo iba a deambular por el castillo, como hacía muchas noches. Le gustaba trepar por el exterior y tener una posición más ventajosas que los demás.

Cuando llegó a la los aposentos de Isla no se sorprendió al sentir que se apostaba instintivamente delante de la ventana. A pesar de que intentó no mirar dentro, eso fue precisamente lo que hizo.

Esperaba ver a Isla en la cama, o tal vez cepillándose el cabello. Lo que no se esperaba en absoluto era una torre vacía. Frunció el ceño y se preguntó dónde estaría y si se encontraría a salvo.

Paseó la mirada por el dormitorio redondo y saltó de la ventana al interior. No debería estar allí, aunque no podía evitarlo. Y como Isla no estaba, tenía la excusa perfecta para estar en sus dominios.

Su aroma a nieve y pensamientos silvestres lo atormentaba. Miró la gran cama y recordó cómo la había tomado, haciéndola suya.

El pene se le hinchó de solo recordar a Isla con el cabello negro esparcido a su alrededor y sus encantadores labios entreabiertos mientras gritaba al llegar al clímax.

Recordó su pequeña cintura, el ensanchamiento de sus caderas, sus preciosos muslos separados que le permitían ver los rizos negros que le ocultaban el sexo. Ella era imponente, una de las imágenes más hermosas que había visto nunca.

Pasó una mano por la almohada y después se dejó caer en la cama y se tumbó. Era una locura, pero solo se quedaría hasta que la oyera en las escaleras. Isla nunca sabría que había estado allí y él se aseguraría de que estaba bien.

No había preguntado si estaba herida por lo de antes. Había estado tan furioso con Ian que solo podía pensar en matarlo. La ira lo había invadido rápidamente, consumiéndolo.

El ansia de sangre había sido la más intensa que había sentido en toda su vida. Después de haberla experimentado una primera vez, cuando su familia había sido asesinada, se había asegurado de mantener siempre el control. Normalmente, eso no suponía un problema, por eso no entendía por qué había cambiado.

En lo más recóndito de su alma sabía que tenía que ver con Isla, aunque no estaba preparado para admitirlo.

Se puso un brazo sobre los ojos y se permitió dormitar un poco. Su excelente sentido del oído lo avisaría cuando Isla se acercara.

Isla se acurrucó en un rincón de la cabaña. Se quedó durante horas en la oscuridad intentando no pensar en nada y sin conseguirlo. Sus pensamientos regresaban a Hayden una y otra vez, a la pasión que le provocaba, al deseo que su presencia le causaba.

En Cairn Toul había estado sola, sin trabar amistad con nadie. Ahora estaba rodeada de personas que querían ser sus compañeros. Sería, había sido, de hecho, tan fácil bajar las defensas y permitirse tener amigos...

Sin embargo, habían pasado más cosas. Había aparecido Hayden y ella no había estado preparada para lo que le hacía a su cuerpo, y mucho menos a su corazón. Había tocado una parte de ella a la que nadie nunca había llegado, y el corazón y el alma le temblaban por ello.

Aún le dolía el pecho por haberlo visto tan cerca del límite cuando había estado luchando con Ian. Estaba segura de que lo que había presenciado aquel día era lo mismo que había ocurrido con los primeros guerreros que habían luchado contra los romanos.

Si Hayden traspasaba el límite, nunca podría volver a ser el hombre que era. Los MacLeod lo necesitaban. Era un guerrero cuya lealtad nunca flaqueaba, un guerrero que lucharía hasta la muerte y que sacrificaría su propia vida para que otros sobrevivieran.

Su mente estaba llena de Hayden. Hiciera lo que hiciera, no podía dejar de pensar en él, como su piel no podía olvidar lo que había sentido al tenerlo sobre ella. Se llevó la parte inferior de las palmas de las manos a los ojos y apretó los dientes.

Se sentía muy bien al cerrar los ojos. Estaba tan cansada... Lo único que quería hacer era dormir. No echarse las siestas que solía, sino un sueño profundo sin pesadillas que la hiciera descansar y la preparara para afrontar cualquier cosa.

Dejó caer la cabeza hacia atrás, contra la pared. El sol saldría en unas pocas horas. Tiempo suficiente para echar un sueño corto, lo justo para recuperar las fuerzas pero no tan largo como para que aparecieran las pesadillas.

Hayden se despertó sobresaltado, se incorporó bruscamente en la cama y miró a su alrededor. El alba, que teñía el cielo de rosa y púrpura, lo había sacado del sueño.

Se había quedado dormido en la cama de Isla y había sido la noche que mejor había descansado en las últimas semanas. Más inquietante era que Isla no había regresado a sus aposentos.

Saltó de la cama y llegó a la ventana en tres zancadas. Sin apenas pensar, se encaramó a ella, sujetándose con las manos a ambos lados del alféizar. Escudriñó los alrededores del castillo. Todo parecía normal.

Sabía que el escudo de Isla seguía en su lugar porque podía sentir su magia. Aunque no era tan fuerte como cuando ella misma la lanzaba, el poder que emanaba de su escudo se sentía de manera diferente. Tanto que podría reconocer su magia en cualquier parte.

Volvió a pensar en encontrarla y saltó de la ventana. El viento ululaba a su alrededor mientras caía, con los brazos abiertos, hasta posarse en las almenas.

Aterrizó con las rodillas dobladas y la cabeza gacha. No se detuvo ni un momento, se incorporó y se dirigió a la puerta que conducía al interior del castillo.

Hayden casi nunca dormía en sus propios aposentos, así que a nadie le extrañaría verlo entrar al gran salón desde las almenas.

Se detuvo en el rellano y miró hacia el salón. Los MacLeod estaban presentes, al igual que Ramsey, Camdyn, Arran y Duncan. Malcolm, Broc e Ian, sin embargo, no se encontraban allí.

Aunque tenía hambre, no se podía concentrar en la comida cuando no encontraba a Isla por ninguna parte. Su necesidad de verla y de saber si estaba bien e ilesa era ridícula. Él ya no era el encargado de seguirla.

Ese pensamiento le hizo detenerse en seco. ¿Los MacLeod le habrían encargado esa tarea a otra persona? Cerró los puños con fuerza y no pudo evitar dejar de pensar en ello. Sin embargo, a pesar de su curiosidad, su preocupación más urgente era encontrarla.

Sabía que no estaba en peligro. Nadie en el castillo MacLeod le haría daño, y aunque lo hicieran, ella sobreviviría.

A menos que le corten la cabeza. Como te pidió que hicieras.

Giró sobre sus talones y empezó a buscar en el castillo. Habría sido más fácil preguntar a alguien si la había visto, pero entonces sabrían que la estaba buscando.

Sería mejor guardárselo para no tener que responder preguntas a las que todavía no estaba dispuesto a enfrentarse.

No tardó mucho tiempo en darse cuenta de que no estaba en el castillo. Incluso atravesó el jardín de Cara y se asomó a las cocinas; tampoco estaba allí.

El siguiente lugar donde miró fue en la playa. El sol ya se había elevado un poco más y su luz dorada iluminaba el cielo y se reflejaba en el agua. El mar lo atraía, lo llamaba a sus costas. Darse un baño lo ayudaría a ahuyentar su mal humor y a calmarle la ansiedad. Sin embargo, primero tenía que encontrarla.

Centró su atención en la aldea. Estaba a medio camino cuando vio a Ian dirigiéndose con determinación hacia la parte trasera de la aldea, a la cabaña que él mismo había elegido.

Se detuvo. Algo le decía que, si esperaba y era paciente, encontraría lo que buscaba. Momentos después vio a Isla salir de la cabaña, con Ian detrás de ella.

El gemelo se rió de algo que Isla dijo. La propia Isla tenía una leve sonrisa en los labios, algo que Hayden había visto en raras ocasiones. En ese momento se dio cuenta de que nunca la había oído reírse.

Sintió que el pecho se le encogía y que se le agarrotaban los pulmones, pero eso no fue nada comparado con el enfado que empezaba a sentir. Isla tenía un nuevo vigilante: Ian.

Y no le gustaba.

Isla oyó una risa, estridente y malvada, que solo podía ser de Deirdre. Antes de abrir los ojos supo que estaba en Cairn Toul.

El olor a malevolencia y a muerte la rodeaba. La maldad habitaba y respiraba en las profundidades de la montaña. Era como si las propias piedras hicieran nacer la perversidad que se filtraba en la tierra.

¿O era que la montaña ocultaba una entrada al mismo infierno?

Se estremeció. No quería abrir los ojos. La habían sacado de Cairn Toul. Hayden se había llevado de allí su cuerpo roto y ensangrentado. Estaba en el castillo MacLeod. A salvo. Por lo menos, por ahora.

¿Qué había ocurrido?

Se obligó a abrir los ojos y casi cedió al impulso de llorar cuando vio su conocido y odiado dormitorio en Cairn Toul. Las paredes de piedra, la pequeña cama, la única silla.

—No —susurró—. No.

La cara de Deirdre apareció delante de ella. Era tan transparente que podía ver a través de ella, aunque el cabello y los ojos blancos eran inconfundibles. Había un vacío en su mirada, vacío y rabia.

Esperaba oírla hablar, oír que planeaba torturarla de nuevo. O tal vez, por fin, matarla.

Sin embargo, Deirdre no habló, se limitó a mirarla con sus ojos fríos y crueles.

—Isla.

Se despertó sobresaltada, con el corazón latiéndole tan fuerte que pensó que se le iba a salir del pecho. Se agarraba a la pared con ambas manos y todo el cuerpo le temblaba.

—¿Isla?

Levantó la mirada y vio que Ian estaba de pie frente a ella. Tenía el ceño fruncido y la miraba con preocupación y un poco de alarma.

Tardó un momento en recordar que estaba en una cabaña, en la tierra de los MacLeod. Había sido un sueño. En cuanto se dio cuenta, dejó escapar el aire con alivio, aunque sin dejar de temblar. Había sido muy real.

Ian rompió el silencio al acercarse e inclinarse hacia ella.

—¿Malos sueños?

—Siempre —contestó ella. Levantó la cabeza e intentó tranquilizarse. Las pesadillas la habían perseguido desde que Deirdre la había capturado. Pero esta había sido diferente.

—Pensé que te habían dado la torre norte —dijo Ian.

—Así es. Vine aquí anoche para pensar y debí de quedarme dormida.

Por cómo la miró Ian, supo que no se creía ni una palabra. Sin embargo, no insistió. Se incorporó y le tendió una mano.

—Es hora de romper el ayuno.

Isla cogió su mano y dejó que la ayudara a levantarse. Aunque el cuerpo le dolía por estar tanto tiempo en la misma posición, cualquier cosa era mejor que las pesadillas. Salió de la cabaña y se sorprendió al ver que el sol estaba mucho más alto de lo que pensaba.

—Fallon me ha pedido que te proteja a partir de ahora. Si te parece bien, claro.

Isla lo miró, sonrió y sintió deseos de tomarle el pelo.

—Creo que eres la persona perfecta. Después de todo, casi me atacaste.

Él echó la cabeza hacia atrás y se rió con ganas. Isla inhaló la brisa marina de las tierras altas y se sintió agradecida de no estar en Cairn Toul.

—No te vi a tiempo —dijo Ian cuando dejó de reírse—. Estaba concentrado en los wyrran.

—Lo sé. —Y era cierto. No le guardaba rencor—. ¿Estás a favor de ser mi sombra?

Él se encogió de hombros.

—No estoy en contra, si te refieres a eso.

—¿Fallon te lo ha contado todo?

Ian la miró. Ya no había ni rastro de risa en su cara.

—Me ha dicho que has pedido que te matemos si Deirdre se apodera de tu mente.

Ella se detuvo y se giró para mirarlo.

—Si ocurre, te darás cuenta. El dolor es insoportable. Dispongo de unos segundos en los que aún tengo voluntad propia antes de que ella tome el control. Tendrás que hacerlo en cuanto te lo pida.

—Entiendo.

—Bien. —Dejó escapar un suspiro.

Ya habían empezado a caminar otra vez cuando Ian preguntó:

—¿Qué piensa Hayden de que yo haya ocupado su lugar?

La mención a Hayden le devolvió el dolor que había estado sintiendo la mayor parte de la noche.

—Estoy segura de que no le importa.

—Pues yo no. No le viste la cara cuando me atacó.

—Se la vi —lo interrumpió. Lo había visto todo demasiado bien.

27

Deirdre jadeó al desvanecerse su energía. ¡Había tenido a Isla! Si hubiera podido hablar con ella... Todavía no sabía dónde estaba, pero solo era cuestión de tiempo que la encontrara.

Había usado mucha magia para intentar contactar con Isla y pagaría por ello durante varios días. Después de haber estado intentándolo durante horas, por fin la había localizado.

Solo para perderla un momento después.

—Si tuviera toda mi magia, Isla sería mía otra vez —se dijo.

A pesar de que sabía que debería haber esperado a que Dunmore regresara con un druida, tenía que saber si Isla estaba muerta. Ahora que sabía que su mayor arma seguía viva, en cuanto recuperara la magia descargaría su ira sobre los MacLeod y todos los que les eran leales.

Antes de que pudiera empezar a planear cómo iba a despedazar a cada uno de los MacLeod, cinco wyrran entraron en su dormitorio. Les hizo un gesto con manos invisibles, pero las criaturas la veían.

Se detuvieron delante de ella, mirando con sus ojos amarillos hacia donde debería estar su cara si tuviera un cuerpo. Les sonrió. Todavía recordaba al primer wyrran que había creado. Había sido lo más hermoso y aterrador que había visto en su vida. Todavía lo eran.

Y eran suyos. Nadie más podía dominarlos, solo ella.

—¿Qué habéis encontrado —les preguntó en sus mentes.

Ellos negaron con sus cabezas calvas. Sus labios delgados dejaban ver la hilera de grandes dientes.

—¿No habéis visto a Isla?

Volvieron a negar con la cabeza.

Deirdre sabía que Isla no estaría con los MacLeod. Su paradero era otro asunto, aunque esperaba descubrirlo pronto.

No importaba lo lejos que se hubiera marchado. La llevaría de nuevo a su lado y no tendría más remedio que hacer lo que le ordenara. Isla no podía hacer nada para romper el vínculo que compartían.

Sabía que la druida lo había intentado varias veces, pero nada podía detener su magia. Era demasiado fuerte y el propio diabhul la sustentaba.

Despidió a los wyrran con un movimiento de la mano. Tenía que hacer planes. Cuando Dunmore llegara con el druida para sacrificarlo, ella lo tendría todo preparado para llevar a cabo su venganza.

Había sido una necia al pensar que podría convencer a los MacLeod para que se aliaran con ella. Con sus muertes sentiría satisfacción. También tendría a sus mujeres, a quienes ellos habían mantenido fuera de su alcance.

Ya no permitiría que nadie más se enfrentara a ella de esa manera. De ahora en adelante, la muerte esperaba a cualquiera que no se aliara con ella o que la traicionara.

Sonrió. Ya nada podría detenerla.

Hayden se metió en el mar y se sumergió en una ola que se acercaba. En cuanto el agua se lo tragó, sintió consuelo. Lo calmaba, lo acariciaba y lo arrullaba.

Se alejó nadando de la costa, luchando contra las corrientes que habían matado a hombres más débiles. Supo el momento exacto en el que atravesó el escudo de Isla. Sintió que su magia cantaba a su alrededor durante un instante, cegándolo con un deseo que le dejó el cuerpo renovado y la verga dolorida, y enseguida cesó.

Emergió para coger aire después de pasar el escudo. La maravillosa sensación de la magia de Isla se desvaneció tras atravesarlo. La echó de menos, añoró sentirla zumbar a su alrededor y atormentarle el cuerpo. Al igual que la vez anterior, cuando se giró y miró hacia atrás, el castillo había desaparecido sobre los acantilados.

Cogió una bocanada de aire y se sumergió en un esfuerzo por olvidarse de Isla y de cómo le había complicado la vida. Buceó mucho más abajo de lo que había hecho nunca. Sentía el agua chisporrotear en los oídos y que la presión le oponía resistencia y, aun así, continuó.

Cuando no pudo seguir bajando, buceó hacia un lado y se dedicó a contemplar perezosamente el panorama. Observó las tenebrosas profundidades del mar y la vida que había bajo la superficie. Peces de todos los tamaños y colores. Algas que se balanceaban con las corrientes. En la distancia jugaban unos delfines, e incluso vio unas focas.

Gracias a su dios podía contener la respiración debajo del agua mucho más tiempo que un mortal. Se rió y las burbujas de aire salieron de sus labios, ascendiendo hacia la superficie.

Recordó que, cuando era un muchacho, su madre le contaba historias de las sirenas que vivían en el mar. Incluso entonces había deseado poder vivir en el océano.

Con sirenas o sin ellas, era un mundo completamente diferente del que había en tierra.

Sabía que debía estar ayudando a los demás a reconstruir las cabañas, pero no quería arriesgarse a encontrarse con Isla todavía. Tenía que recuperar el control o se pondría a luchar de nuevo con Ian.

Por mucho que odiara admitirlo, lo que le helaba las venas cuando pensaba en Ian con Isla era el pozo oscuro de los celos. Ese rencor era absurdo, aunque como su madre solía decir: «No puedes controlar los sentimientos, Hayden».

Le gustaría cambiar sus sentimientos sobre ese asunto y, con un poco de soledad y control, podría hacerlo.

Cuando ya no pudo seguir conteniendo la respiración, salió a la superficie. Sacudió la cabeza para apartarse el cabello de los ojos. Ya se sentía mejor. El agua siempre había tenido ese efecto en él.

Y también estar en brazos de Isla.

Maldijo y dio una palmada sobre el agua. Justo cuando pensaba que empezaba a controlar las cosas, pensaba en ella.

Supuso que necesitaba nadar más. Sin embargo, por muy profundo que se sumergiera y por mucho que nadara, la imagen de los ojos azul hielo de Isla y de su cabello largo, liso y negro no lo abandonaba. Como tampoco conseguía olvidar el tacto de su cuerpo y la entrada húmeda de su sexo cuando se había hundido en ella.

Finalmente, se rindió. Aunque lo negara con todas sus fuerzas, no podía borrar sus sentimientos por Isla. Y eran muy intensos.

Ahora que le había hecho mucho daño se daba cuenta de la profundidad de sus sentimientos. No había ninguna disculpa que pudiera anular las cosas que había hecho y dicho.

Y, lo que era peor, temía que ella nunca lo perdonara.

Suspiró y volvió a la orilla. Cuando llegó al escudo de Isla se detuvo en medio. La magia hizo que le hormigueara la piel y sus sentidos, ya de por sí agudizados, parecieron alcanzar nuevas cimas.

Le sorprendía cómo su magia podía afectarlo tanto. Las de Sonya, Cara y Marcail no le producían nada. Por supuesto que las sentía, como cualquier guerrero, pero no como le ocurría con la de Isla.

Entró en el escudo y vio el gran castillo MacLeod. Su grandeza era imponente y, su diseño, asombroso.

La piedra blanca que conformaba el castillo, las cuatro torres, las almenas dentadas y la impresionante puerta de entrada había sido testigo de muchas cosas y, aun así, las piedras permanecían intactas, a pesar de que algunas se estaban desmoronando, esperando a ofrecer refugio a quienes lo buscaran.

Una vez en la orilla giró la cabeza hacia atrás para ver el castillo, que ahora era su hogar. Su familia. Entonces, ¿por qué se sentía como un intruso?

Isla se detuvo con las manos metidas en la tierra del jardín de Cara. Hundió los dedos en el sustrato para removerlo y plantar otra semilla.

No sabía cómo se sentiría al tener a Ian a su lado constantemente, aunque por el momento todo iba bien. A pesar de que él le daba espacio, sabía que siempre estaba cerca, vigilándola. En aquel momento estaba apartado.

Quería preguntarle cómo le iba desde que Deirdre lo había torturado. Era evidente que su gemelo, Duncan, lo estaba pasando bastante mal. Por supuesto, era peor para Duncan porque se había visto incapaz de hacer nada por Ian.

Ella debería haberlo ayudado. Debería haber hecho muchas otras cosas, y había sido una cobarde. Aunque Marcail decía que era fuerte, ella sabía la verdad. Era el miedo lo que le impedía enfrentarse a Deirdre, incluso sabiendo que Grania y Lavena se habían ido para siempre. Aun así, no tenía el valor para liberarse.

Si alguien podría haberle dado la libertad, habría sido Phelan. La odiaba tanto que, si se lo hubiera pedido, le habría cortado la cabeza. Así habría terminado con todo.

Sin embargo, no habría probado la pasión. No habría tenido a Hayden.

Soltó un resoplido. Como si alguna vez lo hubiera tenido. Hayden no era de nadie. Era un solitario y no quería ni necesitaba a nadie. ¿Cómo era posible que ella lo deseara tan desesperadamente?

Se movió hasta el siguiente punto y hundió las manos en la tierra. La magia de su madre había sido mayor cuando estaba cerca de la tierra, como ella ahora.

A Isla siempre le había parecido sorprendente que cada druida encontrara esa conexión especial en distintos lugares con diferentes cosas.

Se había ofrecido a ayudar a Cara para estar fuera de la aldea y así no tener que ver a al guerrero rojo. Todavía no estaba preparada para encontrárselo de nuevo y no estaba segura de si alguna vez lo estaría. Le despertaba sentimientos demasiado profundos y le hacía desear cosas que no podría tener.

Cuando estaba cerca, no podía pensar más que en él. Por su propia cordura, había decidido ir en contra de sus deseos.

Si Ian, Cara o alguna otra persona sospechaba por qué estaba en el jardín, no dijo nada. Y ella les estaba profundamente agradecida.

—Tienes un don natural —le dijo Cara con alegría mientras miraba el trabajo de Isla.

Esta se encogió de hombros y se frotó la mejilla contra el hombro.

—La magia de mi madre era como la tuya. Encontraba mucho placer en la tierra. Pensó que la mía podría también ser así, por eso me llevaba a menudo con ella.

—Desearía que mi madre hubiera vivido para que me hubiera enseñado las maneras de los druidas, al igual que las aprendiste tú.

Isla se sentó en los talones y giró la cara hacia el sol.

—Los hechizos se aprenden, Cara, pero quién eres, la magia que te hace druida, eso siempre ha estado dentro de ti, guiándote. Lo único que tenías que hacer era aprender a escucharla.

—Escucharla cuando no lo hice durante una veintena de años no es tan fácil como crees.

Isla sonrió y la miró.

—Me imagino que no. Sin embargo, estás progresando mucho.

—Tengo buenas profesoras —respondió Cara, y le guiñó un ojo—. Y aprendo rápido.

—Eso es una ventaja. —Isla plantó la última semilla, se levantó y se sacudió las manos.

Cara ladeó la cabeza y la miró pensativamente.

—¿Cuál es la fuente de tu magia, el lugar en el que sientes más poder?

En quinientos años no había encontrado esa fuente. Hasta que se había adentrado en el mar, en el castillo MacLeod. Recordaba ese día con claridad. Su magia se había agudizado y se había sorprendido al sentir que todo parecía estar bien, en calma.

—El mar —respondió—. Es el mar.

—Entonces, tienes suerte de que vivamos cerca —dijo Cara, y sonrió—. Tú no oyes hablar a los árboles, como Sonya, ¿verdad?

Isla negó con la cabeza.

—He oído hablar de druidas que son capaces de hacerlo. El don de Sonya es excepcional.

—Como su capacidad para curar. He llegado a entender lo maravillosos que son los druidas. Y pensar que Deirdre los está matando...

Isla se quitó la tierra de debajo de las uñas de una mano con una uña de la otra.

—Cada druida que Deirdre mata es un druida menos en nuestras filas. Somos una especie en extinción, Cara. Temo que, algún día, no quede ninguno.

—¿Qué hará Deirdre para conseguir poder cuando todos los druidas estén muertos? ¿No los seguirá necesitando?

—Eso mismo le pregunté yo. Pensé que, si se daba cuenta de lo rápido que los estaba matando, permitiría que vivieran algunos más.

Cara arrugó la nariz con desagrado.

—Pero eso no fue lo que ocurrió, ¿verdad?

—No. Deirdre me explicó que su objetivo era asesinar a todos los druidas. Y que yo sería la última en morir.

—¿Por qué? —preguntó Cara, y levantó las manos—. No lo entiendo.

—Si no hay druidas, nadie podrá desafiarla.

Cara puso los ojos en blanco.

—Nadie lo ha hecho hasta el momento. ¿Qué le hace pensar que ocurrirá algún día?

—Los drough son más poderosos en solitario, Cara, pero si un grupo de mie se unen y concentran su poder contra Deirdre, podrían destruirla. O podrían haberlo hecho. Creo que ya ha pasado ese momento.

—Quedamos muy pocos —dijo Cara con tristeza.

—Cuando Deirdre haya consumido la magia de todos los druidas, será imparable.

Ian apoyó un hombro en la pared de la cocina y resopló.

—Y yo que pensaba que ya era imparable, que no podríamos matarla.

Isla miró a Cara y a Ian alternativamente.

—Sin embargo, la hemos frenado. Si se le puede hacer eso, tiene que haber una forma de matarla.

28

Isla esperaba estar en lo cierto. Deirdre tenía más poder de lo que ningún druida habría imaginado nunca. Ni siquiera los drough habían esperado que reuniera una magia negra tan poderosa.

Había visto con sus propios ojos la envidia que otros drough sentían de Deirdre. Tiempo atrás, los drough podrían haberla destruido fácilmente. Sin embargo, su error era que nunca se aliaban con otros druidas. Así que permitieron que el poder de la bruja aumentara.

Los mie habían esperado que los drough se ocuparan de Deirdre y, cuando eso no ocurrió, los mie, que deberían haberse aliado y matarla, decidieron ocultarse.

Isla no podía culpar a ninguno de los dos bandos. Le habría gustado pensar que habría sido capaz de enfrentarse a Deirdre, pero en el pasado no lo había conseguido.

Ian y Cara siguieron hablando de los otros druidas; ella, sin embargo, vio algo mucho más interesante emergiendo del mar.

Fue hacia el borde de los acantilados y el camino que llevaba a la playa. Tenía la mirada fija en Hayden. Se le secó la boca y el corazón se le aceleró al ver su cuerpo impresionante, sus duros músculos, la piel bronceada.

Era perfecto, absolutamente bello. El hombre que cualquier mujer querría tener en su cama. Ella había sentido su boca y sus manos sobre la piel, sabía cómo la enardecían.

Había tenido su verga en las manos, había sentido cómo la llenaba, conocía la felicidad de tenerlo empujando dentro de ella. Había acariciado sus músculos, había sentido cómo se flexionaban bajo sus manos, sabía qué lugares de su cuerpo hacían que se rindiera.

Inspiró bruscamente y los pezones se le endurecieron al pensar en Hayden. Cruzó los brazos sobre la cintura y lo observó mientras él se sacudía el agua del cabello rubio.

Estaba desnudo sin mostrar ningún reparo. Ella se lo estaba bebiendo con la mirada ávidamente.

—El deseo que se refleja en tu cara me dice que, definitivamente, hay algo entre Hayden y tú.

Isla se tensó cuando Ian se puso a su lado. Lo miró y vio que le estaba dando vueltas a una brizna de hierba entre los dientes. Pensó en volver a mentirle, aunque no lo hizo. No le serviría de nada.

—No lo conozco bien —continuó diciendo Ian—. Lo que sí sé de él es que con frecuencia reacciona antes de pensar. Es el tipo de hombre que uno quiere que esté a su lado en la batalla porque nunca dejaría a un amigo atrás.

—Sí, lo es.

—Y, como le ocurre a cualquier guerrero, su pasado lo ha marcado. Por eso actúa como lo hace y prefiere estar solo.

Isla lo miró con asombro.

—¿Lo estás defendiendo?

Ian hizo una mueca.

—No. Pero creo que lo que dijo el otro día en el salón pudo ser un arrebato.

—No fue así.

Sin embargo, quería creer que sí. Cuanto más miraba a Hayden en la playa, más le dolía el corazón. Él se puso la camisa azafrán por encima de la cabeza y alargó la mano para coger el tartán.

—El odio de Hayden por los drough es muy profundo. Tiene todo el derecho a despreciarnos porque fueron drough los que mataron a su familia.

Ian se encogió de hombros.

—No creo que debas hablar de ti como una drough. Luchaste contra el mal que había en ti y ganaste.

Se giró para mirar a Ian. No se veía capaz de seguir observando a Hayden sin sentir que se le abría un agujero en el pecho.

—Soy lo que soy, Ian. Nada puede cambiarlo, por mucho que lo desee.

—Sonya cogió tu Beso del Demonio y nunca pediste que se te devolviera.

—¿Qué demuestra eso? —preguntó, frustrada—. De todas formas, estaba vacío.

Ian apretó la mandíbula y resopló por la nariz.

—¿Quieres que te tratemos como a una drough? ¿Quieres que pensemos que es mentira todo lo que dices?

—Lo que yo quiera no tiene importancia. La verdad es que soy una drough.

—Si lo fueras realmente, el mal se habría apoderado de ti hace siglos. ¿Puedes negar eso?

Isla suspiró. No sabía por qué estaba discutiendo con Ian. No quería ser una drough y, por supuesto, no deseaba que los demás la vieran como tal.

Sin embargo, lo era, y las cicatrices de sus muñecas demostraban que se había sometido a la ceremonia.

—¿Has matado gente? —le preguntó Ian.

Isla frunció el ceño y lo miró a los ojos, de color castaño claro.

—Ya sabes que sí.

—No. ¿Has matado tú a alguien? No estoy hablando de mientras estabas bajo el control de Deirdre, sino de que tú tomaras la decisión, cogieras un arma y terminaras con la vida de otra persona.

Ella tragó saliva y pensó en su sobrina.

—No.

—Pues yo sí. He matado a mucha gente. No importa que fueran guerreros y que estuviéramos en plena batalla. En primer lugar, eran hombres, y yo terminé con sus vidas. Vi cómo la vida se escapaba de sus cuerpos.

Isla sacudió la cabeza y sonrió. No podía ganar contra ese argumento. Dijera lo que dijera, Ian tendría algo con lo que defenderla. Eso era algo que haría un amigo o un miembro de la familia, no un extraño que apenas la conocía.

Se rascó la mejilla. La desconcertaba que Ian llegara a tales extremos.

—¿Por qué te importa lo que yo piense de mí misma?

Ian alargó una mano y le pasó con suavidad el pulgar por el punto de la mejilla en el que ella se había rascado.

—Porque eres muy valiosa para este clan, y te necesitamos. Si confías en ti misma y en tu magia, tengo la sensación de que a Deirdre le costará más apoderarse de ti.

—¿Interrumpo algo?

A Isla le dio un vuelco el corazón al escuchar la voz de Hayden detrás de ella. Ian miró por encima de ella, con una sonrisa traviesa en los labios.

—En absoluto —respondió—. Isla tenía un poco de tierra en la cara. Solo se la estaba limpiando.

Hayden tenía ganas de tirar a Ian por los acantilados. La forma en la que había puesto la mano en el rostro de Isla, acariciándola como si fuera un amante, había hecho que sintiera una ráfaga de furia y de celos.

A pesar de que se había dicho a sí mismo que debía pasar de largo y darse la vuelta o subir a lo alto de los acantilados, no había podido hacerlo.

La mujer se giró para mirarlo. Todavía tenía la mancha de tierra en la mejilla izquierda. Hayden bajó la vista y vio que también tenía tierra en las uñas y en las manos.

Isla llevaba el cabello recogido en una gruesa trenza y algunos mechones que se le habían escapado se movían con la brisa marina y revoloteaban alrededor de su cara y hacia los ojos. Hayden deseaba presionarla contra él, resguardarla del viento y tomar sus labios en un beso.

Lo deseaba con tanta desesperación que dio un paso hacia ella. Y si Ian no hubiera estado allí, lo habría hecho.

—¿Has disfrutado del baño? —le preguntó Ian.

Hayden se obligó a dejar de mirar a Isla para centrarse en el guerrero.

—Sí.

Se hizo el silencio entre los tres. Hayden no quería marcharse, pero no sabía qué decirle a Isla, sobre todo con Ian allí. Era evidente que entre ellos dos había algo.

Le molestó mucho pensar que Isla no había tardado en reemplazarlo por otro en su cama.

Tú fuiste quien la rechazó.

Por lo menos, podría haber esperado unos días. Ni siquiera había esperado una noche, y eso lo sacaba de quicio.

Sintió la punta de los colmillos en la lengua, un signo de que su furia había aumentado y de que su dios se estaba liberando.

Fue Isla la que rompió el silencio. Dio un paso hacia él. El enfado brillaba en sus ojos azul hielo.

—Contrólate, Hayden. Estás mucho más cerca del límite de lo que crees. Los MacLeod te necesitan. Todas las personas inocentes de este mundo necesitan que luches contra Deirdre. No podrás ayudar a nadie si cedes ante tu dios.

Él estaba tan sorprendido por la furia de Isla que solo pudo quedarse mirándola. Pestañeó al ver que ella giraba sobre sus talones y se alejaba.

Ian se frotó la mandíbula y miró a Hayden.

—Tiene razón. Te necesitamos. Ni tú ni ella podéis negar lo que hay entre vosotros, aunque es evidente para todos.

—También es evidente que ella ahora te presta atención a ti. —En cuanto lo hubo dicho, se arrepintió de sus palabras. No era culpa de Ian. Isla era una mujer hermosa y atractiva y, si se fijaba en un hombre, a este le costaría rechazarla.

Ian miró a Hayden de arriba abajo. Sus rasgos se habían endurecido.

—No sabes nada. Estás ciego a todo, Hayden, y eso será tu perdición.

Hayden esperó hasta que Ian se hubo marchado detrás de Isla y se pasó una mano por la cara. Su vida era muy complicada, y lo odiaba. Prefería la sencillez de épocas pasadas.

Observó la espalda de Isla hasta que esta dobló una esquina y desapareció de su vista. Ian estaba justo detrás de ella y acortaba la distancia a grandes zancadas.

Ahora, cada vez que veía a Isla, Ian estaba con ella. No se ocultaba entre las sombras como él había hecho. Se mantenía a su lado, sin importarle lo que los demás pensaran.

Tal vez él debería haber hecho lo mismo. Resopló. Ese no era su estilo. Nadie tenía por qué saber lo que él hacía.

Deseó una vez más que Logan estuviera allí. En esa situación Logan diría algo inteligente, algo que le haría reír y olvidarse de sus preocupaciones.

Sin embargo, su amigo no estaba allí y los recuerdos de Isla seguirían atormentándolo.

〜❧✶❧〜

29

Dunmore tiró de las riendas para detener a su caballo. Aunque le había llevado más tiempo de lo que le habría gustado, por fin había encontrado al hombre que estaba buscando. Peter era una de esas personas en las que confiaban los demás. Tal vez era por su cara agradable o por su forma de ser, afable, pero la gente le contaba cosas, cosas secretas.

En el pasado, Peter había estado más que dispuesto a compartir esa información con él. Por un precio. Todo el mundo tenía un precio, y Dunmore había descubierto fácilmente el de Peter.

Si existía alguien que supiera dónde había más druidas, ese era él.

Descendió de su montura y miró alrededor. Los wyrran se mantenían ocultos, esperando a que los llamara. Se centró en la cabaña pequeña y destartalada y levantó el labio superior con asco. O a Peter lo habían echado de la aldea o estaba huyendo de algo. Dunmore se rió entre dientes. Lo más probable era que estuviera huyendo de él; si era así, no le había servido de nada.

El herrero de la aldea que estaba a unas veinte leguas de distancia le había dicho cuál era el lugar. Dunmore había conseguido lo que quería, a pesar de que había tenido que romper algunos dedos y una nariz.

—Peter, sal —dijo—. Sé que estás ahí dentro. Seguro que no quieres que entre por ti.

Un momento después, la puerta se abrió con un crujido y el hombre asomó la cabeza. Tenía el cabello castaño claro enmarañado y apelmazado alrededor de la cara. Estaba delgado, bastante más de lo normal, como si no hubiera hecho una comida decente en semanas. O incluso en meses.

—¿Dunmore? —dijo Peter en voz baja. Escudriñó los alrededores con una mirada demencial.

Dunmore se llevó las manos a las caderas.

—¿De qué tienes tanto miedo?

—Algunas personas de la aldea descubrieron lo que te estaba contando. No les gustó mucho y me desterraron.

—¿Y la moneda que te di?

Peter se encogió de hombros y abrió un poco más la puerta. No salió fuera, pero se enderezó totalmente.

—La perdí cuando luchaba para intentar salvar la vida.

—Ya suponía que la gente no tardaría mucho en descubrir que no eras la persona bondadosa que pretendías ser. ¿Y a ellos qué les importa que me hablaras de los druidas?

Peter cruzó los brazos sobre el pecho y se estremeció.

—Yo... no lo sabía hasta que me lo dijeron.

—¿Qué te dijeron? —preguntó Dunmore, y dio un paso amenazador hacia él. Algo no iba bien, pero no le importaban los problemas de Peter. Lo único que quería eran algunas respuestas para encontrar un druida y llevárselo a Deirdre.

—Hubo un tiempo en el que mi aldea era frecuentada por druidas —dijo Peter en voz baja. Se limpió la nariz y soltó el aire lentamente—. Solían venir con frecuencia y curaban a los enfermos. También ayudaban a que las cosechas crecieran durante los años malos.

—¿Y?

—Cuanta más información te daba acerca de los druidas, menos venían. Los enfermos seguían enfermos. Las malas cosechas no mejoraban. La aldea pasó de ser próspera a morirse en cuestión de décadas.

Dunmore se rió y dejó caer las manos a los costados.

—Justo lo que quería oír. Estabas cumpliendo con tu deber, Peter. Y fuiste recompensado espléndidamente.

Peter bajó la mirada y se dio la vuelta. Dunmore no era ningún tonto. Había ocurrido algo más.

—Necesito que me digas dónde hay al menos un druida, Peter. Esta vez, te llevaré conmigo como recompensa. Podrás vivir en la montaña con nosotros y regocijarte con nuestras victorias. No pasarás más hambre ni frío por las noches.

Peter sacudió la cabeza con tanta violencia que casi se le cayó.

—No. No puedo.

—¿No puedes o no quieres? —preguntó Dunmore—. Antes estabas deseando hacerlo. ¿Y qué si te han echado de la aldea? Yo te daré todo aquello con lo que sueñas.

Peter entró en la cabaña y cerró de un portazo.

—¡Me matarán! —gritó desde el otro lado de la puerta de madera—. Los druidas me salvaron cuando era un niño de una fiebre que se llevó a dos de mis hermanos. Me salvaron y yo los traicioné.

—Lo que desde luego no te conviene ahora es traicionarme a mí, Peter. —Dunmore apretó los dientes. Tendría que conseguir información de otra persona. Tampoco le importaba; siempre había sentido placer con el dolor de los demás.

—¡Vete! —chilló el hombre—. No te voy a contar nada más.

Dunmore se acercó a la cabaña. Abrió la puerta de una patada y atravesó el umbral. Abarcó la pequeña estancia de una ojeada. Apestaba a orina y a algo podrido.

Peter estaba hecho un ovillo en un rincón, temblando. Lo agarró del cuello de la camisa y tiró de él. A pesar de que era alto, no pesaba nada, así que le resultó fácil sacarlo al exterior.

Lo lanzó al suelo y sonrió cuando lo oyó quejarse y vio que se acurrucaba.

—Esto es solo el principio. Ya me has visto golpear a otras personas hasta matarlas. No creas que contigo va a ser diferente.

—Lo que me hagas no será nada comparado con lo que me harán los otros.

Dunmore se estaba cansando de aquello.

—¿Qué otros? ¿Los druidas? Están intentando sobrevivir, Peter, no tienen tiempo de preocuparse de tu cuerpo apestoso.

—No. Siempre me están vigilando.

Dunmore hizo un gesto con la mano para decirles a los wyrran que echaran un vistazo por los alrededores y que le llevaran a cualquier persona que encontraran. Si había alguien por allí, los wyrran lo encontrarían. Hasta entonces, obtendría de Peter lo que necesitaba.

Una hora después Peter estaba muerto. Dunmore maldijo y le dio una patada en el estómago. El pobre hombre estaba tan mal alimentado que con el primer puñetazo se le habían roto las costillas. No importó lo que le dijera o le prometiera; no le contó nada.

Dunmore gruñó, enojado. No decepcionaría a Deirdre ahora, no cuando ella lo necesitaba.

Los wyrran regresaron. Sus grandes ojos amarillos lo miraban con seriedad. Traían las manos vacías.

Peter se había aterrorizado por nada. Y él no tenía la localización de un druida.

Agarró las riendas de su caballo y montó. No tenía tiempo que perder. Regresaría a todos los lugares en los que había encontrado druidas antes. Por lo menos tendría que quedar uno lo suficientemente necio como para pensar que estaba a salvo.

Se alejó con los wyrran detrás de él, sin darse cuenta de que un halcón lo vigilaba desde el cielo.

———

Hayden sintió furia al ver que Ian e Isla entraban en el gran salón hablando animadamente. Una vez más Isla dijo algo que hizo reír a Ian, y eso solo sirvió para aumentar su ira.

Él había sido quien había despertado la pasión de Isla. Había sido el primero en probar su asombroso cuerpo. Y, sin embargo, ella nunca había intentado hacerlo sonreír.

Nunca le diste razón para hacerlo.

Hayden gruñó y odió su conciencia.

—Si las miradas mataran... —murmuró Camdyn a su lado.

Hayden levantó la mirada hacia el guerrero.

—¿Qué se supone que quiere decir eso?

—Quiere decir exactamente lo que ha dicho —intervino Malcolm.

Hayden miró al único hombre mortal que había en el castillo MacLeod. Respetaba a Malcolm por arriesgar su vida por la causa, pero no le gustaba que nadie metiera las narices en sus asuntos.

Duncan sonrió. Era evidente que estaba disfrutando con la angustia de Hayden.

—¿Tienes envidia de mi hermano, Hayden? Nunca pensaría que podrías apartarte de esa drough tan rápido.

—Ella tiene un nombre —gruñó.

Duncan soltó un bufido burlonamente.

—¿Por qué te preocupas por ella?

Hayden se levantó cuando Ian se acercó a su hermano. Sabía que no podía quedarse sentado frente a él sin darle un puñetazo. Olía a Isla, a nieve y pensamientos silvestres, y eso le hacía hervir la sangre.

Salió del gran salón sin mirar atrás. Comería más tarde, cuando los otros hubieran terminado de cenar. Además, alguien tenía que vigilar el castillo.

Se instaló en las almenas, cerca de uno de los dientes que se estaba desmoronando, e intentó aclararse los pensamientos. Fallon había quitado a la mayoría de los guardias que estaban de vigilancia rotativa, y ahora solo quedaban unos pocos. Gracias al escudo de Isla podían hacer otras cosas además de vigilar.

Levantó la mirada hacia el cielo, lleno de tonos vibrantes de naranja, púrpura y bronce mientras el sol se ponía. Algunos puntos de luz empezaron a aparecer en el cielo ensombrecido cuando la luna salió y ocupó su lugar en las alturas.

Era su hora preferida del día. El mundo se iba a dormir mientras otro mundo diferente se despertaba. Había un momento después de que el sol se pusiera y antes de que se extendiera la noche en el que todo era gris y tranquilo.

A pesar de que solía ser un momento de paz, Hayden no podía pensar en otra cosa que no fuera Isla y en la confusión que reinaba ahora en su vida.

¿Cómo podía desear tan ferozmente a alguien que era todo lo que él odiaba? No era justo que el destino le hiciera eso cuando él estaba haciendo todo lo que podía para impedir que el mal se adueñara del mundo.

Tal vez fuera un castigo por matar a tantos drough. Aunque no los había asesinado, les había dado la oportunidad de derrotarlo y, con su magia, algunos casi lo habían conseguido. Había sido su necesidad de venganza lo que le había hecho seguir.

¿Cuántos años había pasado recorriendo Escocia en busca de drough? Ni siquiera se había detenido a pensar si tenían familia. Lo único que le había importado era que albergaban el mal.

Al mirar atrás se preguntó si había hecho lo correcto. ¿Y si hubiera matado a Isla en una de las numerosas ocasiones en las que arrasó con todos los que se cruzaron en su camino? Nunca habría conocido el sabor de su cuerpo exuberante y de sus tentadores labios. Y en ese momento no tendría las emociones hechas un nudo.

Se giró y levantó la cabeza hacia la torre de Isla. Vería luz en su ventana cuando encendiera la vela. Pretendía tener unas palabras con ella.

Si no hubiera sentido su himen, habría pensado que mentía sobre estar con otros hombres. Sin embargo, había roto la barrera y había visto la sangre con sus propios ojos.

Tú la has tomado. Es tuya, puedes hacer con ella lo que quieras.

Sabía que eso no era verdad, pero seguía deseando hacerle frente, reclamar su cuerpo una vez más, aunque no fuera lo correcto. Nunca había tenido necesidad de tomar a una mujer a pesar de las consecuencias, a pesar de quién era ella. Eso lo inquietaba, aunque su ansia por ella eclipsaba todo lo demás.

La puerta del castillo al abrirse captó su atención y vio que Fallon, Lucan y Quinn entraban en el patio interior. Se detuvieron en el centro, mirándose los unos a los otros con caras serias y solemnes.

—Mañana iré de caza —dijo Quinn.

Fallon asintió.

—Llévate a Duncan. Creo que necesita salir un poco.

—Estoy de acuerdo. Su furia por lo que le pasó a Ian no ha disminuido, como yo esperaba que hiciera. Solo han pasado unos días, pero estoy preocupado.

—Habla con él —dijo Lucan—. Y que Ian también hable con él. Lo último que necesitamos es tener a dos guerreros al límite.

Fallon cruzó los brazos sobre el pecho y cambió el peso del cuerpo de un pie al otro.

—Estoy de acuerdo en que Hayden siempre ha sido un poco exagerado en la batalla, todos lo somos. El hecho de que se haya enfadado con Ian no quiere decir nada.

—Por supuesto que sí —replicó Quinn con cansancio.

—El problema de Hayden es Isla. Todos lo sabemos. —Lucan miró a Fallon y a Quinn.

Fallon elevó un hombro con indiferencia.

—Si Isla tiene razón, no será un problema durante mucho más tiempo.

—Ah, no empieces —dijo Quinn, y se pasó una mano por el cabello oscuro—. Marcail no habla de otra cosa. No le gustó que accediéramos a lo que Isla nos pidió. Piensa que tiene que haber otra manera.

—Si hubiera otra manera, Isla la habría descubierto —señaló Lucan.

Fallon levantó una mano cuando Quinn empezó a hablar.

—No estás diciendo nada que no le hayamos dicho ya a Isla, Quinn. Nos pidió nuestra palabra y se la dimos. Lo único que podemos hacer es rezar para que Deirdre siga debilitada y Logan y Galen encuentren el artefacto.

—Y que sirva para romper el vínculo con Deirdre —añadió Quinn.

Lucan suspiró.

—Sí. No me extraña que Isla se sienta como si todo estuviera en su contra. Porque es así.

—Por lo menos Ian está resultando ser alguien con quien ella puede hablar —dijo Fallon—. Necesita alguien en quien apoyarse, aunque no se dé cuenta de que eso es lo que está haciendo.

—Marcail eligió bien —dijo Lucan, y sonrió a sus hermanos.

Quinn se volvió hacia el castillo.

—Hablando de mi mujer, dijo que Isla había hecho más tortas. Parece que Marcail es muy golosa.

Fallon le dio a Quinn una palmada en la espalda mientras se dirigían a los escalones del castillo.

—Lo que tú quieres es asegurarte una ración antes de que Marcail se las coma todas.

—Creo que le va a hacer sudar tinta a Galen para que se gane la comida —dijo Lucan riéndose, y entraron al castillo.

Hayden dejó escapar un bufido e intentó asimilar toda la información que había escuchado. ¿Qué les había hecho prometer Isla a los hermanos? Temía saberlo, y no pensaba permitir que nadie le cortara la cabeza.

Le pareció que pasaba una eternidad antes de ver que la luz parpadeaba en la ventana de Isla. No dudó en liberar a su dios y saltar hacia aquel lado del castillo. Escaló hasta la torre y se acercó a la ventana.

Se detuvo y agradeció poder observarla sin que ella se diera cuenta. Parecía abatida y exhausta. Y sola.

Dejó de preocuparse por lo que sentía cada vez que la veía o pensaba en ella. No podía hacer nada para evitarlo. Podía intentar luchar contra sus sentimientos, pero pararlos había resultado inútil.

Entonces ella se giró y lo vio.

—No estoy de humor, Hayden. Por favor, vete.

Él ignoró sus palabras y saltó al interior desde la ventana. Aterrizó suavemente.

—¿Qué les has pedido a los MacLeod?

Ella puso los ojos en blanco y empezó a soltarse el cabello.

—No es asunto tuyo. Por favor, márchate.

—No hasta que me digas lo que quiero saber.

—Entonces, vas a esperar mucho tiempo.

Hayden sintió que lo invadía la irritación. Le había hecho una pregunta muy sencilla. ¿Por qué no podía contestar?

—Quieres que te maten, ¿verdad?

Ella levantó un hombro con desgana.

—¿Qué importa?

—Sí que importa.

Isla lo miró y entornó los ojos.

—¿Es eso? Resulta que recuerdo bastante bien que dijiste que no soportabas estar cerca de mí. Delante de todos, en el gran salón. Lo que haga con mi vida no es asunto tuyo.

—Dímelo. Por favor.

Odiaba rogarle, pero la necesidad de saber lo que les había pedido a los MacLeod lo estaba volviendo loco.

—Oh. —Ella despotricó y levantó las manos—. De acuerdo, Hayden. Sí, les hice prometer a los MacLeod que me cortarían la cabeza.

—¿Por qué?

—¿Preferirías ser tú quien me matara? Estoy segura de que no les importaría si lo hicieras por ellos. Sabrás cuándo Deirdre tiene el control sobre mí, así que no dudes en cumplir con tu obligación.

—¡Ya basta! —bramó. La miró con la mandíbula apretada mientras luchaba contra la rabia que crecía en su interior. Estaba furioso con ella por haber recurrido a los MacLeod—. No quiero decir eso, y lo sabes. Ahora, dime por qué, Isla.

Ella dejó escapar el aire y lo miró.

—Porque ya no quiero seguir viviendo así. Cuando Deirdre me encuentre, debo morir rápidamente, antes de que me obligue a hacerle daño a alguien.

—¿De verdad lo deseas?

—¿Que si quiero morir? No, y tampoco quiero vivir con el miedo constante a herir a mis amigos.

Eso hizo que Hayden se acordara de Ian y de cuál había sido el motivo principal de ir a verla. Pensar que Isla ahora compartía su cama con Ian le daba náuseas.

—Supongo que eso incluye a Ian.

—Así es —respondió sin dudar.

—No has tardado mucho en sustituirme en tu cama, ¿verdad?

Ella abrió mucho sus ojos azul hielo por la sorpresa y después por el enfado. Avanzó dos pasos y lo abofeteó.

Hayden no se lo esperaba. Le picaba la mejilla y sabía que, si se miraba en un espejo, vería la marca de la mano. Giró la cabeza para decirle cuatro cosas en el mismo momento en que ella levantaba la mano para golpearlo de nuevo.

Él la agarró antes de que pudiera hacerlo por segunda vez. Para su sorpresa, Isla levantó la otra, y la cogió también fácilmente.

—No ha sido una buena idea, Isla —gruñó entre dientes mientras la empujaba contra la pared, hasta que quedó atrapada.

—Eres un necio, Hayden.

—Puede ser, pero yo les doy a mis amantes un día antes de meter a otra persona en mi cama.

—No sabes nada. Nada. Solo especulas y supones.

—Sé lo que he visto.

El pecho de Isla subía y bajaba con cada respiración profunda y sentía oleadas de ira. Sus hermosos ojos azul hielo eran glaciales y duros y parecía lanzarle puñales con la mirada.

Entonces Hayden se dio cuenta de lo cerca que estaba de ella. Podía sentir su calor, su suavidad y la pasión que se enroscaba en su interior.

Y eso fue su perdición.

Intentó apartar la mirada de sus ojos. Lo único que le impedía besarla era la furia de Isla. No pensaba volver a cometer ese error y dejarse atrapar por su cuerpo, olvidándolo todo y a todos.

30

Isla no podía creer que Hayden pensara que Ian era su amante. Nunca antes se había atrevido a abofetear a alguien. Sin embargo, en cuanto su mano le tocó la cara, la necesidad de golpearlo de nuevo había sido irresistible.

Algo dentro de ella se había liberado, la furia que había ido creciendo.

Aun así, Hayden había sido muy rápido. Le había agarrado las dos muñecas y la había atrapado contra la pared. Tenía la fría piedra a la espalda y su cuerpo caliente al frente.

Su indignación tardó solo un segundo en convertirse en deseo abrasador. Aunque no quería sentir nada por Hayden, especialmente después de lo mucho que la había humillado, su cuerpo se negaba a escucharla.

El rostro de Hayden estaba a unos centímetros del suyo. Miró sus indescifrables profundidades negras y supo que era suya y que resistirse solo le causaría más dolor. No había escapatoria, y no estaba segura de querer escapar.

Sí, él le había hecho daño. Mucho. Pero la hacía sentirse viva cada vez que estaba cerca y eso era hermoso como un sueño hecho realidad.

Era algo que Isla nunca había imaginado experimentar y ahí estaba, justo delante de ella. ¿Podría... debería alejarse?

En ese momento, Hayden pareció entender que algo había cambiado. Le escudriñó el rostro y se inclinó hacia delante como si fuera a besarla. Sin embargo, de repente se apartó.

Isla lo deseaba, incluso con toda la desconfianza y la furia que eran propias de él. Sin pensárselo dos veces, se puso de puntillas y posó los labios sobre los suyos.

Él se quedó inmóvil. Isla lo volvió a besar y esa vez Hayden salió de su estupor. Comenzó a devorarla ávidamente con un beso que la dejó sin aliento y deseosa de mucho más.

Los labios del guerrero eran firmes y suaves a la vez, exigentes y delicados. Le introdujo la lengua en la boca y le robó el aliento... y el alma. El beso era apremiante, seductor y lleno de pasión.

A ella no se le ocurrió no entregarse completamente a cambio. Abrió el cuerpo, abrió el corazón y se sumergió en la pasión tentadora que sabía que la esperaba en los brazos de ese hombre.

Quería rodearle el cuello con los brazos, sentir la suavidad de su cabello sedoso en los dedos, pero él todavía la tenía agarrada de las muñecas. Aprisionada, atrapada por su sólido cuerpo.

Al sentir su verga caliente y dura contra el estómago se estremeció de excitación. La sangre se le convirtió en fuego y el calor se le instaló entre las piernas, palpitante e insistente.

Él aplanó las manos contra sus palmas durante un instante y luego entrelazó los dedos con los suyos, conectándolos, uniéndolos al nivel más básico.

Isla no pudo evitar sentir que un hilo invisible los ataba, fusionándolos de forma que solo ellos pudieran saberlo.

Hayden emitió un gemido profundo y apretó el cuerpo contra ella. Isla deseaba volver a coger su erección entre las manos, sentir la fuerza férrea de su pene mientras le daba placer. Quería tomarlo en la boca hasta el final, hasta que gritara su nombre.

Él le pasó las manos por los brazos, por los costados y por la espalda, apretándola fuertemente contra su pecho mientras los apartaba a ambos de la pared. La inclinó sobre uno de sus brazos y trazó con la boca un sendero húmedo y caliente desde su mandíbula hasta el cuello.

Al momento siguiente, Isla se encontró tumbada de espaldas en la cama. No dejaban de mirarse. Los ojos negros de Hayden la observaban con una mezcla de deseo y asombro. Incapaz de detenerse, Isla le pasó el pulgar por los labios.

Él giró la cabeza hacia su mano y le besó la palma con una delicadeza dolorosa, con tierna suavidad.

El anhelo que ella vio en sus ojos hizo que el corazón se le subiera a la garganta. ¿Cómo era posible que alguien que la odiaba tanto la deseara con tanta desesperación? No lo comprendía y, en ese momento, tampoco le importaba.

La hacía sentirse adorada, apreciada, hermosa. Salvaje y renacida. Erótica y excitada.

En cuanto él alargó la mano hacia el cierre que le sujetaba el tartán, Isla saltó de la cama y empezó a quitarse la ropa a tirones. Ninguno de los dos parecía hacerlo suficientemente rápido. Ella oyó el sonido de la tela al desgarrarse y supo que tendría que arreglarse el vestido; no le importó.

El tacto de la mano de Hayden en la espalda le hacía sentir escalofríos. Él le apartó el cabello y le besó un hombro. Isla se estremeció cuando Hayden le pasó los dedos por las cicatrices.

El corazón le dio un vuelco. Su espalda era repulsiva, horrible. No sabía si podría soportar que él la mirara como lo estaba haciendo. Sin embargo, no podía moverse.

—Eres hermosa.

Se le llenaron los ojos de lágrimas. Nadie aparte de su padre le había dicho que era guapa. Oírlo de labios de Hayden la llenaba de emociones primitivas e intensas que la dejaban desprotegida, temerosa.

Se giró para mirarlo, sin importarle si le veía las lágrimas. Él se dejó caer en la cama y ella se arrodilló delante. Le cogió la cara con las dos manos e intentó comunicarle cuánto significaban para ella esas palabras.

No tenía experiencia con lo que estaba sintiendo y no estaba segura de si debía decir algo o guardárselo para sí y pensar en todo después, en la quietud de sus sueños.

Hayden decidió por ella cuando la besó de nuevo levemente, con mucha suavidad al principio, y luego el fuego se apoderó de los dos. El beso se hizo más profundo y los arrojó a ambos a las llamas de la pasión. Él lo exigía todo de Isla y ella se lo ofrecía ávidamente.

Las manos de Hayden estaban por todas partes. La incitaba, la acariciaba, la tentaba. Cada vez que la tocaba Isla deseaba más, mucho más.

La tumbó en la cama y se sentó a horcajadas sobre sus caderas. Su melena de mechones dorados le enmarcaba el rostro, que reflejaba un deseo tan fiero y tan abrasador que ella se quedó sin respiración.

Hayden le acarició la mandíbula y el cuello, separó los dedos y le deslizó la mano hacia abajo, entre los pechos, hasta llegar al estómago.

Isla tembló con un deseo tan grande que pensó que nunca podría saciarlo. Hayden se inclinó hacia delante y le cubrió el cuerpo con el suyo. A ella le encantaba sentirlo encima, adoraba sentir su piel moviéndose contra la suya.

Le acarició los hombros y el cuello y hundió los dedos en su cabello, fresco y limpio. Se agarró a él con fuerza mientras Hayden comenzaba a tejer su seductora pasión en torno a ella.

Hayden le tomó un pecho con cada mano, sonrió traviesamente y se metió un pezón en la boca. Isla ahogó un grito al sentir que él succionaba y después lo mordisqueaba.

Intentó mirarlo, pero estaba perdida en una oleada de pasión tan misteriosa y prometedora como los ojos de Hayden, negros como la noche. El deseo hizo que la sangre se le fundiera y sintió que la impaciencia le recorría todo el cuerpo.

Él echó hacia atrás los labios e Isla pudo ver su propio pezón entre los dientes de Hayden. Tiraba suavemente de él y ejercía la presión exacta para que el placer se extendiera por todo su cuerpo, centrándose en el sexo y haciendo que latiera de ansiedad por sentir a Hayden dentro de ella, moviéndose y llenándola.

Con Isla, Hayden siempre quería más. Nunca nada era suficiente. No podía besarla lo suficiente, acariciarla lo suficiente ni desearla lo suficiente. Nunca podía terminar de conocer su cuerpo, darle suficiente placer ni reclamarla lo suficiente.

Le encantaba ver las diferentes emociones que se reflejaban en su rostro mientras la acariciaba. Isla era tan receptiva a la más pequeña de sus caricias que podía descubrir fácilmente qué le gustaba más.

Quería pasarse horas dándose un festín con sus pechos. Sin embargo, cuando Isla metió la mano entre ellos y le acarició el pene palpitante, no pudo esperar ni un segundo más para estar dentro de ella.

Se puso encima con una mano a cada lado de su cabeza. Dejó que ella lo guiara hacia su abertura y sintió la humedad resbaladiza, el calor embriagador del deseo que Isla sentía por él. Estaba más que preparada y él no podía esperar ni un momento.

En cuanto la punta de su verga estuvo dentro de Isla, empujó con las caderas, rápido y fuerte, hundiéndose profundamente. Sentir su paredes calientes y ceñidas en torno a él era una sensación maravillosa y sorprendente.

No quería pensar más en lo que Isla era. No quería recordar otra vez a su familia muerta. Lo único que deseaba, que ansiaba, era la mujer que tenía entre los brazos.

Cuando ella le envolvió la cintura con las piernas y entrelazó los tobillos, la necesidad de Hayden aumentó. Quería mantener un ritmo lento para prolongar aquella exquisita tortura, pero Isla no deseaba nada de eso.

Así que igualó sus movimientos con embestidas fuertes y profundas que la llenaban y la ensanchaban cada vez más. Hayden sintió que Isla se tensaba, que su deseo crecía rápidamente, y supo que estaba muy cerca.

Movía las caderas con rapidez. Quería adentrarse aún más profundamente en ella y darle el mismo placer y el mismo éxtasis que Isla le otorgaba.

—¡Hayden! —gritó Isla, y le clavó las uñas en la espalda. Arqueó la espalda y echó la cabeza hacia atrás al llegar al clímax.

Hayden la observó con asombro cuando Isla tembló debajo de él al dejarse llevar por el placer. Y cuando sus sorprendentes ojos azul hielo se abrieron y se centraron en él, en su mirada vio placer, sí, y también algo más profundo, más hondo.

Antes de que pudiera preguntarse qué era, alcanzó su propio orgasmo. Ella le acarició la espalda mientras se hundía en su interior una vez más y se abandonaba al clímax.

Le temblaron los brazos cuando intentó sostenerse. El placer era tan intenso, tan increíble, que supo que nunca volvería a ser el mismo.

Se permitió perderse en los ojos de Isla, preguntándose qué acababa de pasar y temiendo preguntarlo. Bajó la frente hasta apoyarla en la suya y compartieron una sonrisa de satisfacción. Ella no dejaba de acariciarlo.

Poco tiempo después, Hayden sintió que le costaba mantener los ojos abiertos. Rodó hasta quedarse de espaldas, tirando a la vez de Isla. No se preguntó por qué necesitaba tenerla cerca, simplemente se rindió a ello, como había hecho durante la noche. Ella se acurrucó en el hueco de su brazo, con la cabeza apoyada en su pecho y una mano sobre su corazón.

Sus cuerpos encajaban perfectamente, como si Isla estuviera hecha para él.

Lo último que Hayden pensó antes de quedarse dormido fue en lo bien que se sentía junto a ella.

Isla se despertó cuando la luz del alba ya se colaba por la ventana. Estaba sobre un costado, mirando hacia el lado en el que había estado Hayden. Ese lado ahora estaba vacío. Intentó que su ausencia no arruinara el brillo de la noche tan asombrosa que habían compartido, pero era difícil. Lo único que quedaba de él era una oquedad en la almohada, donde había estado su cabeza.

Se sintió decepcionada. Había pensado que Hayden se quedaría toda la noche; sin embargo, debería haber sabido que no sería así. Pasó una mano por la almohada y se preguntó cuándo se habría marchado.

¿Cómo se comportaría cuando lo viera más tarde? ¿Volvería a mostrarse desdeñoso? Se sentó y sujetó las sábanas contra el pecho. Entonces vio que Hayden estaba sentado en la silla, observándola.

—Creíste que me había ido —le dijo.

Ella asintió.

Él hizo una mueca irónica.

—Aunque habría sido lo más sencillo, no pude hacerlo.

Ella sintió que el alma se le caía a los pies. Fuera lo que fuera lo que Hayden iba a decirle, sabía que no sería nada bueno.

—¿Por qué?

Él se inclinó hacia delante y apoyó los antebrazos en las rodillas. Dejó caer la cabeza por un momento y luego la miró.

—Anoche vine para que me explicaras por qué le habías pedido a los MacLeod que te mataran. También quería saber por qué te habías interesado por Ian tan rápidamente.

—Nunca he traído a Ian a mi cama —replicó apresuradamente.

Él la miró con fijeza, buscando la verdad. Y debió de haberla encontrado, porque asintió con la cabeza.

—¿Qué va a ocurrir ahora? —preguntó ella.

—No lo sé. Nunca había estado tan aturdido en toda mi vida, Isla. —Se dio una palmada en el muslo, se puso de pie y se quedó frente a la cama—. Nunca antes había tenido dificultades para tomar decisiones. Y no me gusta.

Ella sabía cuál era su dilema y no podía ayudarlo.

—Soy lo que soy, Hayden. Lo siento. Debería haber sido más fuerte, lo sé. Sin embargo, me convertí en una drough.

—Por tu familia. —Se detuvo y se giró hacia ella—. ¿Crees que pienso que eres débil?

Isla se encogió de hombros y se llevó las rodillas al pecho.

—Es lo que yo pienso de mí misma.

—Yo habría hecho cualquier cosa por salvar a mi familia. Cualquier cosa. Hiciste lo que tenías que hacer.

Los ojos de Hayden brillaban con intensidad. Entonces Isla supo que, efectivamente, él haría lo que fuera necesario por su familia. Y, en ese momento, todos los habitantes del castillo MacLeod lo eran.

Todos menos ella.

—¿Por qué estás tan confundido? —Aunque conocía la respuesta, quería que él se la dijera.

Hayden dejó escapar el aire entrecortadamente y apartó la mirada.

—Ya sabes por qué.

—Dilo.

—¿Por qué? Ya conoces la razón.

Isla no pensaba ceder en eso. Hayden iba a tener que admitirlo delante de ella, y ante sí mismo.

—Dilo.

Él la miró. Bufó por la nariz y sus rasgos se endurecieron.

—Muy bien. Eres una drough y yo odio a los drough. Juré a mi familia que los mataría a todos, especialmente a los que los asesinaron.

Por fin. Isla había querido oírselo decir, pero ahora que lo había hecho, desearía no habérselo pedido. Hayden odiaba lo que ella era. ¿Cómo podían seguir viéndose? Ni siquiera la noche que habían compartido, cuando ella había pensado que Hayden se había abierto a ella, había conseguido cambiar aquello.

La única respuesta era que no podían.

Él dejó escapar el aire con fuerza.

—Siempre he protegido a mi familia. Yo era la persona en quien se apoyaban, y les fallé. No estaba allí para luchar contra los drough.

Aunque ella quería decirle que no era culpa suya, sabía que no la escucharía. Era más fácil culparse a sí mismo que aceptar que nada podría haber evitado lo que le había ocurrido a su familia.

—Me gustaría hacerte una pregunta —dijo Isla—. Si hubieras sabido que era una drough cuando me encontraste en Cairn Toul, ¿me habrías dejado allí?

Hayden apretó la mandíbula y se le movió un músculo.

—Sin dudarlo.

Por lo menos, le estaba diciendo la verdad. No era lo que ella quería ni necesitaba oír, pero era cierto.

—Después empecé a conocerte. La atracción que hay entre nosotros comenzó en el mismo instante en que te encontré en Cairn Toul. A pesar de que intenté negarla o ignorarla, no puedo negarte ni ignorarte.

Sus palabras actuaron como un bálsamo para el alma de Isla. Aun así, veía el tormento en sus ojos negros, veía cuánto sufría por su presencia. Aunque la deseara, ella no le gustaba.

—Me iré pronto. Tu vida podrá volver a la normalidad.

—¿Quieres decir que morirás o que te marcharás?

Isla ya había decidido que, de cualquier manera, les pediría a los MacLeod que le cortaran la cabeza. La noche anterior no había mentido; estaba cansada de llevar aquella vida.

—¿Importa? —Él apartó la mirada y ella sonrió con pesar—. Ah. Entiendo. Quieres asegurarte de que muera para que haya una drough menos.

—Yo no he dicho eso.

—No tienes que decirlo. Lo veo en tu cara.

Cuando la miró, la furia se le reflejaba en el rostro.

—No pongas palabras en mi boca.

—Entonces, ¿crees que Escocia sería un lugar mejor con menos drough?

—Isla, ya basta.

Ella se levantó de la cama. Todavía sujetaba la sábana de lino contra ella.

—Lo único que te pido es la verdad. ¿Es demasiado pedir? Hasta ahora, has sido sincero conmigo. ¿Por qué esto es diferente? —Por toda respuesta, Hayden se quedó mirándola—. Tienes derecho a odiar a los drough. Se llevaron a tu familia de la manera más atroz. Los drough son malvados. Al pasar por la ceremonia se unen a la perversidad. Todo lo que un drough hace y dice está empapado en malicia.

—Lo sé —gruñó con los dientes apretados.

Isla enarcó una ceja.

—Entonces, ¿hay que matar a los drough?

—Sí —admitió él finalmente.

Ella cogió aire de manera superficial. Eso le había dolido mucho más de lo que había esperado.

—¿Te asegurarás de que muera? A pesar de que los MacLeod me han dado su palabra, sé que en realidad no quieren hacerlo. Con Ian pasa igual. Sé que aquí solo hay un hombre que se asegurará de que se haga.

Hayden le dio la espalda.

—No pude hacerlo cuando descubrí que eras una drough. ¿Qué te hace pensar que podré hacerlo después de haber compartido tu lecho?

—Sabes lo importante que es que Deirdre no me controle.

—Debes de pensar que soy un monstruo sin corazón.

Isla suspiró y se acercó a él. Levantó una mano con intención de ponerla en su espalda para consolarlo. Sin embargo, en el último momento cambió de opinión y dejó caer el brazo.

—No, Hayden. Creo que eres un hombre leal a la causa. Creo que eres el tipo de hombre que desea salvar a todo el mundo. Creo que eres el tipo de hombre que cumplirá un juramento, por muy difícil que sea.

Hayden se giró para mirarla.

—¿Es que quieres que todos en el castillo te den su palabra de que te van a matar?

—Sí, si debo hacerlo. Es lo correcto.

—¿Lo es?

—Por supuesto.

Él resopló y sacudió la cabeza.

—Te daré mi palabra de que terminaré con tu vida. Cuando crea que ha llegado el momento, no cuando tú lo desees.

—Si ese fuera el caso, Hayden, te pediría que me mataras ahora.

Sus palabras lo sobresaltaron. Frunció el ceño.

—¿Crees que no tienes otra opción?

—Sé que no la tengo. He vivido durante cinco siglos en una montaña maligna, rodeada de la crueldad más oscura. He vivido sola mucho tiempo, y no quiero pasar ni un día más así.

—No estás sola. Aquí no.

—No tengo nada por lo que vivir.

—¿Y si tuvieras algo? —le preguntó Hayden—. ¿Lucharías contra Deirdre?

Isla se rió, pero en su risa no había alegría. Se dio la vuelta antes de que él pudiera ver las lágrimas que le anegaban los ojos. Estaba más sola que nunca.

Después de tener a Hayden, después de haber visto brevemente cómo podría haber sido su vida con él, sabía que nada podría reemplazarlo.

—¿Cuál sería mi razón para vivir? ¿La desaparición de Deirdre? Eso puede lograrse sin mí.

—Vive por mí.

A Isla se le paralizaron los pulmones y no pudo respirar. Tenía miedo de girarse y de mirar a Hayden a los ojos para ver que se estaba burlando de ella.

¿Tendría la fuerza necesaria para enfrentarse a Deirdre? ¿Podría oponerse a una persona tan malvada? Por Hayden, atravesaría el mismo infierno.

El silencio se alargó interminablemente. Por fin miró por encima del hombro para responderle, para decirle que viviría por él.

No se sorprendió al ver que se había marchado.

31

Hayden miró su desayuno sin verlo. No tenía hambre, ni siquiera después de haberse saltado la cena del día anterior.

No dejaba de darle vueltas a la conversación que había tenido con Isla. Aunque se había despertado pronto, no había sido capaz de dejarla. Se había quedado sentado, observándola.

No creía haberse quedado mirando antes a otra persona dormir. Había sido una experiencia nueva que lo había cautivado.

Ella le había parecido tan tentadora y tan hermosa que había sido fácil olvidar que era una drough. Al ver la sonrisa en sus labios cuando se había despertado, se le había acelerado el corazón. Sin embargo, Isla había dejado de sonreír al ver que él no estaba en la cama.

Después ella le había pedido algunas respuestas que él no quería darle, que tenía miedo de darle. Cuantas más cosas le había dicho, más difícil se le había hecho. La había herido. Ella había intentado ocultarlo, pero sus palabras le habían hecho mucho daño.

No tanto daño, sin embargo, como cuando ella le había dicho que sabía que él la mataría.

Hayden no sabía de dónde habían salido las palabras cuando le había pedido, rogado, que viviera por él. En cuanto las hubo pronunciado, supo que nunca podría matarla.

Lo había dicho desde lo más profundo de su alma y, al ver que el silencio se hacía en la torre, se dio cuenta de que ella no podía o no quería responderle.

Y no la culpaba. Por eso se había marchado antes de oír su respuesta. Las cosas que él le había dicho, lo que había hecho, eran espantosas. No merecía nada por haberse comportado como una bestia.

Apoyó un codo en la mesa y una mano en la cara. Aunque oía retazos de conversaciones aquí y allí, no quería participar en ninguna.

Quería ver a Isla y, a la vez, lo temía. Después de lo que había ocurrido la noche anterior y esa mañana, no estaba seguro de cómo reaccionaría al enfrentarse a ella. Por no mencionar el hecho de verla con su guardián.

Isla le sonreía a Ian y se reía con él. Hayden odió sentir una punzada de envidia.

—Pareces un muerto —le dijo Malcolm al levantar la mirada de su plato.

Hayden se frotó la nuca.

—¿Quieres decir que me parezco a ti?

A los labios de Malcolm asomó la sombra de una sonrisa.

—Sí. Eso no tendrá nada que ver con la hermosa Isla, ¿verdad?

Hayden apartó la mirada. Sin embargo, Malcolm debió de darse por respondido, porque negó con la cabeza.

—Eso pensaba —murmuró.

—¿Por qué dices eso?

Malcolm levantó el hombro izquierdo.

—No es difícil darse cuenta de que hay un vínculo profundo entre vosotros dos. Ella está sola y sufre. Tú estás confuso y furioso. Hay una solución muy sencilla.

—¿Cuál es? —no pudo evitar preguntar Hayden. Si alguien tenía una respuesta, quería conocerla.

—Olvida que es una drough. La obligaron a pasar por la ceremonia y rechazó el mal. Según lo veo, eso la convierte en la mie más fuerte que he conocido nunca.

—Es una drough, aunque no del mismo tipo que los que he perseguido y matado. Eso ya lo sabía.

—Creo firmemente que no es una drough, así que me alegro de que hayas llegado a esa conclusión.

El sarcasmo que había en la voz de Malcolm hizo que Hayden sonriera.

—¿Crees que me estoy burlando de ti?

—Creo que, hasta que te enfrentes a lo que Isla significa para ti, no podrás ver con claridad.

Hayden se despidió de él con un asentimiento de cabeza, se levantó y salió del castillo. Había trabajo que hacer, y era precisamente lo que necesitaba para poner en orden sus pensamientos.

Cuanto más tiempo pasaba fuera Dunmore, más se impacientaba Deirdre. Sabía que ya quedaban muy pocos druidas en Escocia, pero debería haber podido encontrar uno. Era todo lo que necesitaba, un druida insignificante para sacrificarlo y conseguir magia.

Y le estaba llevando demasiado tiempo. Había vuelto a intentar conectar con Isla y no lo había conseguido. El intento la había dejado sin magia y débil. Lo odiaba.

—Necesito mi magia ya —dijo con furia.

Durante casi mil años había sido la druida más fuerte del mundo. Ahora, sin embargo, no era mejor de lo que había sido su hermana.

Desearía haber presenciado la muerte de su hermana. ¿Habría vivido hasta una edad avanzada, llegando a estar arrugada y achacosa? ¿O habría muerto cuando aún era joven?

La había buscado poco después de convertir Cairn Toul en lo que ahora era, pero no había encontrado a Laria. Su hermana no tenía magia, así que sacrificarla solo le habría provocado placer. Aquel había sido un asunto delicado con sus padres. Siendo gemelas, deberían haber compartido la magia. Sin embargo, a Deirdre le había tocado toda y, a Laria, nada.

—¡Necesito mi magia! —gritó.

Nadie la escuchó excepto los wyrran que había en la montaña. Algunas personas solían temblar cuando ella hablaba. ¿Cómo podía haberle ocurrido aquello?

Los guerreros no deberían haber podido hacerle daño, pero algo había ocurrido que le había impedido esquivar sus ataques.

Averiguaría lo que era para que no volviera a ocurrir. No se vería en esa situación otra vez.

Aunque solo era una niebla invisible, aún se sentía como si tuviera un cuerpo. Movía los brazos, levantaba las piernas y giraba la cabeza.

Por eso, cuando sintió que había algo en su habitación, algo que no era un wyrran, se dio la vuelta y vio con asombro que una nube negra se elevaba de entre dos piedras hasta rodearla.

—Deirdre, Deirdre, Deirdre. ¿Por qué despotricas tanto? —le preguntó la voz profunda, dura y fría. Era una voz suave, casi dulce, aunque ella sabía que podía volverse despiadada en un segundo.

—Mi magia ha desaparecido.

La voz de la nube se rió fríamente; su maldad era evidente.

—Por supuesto que no. Puedes hablar con tus wyrran, e incluso con Dunmore. ¿Crees que eso lo haces sin magia?

—No —contestó ella—. Pero no es nada comparado con la magia que tenía.

La nube era tan densa que no podía ver a través de ella. Sabía lo que era o, más bien, quién era. Era diabhul, el demonio, el ser que se lo había dado todo. Le servía de buen grado, y él era lo único a lo que temía.

—Te advertí sobre matar a los druidas demasiado pronto. A Dunmore le está costando encontrar uno. Podría llevarle semanas. O meses.

Deirdre se encogió. Eso no era lo que quería oír.

—Si Dunmore me falla, lo mataré.

La nube volvió a reírse.

—Ah, eres insaciable. ¿Es que crees que tu venganza no puede esperar? Los MacLeod seguirán estando ahí.

—Necesito a Isla.

—Me preguntaba cuándo llegarías a ella. Ten cuidado, Deirdre. Ya te advertí que Isla era más fuerte de lo que pensabas. Obligarla a convertirse en una drough no fue buena idea.

Deirdre no estaba preocupada.

—La controlo. No tiene manera de romper el vínculo que nos une. Mientras esté viva, es mía.

—Hmmm —dijo la nube—. No creo que puedas seguir controlándola.

—¿Por qué lo dices?

—Está con los MacLeod.

Deirdre se quedó inmóvil. Sabía que él nunca le mentiría.

—No puede escapar de mí.

—Tu furia es feroz, Deirdre. Aliméntate de ella, nútrela. Tendrás tu venganza y, ¿qué mejor forma de empezar con ella que en el castillo MacLeod? Usa a Isla para matar a los druidas. Después, deja que los guerreros la maten.

—Sí —se mostró de acuerdo—. ¿Puedes ayudarme?

Se hizo un momento de silencio. Después la nube empezó a desvanecerse y a desaparecer entre las rocas.

—Conseguirás tu deseo, pero espero algo a cambio.

—Lo que quieras.

—Más tarde te diré lo que es. Por ahora, aumenta tu magia.

Al instante, Deirdre se sintió mejor. Movió una mano delante de ella y pudo verse los dedos, en vez no ver nada, como le ocurría antes.

Se concentró en Isla y dejó que su furia creciera hasta que la consumió. Su magia aumentó lo suficiente para poder verse en el espejo.

Todavía no era sólida. Podía ver a través de su cuerpo y, aun así, estaba cerca, muy cerca.

Tendría a Isla y se vengaría. Y en cuanto la tuviera de vuelta en Cairn Toul, la castigaría una y otra vez, hasta que su ira se aplacara.

Tal vez le llevara siglos, pero disponía de tiempo. Ya nada podría detenerla.

Isla se llevó una mano a la frente. La jaqueca había comenzado poco después del desayuno como un dolor sordo y había aumentado según avanzaba el día. No importaba lo que hiciera, nada le aliviaba el dolor punzante.

—¿Qué ocurre? —le preguntó Ian, que estaba a su lado.

Isla levantó la cabeza y se obligó a sonreír.

—Me duele la cabeza.

—¿Todavía?

Ella vio la preocupación reflejada en sus ojos.

—Simplemente, estoy preocupada por todo. Se me pasará.

—¿Le has pedido a Sonya que te cure?

No pensaba pedir ayuda a menos que el dolor se volviera insoportable. Enarcó una ceja y siguió barriendo la cabaña.

—Si no me siento mejor cuando terminemos aquí, iré a verla.

—¿Por qué será que no te creo? —Ella sonrió a pesar del dolor—. ¿Te suele doler a menudo?

—No. De hecho, es la segunda vez desde que llegué.

Ian se rascó la mandíbula, cubierta de barba.

—¿Y antes?

—No como ahora.

A pesar de que siempre le dolía la cabeza antes de que Deirdre tomara el control, aquello era diferente. Aun así… ¿podría ser Deirdre?

Se le heló la sangre en las venas. No podía estar ocurriendo tan pronto. Si Deirdre ya tuviera su magia, podría haberse apoderado fácilmente de su mente.

El escudo podría haber debilitado la magia de Deirdre, aunque no lo suficiente para evitarla. A menos que Deirdre todavía estuviera muy débil. Ninguna de las dos posibilidades presagiaba nada bueno.

Si la bruja estaba lo suficientemente fuerte como para conseguir que le doliera la cabeza, solo era cuestión de tiempo, de muy poco tiempo, que se fortaleciera lo suficiente para controlarla por completo.

Isla dejó caer la escoba y se dirigió a la puerta de la cabaña. Tenía que decírselo a los MacLeod. Dio dos pasos en el exterior y se detuvo repentinamente.

El sol la cegó y aumentó su dolor hasta que apenas pudo respirar. Se dobló hacia delante y se mordió el labio para no gritar. Alargó una mano hacia la cabaña para guiarse y entonces unas manos fuertes y conocidas la agarraron.

—Te tengo —dijo Hayden.

Isla nunca se había sentido más aliviada de que la tomara en brazos. Le pasó un brazo por el cuello y enterró el rostro en su hombro.

—¿Qué ha pasado? —preguntó.

Isla oyó unas pisadas y, después, a Ian decir:

—Es su cabeza.

—Me duele —susurró Isla—. El sol me hace daño a los ojos.

Hayden acarició la parte superior de la cabeza de Isla con su mejilla.

—Te llevaré a algún sitio seguro. Confía en mí.

Nunca se le habría ocurrido no hacerlo. Mientras Hayden estuviera cerca, sabía que estaba a salvo.

32

Hayden sintió el sabor del miedo en la boca y no le gustó nada. Era peor porque veía el dolor grabado en la cara de Isla. Ella siempre mantenía sus emociones a raya, así que, si mostraba algo, debía de sentir un dolor horrible.

Se agarraba a él con fuerza mientras mantenía la cabeza enterrada en su cuello. Tenía el cuerpo tenso y estaba muy pálida.

Él deseó estar ya en el castillo o ser capaz de saltar, como hacía Fallon, de un lugar a otro solo con pensarlo.

El camino hacia las puertas les estaba llevando más tiempo del que Hayden quería. Al principio había avanzado a grandes zancadas; sin embargo, el ritmo debió de dañar a Isla, porque la oyó jadear de dolor en varias ocasiones. Había acortado las zancadas e intentaba evitar cualquier roca con la que pudiera tropezar.

Sentía la presencia de Ian detrás de él y no le importaba. Le permitía llevar a Isla mientras él podía hablar con los otros y contarles qué pasaba. Lo único que Hayden quería hacer era llevarla a algún lugar oscuro para que el sol no le dañara los ojos y la cabeza.

—Ya casi hemos llegado —murmuró—. Solo un poco más y enseguida estaremos en tu torre.

Como única respuesta, Isla presionó levemente su cuello con los dedos. Hayden nunca se había sentido tan impotente. No sabía lo que ocurría ni cómo ayudar a Isla, pero encontraría la manera de hacerlo.

De repente, Broc aterrizó a su lado y plegó sus enormes alas a la espalda.

—¿Qué ha pasado?

—No estoy seguro —contestó Hayden.

Detrás de él, Ian dijo:

—Se quejó de que le dolía la cabeza y, cuando salió al sol, la luz pareció empeorar el dolor.

—Sonya puede ayudarla —dijo Broc—. Sonya puede curar cualquier cosa.

Aunque Hayden había visto la magia de Sonya, tenía sus dudas. Sobre todo si aquello tenía algo que ver con Deirdre.

—Esperemos que tengas razón.

—Avisaré a Sonya y a los demás. —Sin más, Broc se elevó en el aire y voló hacia el castillo.

Isla gimió suavemente.

—Estaré bien. Solo necesito alejarme del sol.

Hayden no se molestó en contestarle. Se aseguraría de que, efectivamente, estuviera bien. No se detuvo a preguntarse por qué llegaría hasta los confines de la tierra para ayudar a Isla; simplemente, sabía que lo haría.

Estaba sufriendo, y lo único que importaba era ella. Lo único que importaría siempre sería ella.

Cuando llegó al patio interior, Lucan y Fallon lo estaban esperando. Hayden se dirigió a Fallon, dispuesto a rogarle que utilizara su poder.

—¿Preparado? —preguntó Fallon, y enseguida le puso una mano a Hayden en el hombro.

Un segundo después, los tres estaban en la torre. Hayden sintió que Isla se relajaba contra su cuerpo. Estaba a punto de dejarla en el lecho, pero se detuvo. La luz del sol se filtraba por la ventana y bañaba la cama en luz.

—Yo me encargo —dijo Broc.

Hayden ni siquiera se había dado cuenta de que Broc estaba en el dormitorio. Vio que cogía una manta y volaba hasta la ventana. Las alas de Broc lo mantenían suspendido mientras cerraba las contraventanas y extendía la manta sobre ellas para bloquear toda la luz.

Isla levantó un poco la cabeza y suspiró. Aunque Hayden se resistía a soltarla, sabía que tenía que estar tumbada en la cama para que Sonya intentara sanarla.

Cuando la estaba dejando, ella levantó la cabeza y susurró:

—No dejes que Marcail se acerque. Intentará quitarme el dolor, y no quiero que ni ella ni su bebé sufran ningún daño.

—Te lo prometo —dijo Hayden, y la miró a los ojos, que aún estaban empañados por el dolor—. Ahora, deja que Sonya te ayude.

Hayden dio un paso hacia atrás y, luego, otro. Tuvo que obligarse a dejarles espacio a Sonya y a Cara, aunque le resultaba difícil cuando lo único que quería era abrazar a Isla e intentar que se sintiera mejor.

Poco tiempo después, Quinn y Marcail llegaron a la torre. En cuanto Hayden vio que Marcail se dirigía a la cama, la agarró del brazo.

—Puedo ayudar —le dijo Marcail cuando intentó liberar el brazo, sin conseguirlo.

—Hayden... —lo amenazó Quinn desde detrás de él.

Hayden pasó la mirada de uno a otro.

—Le prometí a Isla que no dejaría que Marcail se acercara a ella. Tiene miedo de que intente ayudarla y de que ella o el bebé sufran daño.

Marcail suspiró y asintió.

—Muy bien. Me mantendré apartada, pero si me necesitan, no intentes detenerme otra vez.

Hayden volvió a concentrarse en la cama. Isla estaba acurrucada de lado, dándole la espalda. Tenía los labios apretados y la cara más pálida que antes.

Sonya estaba inclinada sobre ella y le hablaba en voz baja. Hayden veía que los labios de Isla se movían al responderle.

Él era un guerrero. Inmortal. Con los poderes de un dios antiguo que no tenían rival. Sin embargo, no podía ayudar a Isla. Odió esa sensación, la frustración de no poder hacer nada.

Dejó que le crecieran las garras y cerró los puños. Las garras se le clavaron en la piel y sintió que la sangre le corría entre los dedos. No consiguió calmarse.

—Sonya la ayudará —afirmó Fallon—. Dale tiempo.

Hayden miró al MacLeod de más edad.

—¿Y si no puede? ¿Y si nadie puede ayudarla?

—Entonces, se nos ocurrirá algo.

—Crees que es Deirdre, ¿verdad?

Fallon apretó la mandíbula y movió levemente la cabeza.

—Es una posibilidad.

Hayden no quería oírlo, a pesar de que sabía que podía ser verdad. No podía perder a Isla. No la perdería.

—No la vais a matar —se oyó decir a sí mismo—. Si alguien tiene que hacerlo, seré yo.

Fallon enarcó una ceja inquisitivamente.

—Le di mi palabra.

—Y yo también, anoche. Yo lo haré. —Lo mataría, pero él sería quien le diera la libertad que Isla tanto anhelaba.

—¿Estás seguro de que serás capaz? —le preguntó Fallon.

Sería lo más difícil que habría hecho nunca. Aun así, le debía a Isla al menos eso.

—Sí.

—Entonces, que así sea.

Fallon se apartó. Sin embargo, Hayden no estuvo solo durante mucho tiempo. Broc cruzó los brazos sobre el pecho sin dejar de mirar la cama, al igual que Hayden.

—Tu sangre está cayendo al suelo —le dijo como si estuvieran hablando del tiempo—. Estoy seguro de que a Isla no le gustaría.

Hayden abrió las manos.

—¿Cómo es posible que podamos hacer cualquier cosa excepto detener el dolor de los demás?

—No tengo la respuesta a eso. Sin embargo, estoy agradecido de que tengamos una druida con una potente magia curativa. Sin Sonya, ya habríamos perdido a Malcolm, Larena, Quinn y Marcail.

Hayden se miró las palmas de las manos, que ya se habían curado.

—He terminado con muchas vidas sin ni siquiera pensarlo.

—Eran guerreros y wyrran de Deirdre, Hayden. Esos no cuentan.

—¿De verdad? —preguntó—. He derramado demasiada sangre. ¿Y todos los drough que he matado? ¿Qué derecho tengo a pedir que alguien se salve?

Broc inspiró profundamente.

—Todos nos preguntamos qué derecho tenemos a hacer lo que hemos hecho. Si se puede ayudar a Isla, está en el sitio correcto.

Hayden rezó para que tuviera razón. Se le encogía el estómago cada vez que pensaba en que alguien le pudiera cortar la cabeza. ¿A cuántos drough había matado? Había perdido la cuenta, habían sido demasiados.

—¿Por fin has admitido que Isla te importa? —le preguntó Broc.

Hayden levantó la mirada y vio que Broc tenía fijos en él sus ojos marrones.

—¿Era tan evidente?

—Para todos.

—Sí, lo he admitido ante mí mismo. Y, ahora, ante ti.

—¿Lo sabe Isla?

Hayden negó con la cabeza.

—Las cosas suelen descontrolarse cuando estoy cerca de ella. Me confunde y me desorienta.

—Ah —fue todo lo que dijo Broc, pero la comprensión teñía esa única palabra.

—Nunca he querido esto.

—Los que lo buscan raramente lo encuentran. Es a quienes no lo quieren a los que llega fácilmente.

Hayden se quedó pensando en las palabras de Broc mucho tiempo después de que el guerrero saliera de la torre.

Lo único que Isla quería era que la dejaran sola. Ahora que ya no estaba al sol podía intentar concentrarse en otras cosas para ayudar a disminuir el dolor.

—Dime dónde te duele —le pidió Sonya con tono persuasivo.

Isla preferiría ignorarla, pero Sonya era muy perseverante. No se iría hasta que hubiera hecho todo lo que estaba en su mano.

—Empezó en las sienes y ahora ha bajado al cuello.

Sonya le levantó la trenza con sus dedos frescos y le frotó con suavidad la nuca.

—¿Te suele doler la cabeza?

—No.

—¿Ocurre alguna vez?

Isla no quería que nadie adivinara que Deirdre era la causante. Ni siquiera ella estaba segura, por eso deseaba que la dejaran sola, para pensar en ello.

—De vez en cuando.

—Ahora voy a intentar curarte —dijo Sonya.

Isla mantuvo los ojos cerrados con fuerza. Aunque ya no había sol, incluso las velas encendidas que permitían ver a los demás hacían que le latiera la cabeza.

Cada vez que alguien rozaba la cama, tenía que aguantar un gemido de dolor. No quería que nadie, y menos aún Hayden, se diera cuenta de cuánto le dolía.

La magia de Sonya empezó a fluir sobre ella, deliciosa y dulce. Era fuerte y pura. Isla sentía como si las ramas de los árboles estuvieran rozándola, calmándola. Era una ilusión de la magia de Sonya que solo otros druidas podían detectar, pero era estupenda y la alivió.

Un momento después, sintió más magia. Esa vez era terrosa y, como una raíz, se enrolló a su alrededor liberando energía curativa. Se dio cuenta de que era Cara.

Juntas, las dos druidas hacían todo lo que podían para hacer desaparecer el dolor de cabeza. Sin embargo, solo consiguieron disminuirlo un poco. Suficiente para que Isla pudiera abrir los ojos.

—Reservad vuestra magia —les dijo a Sonya y a Cara—. Necesito descansar.

Oyó que Hayden gritaba el nombre de Marcail. Un momento después, Marcail se arrodilló junto a la cama, con la cabeza al nivel de la de Isla.

—No —dijo Isla—. No lo hagas.

—Shh —susurró Marcail—. No te voy a quitar el dolor, aunque lo haría si me dejaras.

—Puede herir a tu hijo.

Marcail sonrió. Fue una sonrisa llena de amor y sabiduría.

—Ya siento la magia de mi bebé. No creo que le hagas daño.

—No —repitió.

—Sabía que dirías eso. Si no me dejas que me lleve el dolor, hay algo que puedes intentar. Tienes más magia que cualquiera de nosotras, así que, si alguien puede hacerlo, eres tú.

Isla sintió un paño fresco en la frente.

—¿Qué es?

—Cuando me llevo las emociones de alguien, tengo que dejar que mi magia me rodee. Si no lo hago, las emociones podrían matarme.

—Lo sabía —gruñó Quinn desde algún lugar de la torre.

Marcail no rompió el contacto visual con Isla.

—Invoca a tu magia y deja que te llene, que te proteja.

—¿Y crees que eso hará que cese el dolor?

—Me ayuda a disminuir mis dolencias cuando me llevo las emociones.

Merecía la pena probarlo.

—¿Puedes decirles a todos que se vayan?

—Por supuesto. —Marcail se levantó—. Isla quiere estar sola.

Cara le pasó otra vez a Isla el paño por la cara.

—Volveré enseguida para ver cómo estás.

Isla sonrió y cerró los ojos.

—Yo no me voy —dijo Hayden con firmeza.

Isla sintió que el júbilo la invadía. Su presencia la reconfortaba más que ninguna otra cosa. Agarró a Cara de la mano antes de que se marchara.

—Él puede quedarse.

Cara comenzó a sonreír lentamente y al final la sonrisa se extendió por todo su rostro.

—Fallon, Quinn, dejad a Hayden. Isla ha pedido que se quede.

Cara le dio un apretón a Isla en la mano y se marchó. Poco después, la puerta se cerró. La mujer postrada estaba de espaldas a la puerta, así que no sabía dónde estaba Hayden y temía que, si se giraba, el movimiento le causara más dolor.

—Nada de lo que han hecho te ha ayudado, ¿verdad?

Su voz era cálida, profunda y suave.

—Un poco.

Ella deseaba sentir los brazos de Hayden alrededor de su cuerpo, que su fuerza la rodeara. Se había sentido tan bien cuando la llevaba en brazos... Hayden la había apartado del sol y la había protegido todo lo posible. Aunque dijera que ella no le importaba, Isla sabía que sí. En el fondo, le importaba.

Y ese era el problema. Él se preocupaba por una drough. A pesar de que Hayden quería despreciarla y rechazarla, ella había detectado la preocupación en su voz y había sentido la ternura en sus manos.

Si muriera en ese mismo instante, no lo lamentaría. Había conocido la calidez de un amante experimentado, la dulzura de un fiero guerrero. Todo eso había sido solo para ella.

Al darse cuenta, sintió el corazón aumentar de tamaño en el pecho.

33

Deseaba que Hayden estuviera a su lado. Deseaba sentir sus caricias y su calor. Como si él le hubiera leído los pensamientos, se acercó a la cama y la miró.

—¿Qué puedo hacer? —le preguntó.

—Abrázame.

Él frunció el ceño.

—No quiero hacerte daño.

—Cuando me tocas, me calmas, Hayden. Te necesito.

No tuvo que decírselo dos veces. Hayden se quitó las botas de un tirón y después le quitó a ella los zapatos con cuidado. Rodeó la cama y se tumbó detrás de ella.

Isla suspiró con satisfacción cuando él pegó el cuerpo al suyo. Sentía su aliento cálido en el cuello. Hayden pegó un brazo al suyo y le cubrió con él el estómago.

—¿Es Deirdre? —le preguntó.

—No estoy segura. —Y no mentía—. Antes, cuando Deirdre asumía el poder, el dolor era atroz, aunque nunca duraba mucho.

Hayden entrelazó los dedos con los suyos.

—Entonces, ahora es diferente. ¿Es porque Deirdre ha perdido su magia?

—No ha perdido toda su magia, tienes que recordarlo. Pero sí, puede ser.

—¿Y tu escudo? ¿No la está entorpeciendo?

—Si su magia fuera débil, podría distorsionarla.

Él suspiró y la abrazó.

—Quiero ayudar.

—Ya lo estás haciendo. Más de lo que crees. —Pensó en Grania, en cómo había muerto, y se dio cuenta de que quería contárselo a Hayden—. Tengo que decirte algo.

—¿El qué?

—¿Recuerdas a la niña que Fallon encontró en Cairn Toul?

Sintió que él asentía con la cabeza.

—Sí. Era Grania.

—Así es. Mientras Deirdre luchaba contra vosotros, fui a verla. Ya había visto a Lavena y sabía que nada podía ayudarla. Sin embargo, pensé que me podría llevar a Grania de allí.

Él le apartó el cabello de un lado de la cara.

—¿Qué ocurrió?

—Luchó conmigo. Tenía una daga e intentó usarla. Dijo que Deirdre era su madre.

—Deirdre la corrompió —murmuró Hayden.

—Sí. Entonces lo supe, pero no quise rendirme. Intenté quitarle la daga y resbalamos. De alguna manera, cayó encima del arma. Ya estaba muerta cuando quise darme cuenta de lo que había ocurrido.

Él le apretó los dedos con fuerza.

—Fue un accidente.

—Aun así, la maté.

—Está mucho mejor donde está ahora. Deirdre ya no puede controlarla.

Isla sabía que tenía razón. Se alegraba de que Hayden la hubiera escuchado.

—Quiero intentar lo que Marcail me ha sugerido. Sonya y Cara han conseguido que el dolor disminuya.

—Pero aún te duele —terminó Hayden la frase por ella—. Lo veo en tus ojos y lo sé por la postura de tu cuerpo. Me gustaría quitarte el dolor, Isla. Dime lo que necesitas.

Hayden ya le había dado mucho más de lo que ella habría soñado tener y ahora le estaba ofreciendo todavía más.

—No me dejes hasta que haya acabado.

—No me iré. Mientras me necesites o quieras que esté aquí, aquí estaré.

Lo dijo con tanta convicción que Isla no tuvo más remedio que creerlo. Por fin le estaba ofreciendo las palabras que necesitaba, cuando posiblemente fuera demasiado tarde.

—Gracias.

Él la besó en el cuello.

—Venga, deja fluir tu magia para que puedas librarte de este dolor.

Isla se puso más cómoda contra él, inspiró profundamente y soltó el aire. Se sentía más relajada teniendo a Hayden cerca, y eso le dio el valor que necesitaba para prestarle atención a su magia.

Se concentró en ella, canalizó hacia ella todo lo que era, todo lo que anhelaba. Era difícil pasar por alto las palpitaciones de su cabeza. Aunque a veces perdía la magia, seguía concentrándose.

Cuando al fin la tuvo bien dominada, la centró con facilidad y la llevó a su alrededor. Pudo sentir su pulso y oyó la llamada de los antiguos druidas, los primeros que se habían asentado en Escocia tantos siglos atrás.

El martilleo de su cabeza se hacía más intenso cuanto más invocaba a su magia. Sin embargo, se negaba a rendirse. Pensó en su madre, en cómo solía sonreírle y decirle que su magia podía hacer cualquier cosa.

Isla no la había creído, nunca lo había hecho. Ahora, sin embargo, estaba decidida a conseguirlo.

Empezó a oír lo que parecían tambores tocando un compás firme y seductor. El sonido le calmó la respiración, el corazón... y fortaleció su magia.

Esta la cubrió como si fuera una cálida manta. Caía por encima de ella, pero Isla no se sentía atrapada. La calmaba, la consolaba. Era como estar flotando sobre una nube sin nada que la sujetara a la tierra.

Entonces se dio cuenta de que el dolor había disminuido considerablemente. Fue consciente de que Hayden le acariciaba el brazo con los dedos y de que tenía la erección apretada contra su espalda. Pudo oír su respiración y sentir el calor de su piel.

—Tu magia me hace esto —le susurró él—. Me arrastra, me atrae hacia ti. Quiero más de ella, y de ti. Me vuelve loco y me hace querer reclamarte con ferocidad, una y otra vez.

Ella no sabía qué decir. Nunca había oído de la magia de nadie que afectara a otra persona como le estaba ocurriendo a Hayden. Al saber que le causaba aquello, sintió que se estremecía y que el deseo le recorría la piel.

Se dio la vuelta con cuidado entre sus brazos hasta quedar frente a él. Sus ojos negros estaban nublados por el deseo, aunque la observaban atentamente mientras la tenía acurrucada contra él.

—¿Ha funcionado? —le preguntó—. Tienes los ojos más brillantes, y tu piel resplandece.

—El dolor no ha desaparecido, pero ha disminuido lo suficiente como para poder aguantarlo.

Él le acarició la mandíbula con el dorso de los dedos y frunció el ceño.

—No quiero volver a verte sufrir una agonía así.

Aunque Isla no quería hablar de ello, sabía que tenía que decírselo a Hayden.

—Hay muchas posibilidades de que sea Deirdre. Si es así, solo es cuestión de tiempo que tome el control.

—Puedes resistirte a ella.

Lo dijo con tanta autoridad que, por un momento, casi lo creyó. Sin embargo, sabía la verdad, y él también debía saberla.

—Ya lo he intentado en el pasado.

—Entonces estabas sola. Ahora tienes amigos que te ayudarán, druidas que pueden unir su magia a la tuya. Me tienes a mí. No quiero matarte, Isla.

Ella cerró los ojos por un instante y rezó para que no tuvieran que llegar a eso.

—Hoy, cuando necesitaba ayuda, me has cuidado. Te lo agradezco.

No le dio tiempo a responder. Alargó la mano por debajo de su falda y cogió su dura verga.

Su longitud y firmeza siempre la dejaban sin aliento. Cada vez que Hayden entraba en ella la llenaba, la estremecía y sentía que nunca tenía suficiente.

Lo empujó para que se tumbara de espaldas y se inclinó hacia delante para tomarlo en la boca. Cerró los labios alrededor de la punta del pene y, despacio, rodeó con la boca todo su grosor. El leve gemido de Hayden la hizo sonreír.

Cuando ya no pudo tomar más de él en la boca, cerró las manos en torno a su base y empezó a mover la cabeza hacia arriba y hacia abajo, por todo lo largo del miembro. Le encantaba su sabor, salado y masculino.

Él se agarró con fuerza a las sábanas y levantó las caderas para encontrarse mejor con la boca de Isla cada vez que ella bajaba la cabeza. Isla lo miró. Tenía el cuello tenso, los labios entreabiertos y su respiración entrecortada se oía por toda la torre.

—Isla —gimió—. Me estás matando.

Justo lo que quería oír. Estaba a punto de buscar una posición más cómoda cuando él la cogió por los brazos, la levantó y la puso sobre él.

—No —dijo Hayden, y le mordisqueó los labios—. Quiero estar dentro de ti cuando termine. Quiero sentir tus paredes comprimiéndose a mi alrededor y que me hagan expulsar mi esencia.

Le bajó la cabeza para besarla. Fue un beso lleno de pasión y promesas, de anhelo y necesidad. De excitación y esperanza.

Hayden le agarró las faldas. Quería rasgarle el vestido para admirar sus deliciosas curvas y su piel de seda. Dejó de besarla solo el tiempo necesario para quitarle el vestido y la camisa y arrojarlos al suelo.

Cuando Isla le desabrochó el pasador del tartán, él se apoyó en los codos. Ella lo ayudó a quitarse la camisa y el tartán y los tiraron cerca de las otras prendas.

Hayden alargó la mano hacia ella y, antes de que pudiera tocarla, Isla volvía a tener la boca sobre su pene. Él gimió en éxtasis y se rindió al placer.

Agarró a Isla de las piernas y la giró de manera que ella quedó tendida sobre su pecho, con una pierna a cada lado de su cabeza. Su sexo quedó desnudo para él en todo su esplendor.

Mientras continuaba dándole placer con su boca cálida, Hayden hundió un dedo en su interior y le acarició el clítoris con la lengua. El gemido de

Isla, profundo y prolongado, solo sirvió para aumentar su deseo y alimentó el ardiente anhelo que sentía por ella.

Cada vez que la acariciaba, cada vez que el deseo se apoderaba de él, el vínculo entre los dos se fortalecía e intensificaba. Había sido un necio por no haberse dado cuenta antes; ahora, sin embargo, lo veía muy claro. Y estaba dispuesto a demostrarle a Isla que podía ser el hombre que necesitaba.

Sintió que ella se tensaba y que gemía cada vez más. Hayden tenía planeado mucho más para los dos y no quería que Isla terminara tan pronto.

Hayden los movió a ambos para que ella quedara encima y se giró para poder besarla. Le dejó hacer cuando Isla lo empujó en el pecho e hizo que se tumbara de espaldas.

La sonrisa sensual y encantadora que Isla le dedicó cuando se inclinó para lamerle el estómago hizo que le diera un vuelco el corazón. Lo besó y lo lamió hasta que Hayden pensó que se abrasaría por el deseo.

Cuando creyó que ya no podía aguantar más, levantó a Isla y la sentó a horcajadas sobre él. La agarró por la cintura y la inclinó hacia delante, de manera que sus pechos le quedaban a la altura de la boca. Comenzó a lamerle el pezón hasta que se quedó brillante y se endureció.

Entonces le dedicó toda su atención al otro pecho y continuó provocándola hasta que Isla empezó a jadear y a dejar escapar pequeños gritos de placer.

Isla movía las caderas sobre él. Su dulce sexo, que ya estaba húmedo y preparado, se frotaba contra su verga palpitante una y otra vez, acercándolo cada vez más al éxtasis que lo esperaba.

Cuando ya no pudo aguantar más la exquisita tortura, alargó una mano hacia ella para guiar su miembro al interior de Isla. Ella jadeó y puso los ojos en blanco, gimiendo de puro placer. Hayden, con las manos aún en las caderas de Isla, la hizo bajar sobre su pene mientras él elevaba las caderas para embestirla.

Cuando estuvo completamente dentro, le quitó la cinta que le sujetaba la trenza. Le pasó los dedos por los mechones de cabello, largos y espesos, y dejó que se le derramaran sobre los brazos.

Vio que ella lo estaba observando con una cálida sonrisa en el rostro. Más tarde le daría las gracias a Marcail por la idea que había tenido. En ese momento, estaba feliz de ver que el dolor había desaparecido del rostro de Isla.

Para su sorpresa, ella se sentó y le puso las manos en el pecho. Movió las caderas y envió oleadas de placer a su verga y por todo su cuerpo. Él le cogió los pechos con ambas manos e hizo girar sus tensos pezones entre los dedos.

Isla gritó y movió las caderas más rápido. Con la cabeza echada hacia atrás y el cabello cubriéndole las piernas, Isla era lo más hermoso que Hayden había visto nunca, o que vería nunca.

Había sido un tonto al creer que podía ignorarla, a ella o a su necesidad por ella. Su pasión, su atractivo y su magia provocaban algo profundo y primitivo en él. Y le encantaba.

Hayden sonrió al pensar en lo encantadora que estaba cuando alcanzaba el clímax. Su cara y su rostro brillaban de satisfacción. Era una imagen embriagadora, y necesitaba verla. Ahora.

Se llevó el pulgar a la boca para humedecerlo y se lo puso a Isla sobre el sexo con los dedos abiertos sobre su estómago. Ella le hundió las uñas en el pecho al sentir el primer contacto del dedo en el clítoris.

Levantó la cabeza y su mirada azul hielo se quedó prendida en la de él. Hayden no dejaba de mirarla mientras la acariciaba con el pulgar, ejerciendo la presión justa.

Isla entreabrió los labios, con la respiración entrecortada, y movió con fuerza las caderas hacia delante y hacia atrás, tentándolo para que llegara a su propio clímax. Pero Hayden no estaba dispuesto a terminar. Todavía no.

Isla se tensó y él sintió que su sexo se le ceñía al pene durante el orgasmo. Tenía los labios abiertos y el arrobamiento se le reflejaba en el rostro. Hayden siguió acariciándole el clítoris para prolongar su placer.

Sonrió cuando Isla gritó su nombre y le clavó las uñas hasta hacerle sangrar. Era todo lo que necesitaba. Volvió a ponerle las manos en las caderas y la levantó para poder introducirse fuertemente y con rapidez en su interior.

Llegó al orgasmo enseguida, ahogándose en el abismo del placer. La embistió otra vez y sintió que su esencia se derramaba caliente y rápidamente dentro de Isla.

Isla se dejó caer sobre su pecho, con la cabeza girada hacia un lado. Los dos estaban cubiertos por una fina capa de sudor, y el único sonido que se oía en el dormitorio eran sus respiraciones entrecortadas

Hayden le acarició el cabello y la espalda. Estaba cansado de huir de Isla y de lo que había entre ellos. Tal vez nunca funcionara aunque ¿cómo lo sabría si no lo intentaban?

Por él mismo y por Isla, tenía que intentarlo. Esperaba que ella aceptara la idea. Después de todo lo que le había hecho, se merecía que Isla le dijera que se marchara. Y lo haría si eso era lo que ella deseaba.

Miró hacia la ventana y vio que la luz se filtraba por los costados de la manta. Aunque todavía era de día, Isla tenía que descansar. Y él quería asegurarse de que el dolor hubiera desaparecido.

No podía detener la preocupación constante que era Deirdre. Isla le había dicho que aquella vez era diferente, pero había visto el miedo en sus ojos. En una ocasión había jurado protegerla, y eso era precisamente lo que iba a hacer.

Le ocurriera lo que le ocurriera a Isla, iba a asegurarse de estar con ella. No tendría que enfrentarse sola a Deirdre. La ayudaría a luchar contra el mal, aunque para ello tuviera que sacrificar su propia vida.

—Duerme —susurró—. Estaré aquí cuando te despiertes.

Ella murmuró algo que no pudo entender. Hayden sonrió. Isla ya estaba medio dormida.

Y, por primera vez en años, se permitió adentrarse en un sueño profundo y tranquilo.

34

Deirdre se miró en el espejo y sonrió. Ya casi estaba completa de nuevo. Y su magia había vuelto. Cerró los ojos y pensó en Isla. La zorra traidora se había aliado con los MacLeod, y ya era hora de que recordara quién mandaba.

Para su sorpresa, había una barrera rodeando el castillo MacLeod. Y era muy fuerte. Solamente había una persona que podía tener ese tipo de magia: Isla.

Eso solo consiguió alimentar su ira. Le llevó más tiempo del que pensaba aumentar su magia lo suficiente como para penetrar el escudo.

Y entonces la encontró.

Se rió y se frotó las manos con expectación. Iba a ser muy fácil.

—Voy por ti, Isla.

Había sangre por todas partes. Cubría las paredes, las mantas y el lecho. Isla bajó la vista a sus manos y también vio sangre en ellas.

Sintió arcadas e intentó saltar de la cama. Se le engancharon los pies en la colcha y se golpeó la cabeza al caer al suelo con un ruido sordo. Sintió que el dolor explotaba por todo su cuerpo.

Se apoyó en las manos y empezó a dar patadas hasta que se liberó las piernas. Estaba desnuda y totalmente cubierta de sangre roja y espesa.

Aunque su mente le decía que no lo hiciera, miró hacia la cama. Hayden, el fuerte e imponente Hayden, yacía en un charco de su propia sangre.

Sus ojos negros como la noche estaban vueltos hacia ella. En ellos no había vida y ella todavía veía la acusación y la traición en sus profundidades.

Las lágrimas le nublaron la visión y le resbalaron por las mejillas. ¿Cómo podía haber ocurrido? ¿Cómo había podido Deirdre tomar el control sin que ella lo supiera?

—No —dijo Isla—. ¡No!

El castillo estaba inquietantemente tranquilo. Demasiado tranquilo. ¿Los demás también estaban muertos? ¿Era ella la culpable?

Tropezó y cayó en la cama porque se le habían dormido los pies por la impresión. Alargó una mano temblorosa y le apartó a Hayden un mechón de pelo rubio de la frente.

Se le detuvo el corazón al darse cuenta de que ya había visto esa cara antes.

La misma sangre, la misma mirada oscura. Había sido hacía mucho tiempo, la primera vez que había vuelto a ser ella misma después de que Deirdre la enviara a cumplir una misión.

—Dios mío —murmuró Isla—. Yo fui la que mató a la familia de Hayden. Soy la drough que ha estado buscando.

Incapaz de mirar al hombre que le había robado el corazón, el hombre al que había traicionado, se dio la vuelta y corrió hacia la puerta. Empezó a bajar las escaleras serpenteantes y dio un traspié. Gritó y comenzó a caer…

Dio un grito ahogado y se sentó en la cama. El corazón le latía con fuerza y tenía el cuerpo cubierto de sudor. Se miró las manos y no vio sangre.

Tenía miedo de lo que podría encontrar, pero necesitaba saber si había matado a Hayden. Giró la cabeza y lo encontró tumbado de lado, de cara a ella. Tenía el rostro relajado y los labios ligeramente entreabiertos mientras dormía.

Isla le acarició la mejilla con suavidad. Tenía que decirle lo que le había hecho a su familia. A pesar de que el vínculo que habían creado se desmoronaría, él tenía derecho a saberlo. Había pasado años buscando al drough responsable de tan cruel matanza.

Hayden le había dado esperanza y una razón para continuar viviendo, y ahora ella le pagaría con una verdad que lo apartaría de ella. Una lágrima solitaria le resbaló por la cara. Se la enjugó rápidamente.

No podía mantenerlo en secreto, por muy tentador que fuera. Sobre todo cuando sabía que había sido Deirdre la que le había provocado ese sueño tan espantoso. Era lo que Deirdre planeaba para ella, pero no estaba dispuesta a ser su cómplice.

Los MacLeod y los otros guerreros eran fuertes. Sabía que Hayden protegería a los druidas con su vida, y ella los ayudaría todo lo que pudiera.

Haría lo que Hayden le había sugerido y se resistiría al control de Deirdre. Se aseguraría de estar lo suficientemente lejos del castillo MacLeod para no herir a nadie.

Aunque sentía el corazón partido en dos, se levantó silenciosamente de la cama y se vistió. Intentó no pensar en la alegría y el asombro que había encontrado en los brazos de Hayden, en el amor y la esperanza que había descubierto con él.

Amor. Se le cayó el alma a los pies y se quedó sin respiración. Por todos los santos, lo amaba. Al reconocerlo, sintió que el corazón le crecía. Probablemente lo había amado desde el momento en el que había abierto los ojos en el gran salón y lo había visto mirándola.

¿Por qué después de todos esos siglos había encontrado por fin la felicidad y estaba a punto de perderla? Si hubiera tiempo, lo despertaría y haría que cumpliera su promesa. Sin embargo, sabía que Hayden se resistiría a hacerlo, y eso le daría a Deirdre más tiempo del que ella podía permitirse.

Tampoco quería despertar a los MacLeod. Era mucho mejor que se fuera inmediatamente. Había demasiadas cosas en juego. Esas personas se habían convertido en sus amigos, en su familia. Y Hayden… No quería hacerle daño otra vez. Ya le había hecho demasiado.

Ojalá hubiera otra manera de salir de la torre. No quería encontrarse con nadie, pero no tenía elección. Apartó un poco la manta de la ventana y vio que fuera estaba oscuro. Justo lo que necesitaba.

Le echó a Hayden una última mirada de anhelo, se dio la vuelta y se dirigió a la puerta. Esta se abrió sin un solo ruido. La cerró con cuidado detrás de ella y empezó a bajar las escaleras.

Con cada paso que daba, alejándose de Hayden, sentía que se le clavaba un puñal en el corazón. No pudo evitar que las lágrimas le acudieran a los ojos, y no lo intentó. Su odio por Deirdre empezó a arder intensamente, haciendo que su magia flotara a su alrededor.

Deirdre se lo había arrebatado todo. Aunque fuera lo último que hiciera, conseguiría que la bruja se arrepintiera de haberla llevado a Cairn Toul.

Entró al gran salón sin haber visto a nadie. Se detuvo en el rellano y miró a su alrededor para asegurarse de que no había nadie. Si no le dejaban otra opción, usaría la magia para escapar. Demasiadas vidas dependían de que abandonara el castillo.

Era como si el castillo contuviera el aliento con ella mientras llegaba al último escalón, atravesaba rápidamente el salón y salía por la puerta del castillo.

Apoyó la espalda contra la puerta después de cerrarla y escudriñó las almenas. Aunque su escudo seguía funcionando, los MacLeod tenía guerreros vigilando.

La entrada estaba cerrada, y aunque podría pasar por la pequeña puerta de la enorme entrada, llamaría demasiado la atención. Giró a la izquierda, hacia la poterna en el muro del castillo que estaba oculta entre la herrería y la capilla.

Se dirigió a la puerta envuelta en sombras. El pasador estaba atascado por haber pasado tantos años sin ser usado, pero al final consiguió descorrerlo. La puerta se abrió con un chirrido y el sonido fue como una explosión en el silencio de la noche.

Se detuvo y miró a su alrededor para ver si alguien lo había oído. Nadie le gritó que se detuviera. Abrió la puerta lo suficiente para pasar y la cerró apresuradamente.

Hayden encontraría el pasador fuera de su lugar y sabría que habría salido por allí. Sin embargo, para entonces ya estaría demasiado lejos para que pudiera encontrarla.

Se levantó las faldas para dar zancadas más largas. Cuando se hubo alejado lo suficiente del castillo, se dio la vuelta y miró hacia las torres, las almenas y los otros lugares donde solían ocultarse los guerreros.

Vio algo de movimiento en la parte superior del castillo principal. Si pensárselo dos veces, levantó una mano y pronunció un hechizo para que el guerrero olvidara que la había visto, al menos por el momento.

Estaba segura de que había otro guerrero, pero no tenía tiempo. Corrió hacia la aldea y se detuvo bruscamente en medio de esta.

Miró hacia los bosques y, después, hacia las montañas en la distancia. Aunque no sabía cuándo se despertaría Hayden, estaba segura de que los guerreros eran muy rápidos y no podría sacarles ventaja. Además, estaba Broc.

Tenía que haber algún sitio al que pudiera ir, donde no se les ocurriera buscarla.

Se dio la vuelta y miró el mar. La solución perfecta. Pensó en la playa que había cerca del castillo, aunque lo último que deseaba era volver a acercarse al castillo y arriesgarse a que la vieran.

Entonces recordó que Cara le había hablado de otra playa que los aldeanos solían usar para ir a pescar. Se volvió a levantar las faldas y corrió todo lo rápido que pudo.

Densas y oscuras nubes cubrían la luna y creaban una escena siniestra. No olía a lluvia, solo a magia negra.

Deirdre.

—Siempre te gustó presumir —murmuró Isla mientras corría.

Llegó al borde de los acantilados y encontró el camino que llevaba a la playa. No era tan abrupto como el que había en el castillo, aunque era igualmente peligroso.

Recorrió rápidamente el camino y se dirigió hacia el agua. La ropa le impediría nadar, así que empezó a desvestirse. Fue entonces cuando vio un pequeño bote.

¿Podía tener tanta suerte?

Se lanzó hacia él. Estaba dado la vuelta y completamente fuera del agua. Tuvo que emplearse a fondo, durante bastante tiempo, para ponerlo boca arriba. Se enjugó el sudor de la frente con la manga y lo empujó con fuerza.

Le pareció que pasaba una eternidad hasta que el bote por fin empezó a moverse y, cuando lo hizo, fue muy poco a poco. Sin embargo, Isla por fin se adentró en el agua.

Encontró dos remos y los echó a la embarcación mientras se aferraba a ella. El agua se arremolinaba a su alrededor, le empapaba la ropa y tiraba de ella hacia abajo.

Isla no luchó contra el agua. Invocó su magia y la sintió crecer y filtrarse por su piel. Iba a necesitar todo su poder. Después de dos intentos, por fin consiguió subir al bote.

Le echó un vistazo al cielo. Cualquiera que mirara hacia arriba pensaría que estaba a punto de estallar una tormenta, y así era. Aunque no del tipo que podrían pensar.

Cogió los remos y se puso en marcha. Enseguida se le empezaron a cansar los brazos, pero siguió remando todo lo rápido que pudo. Nunca parecía alejarse lo suficiente de la costa y del castillo.

Entonces recordó el escudo. Se extendía todo lo que su poder le permitía. No había manera de hacerlo más grande y expandirlo hasta donde ella quería estar. Lo mantendría en su sitio hasta que lo atravesara. Su única esperanza era que Deirdre no enviara a los wyrran a atacar el castillo cuando este fuera visible de nuevo.

A pesar de que las olas aumentaron de tamaño y la empujaban hacia la orilla, Isla siguió remando. Apretó los dientes y usó los pies como palanca para ayudarse a coger más impulso mientras movía los remos.

Supo el momento exacto en el que atravesó el escudo. La barrera crepitó durante un instante a su alrededor y desapareció totalmente. Pestañeó para apartar de sus ojos las lágrimas y la sensación de que se le rompía el corazón por Hayden. Remó y remó, alejándose cada vez más del castillo y del único hombre que había amado en su vida.

El dolor explotó en su cabeza, más violento de lo que había sido nunca.

—Tú, necia —gritó la voz de Deirdre en su cabeza—. ¿Cómo te atreves a traicionarme? Vas a saber hasta dónde llega mi furia. Cuando me encargue de ti, me rogarás que te mate. Y, primero, matarás a todos en el castillo.

El dolor palpitante continuaba e Isla quería agarrarse la cabeza y hacerse un ovillo. Sin embargo, pensó en Hayden, en lo que Deirdre le había obligado a hacerle a su familia, y continuó remando.

—¡No! —les gritó a las olas revueltas—. Sal de mi cabeza, Deirdre. No volveré a matar para ti.

—Por supuesto que sí —replicó Deirdre, riéndose—. ¡Los matarás a todos!

Al instante, los relámpagos iluminaron el cielo. Isla se encogió. Sabía que provenían de Deirdre. Podía sentir su magia negra esparcida sobre el agua.

Pero no dejaría de luchar. Lo haría por Hayden y por la amistad que le habían ofrecido todos en el castillo. Era lo menos que podía hacer por ellos. Aunque Deirdre ganara, Isla quería darles a los demás tiempo para prepararse.

Los rayos no dejaban de acercarse y el estruendo era cada vez más fuerte. Isla había visto a Deirdre usar su magia de esa manera, y el resultado había sido perturbador y brutal. Sabía que la situación no mejoraría.

El primer rayo que la alcanzó hizo que dejara caer los remos. El cuerpo se le heló en mitad de la tormenta y un calor abrasador le escaldó la piel. Gritó y se dobló por la mitad mientras Deirdre le ordenaba que regresara al castillo y que matara.

Aunque la magia de Deirdre no era tan poderosa como antes y seguía debilitada, a Isla le estaba costando mantenerla fuera de su mente. Pensar en Hayden fue lo único que hizo que volviera a coger los remos.

El guerrero supo que algo iba mal en cuanto abrió los ojos. Alargó una mano hacia la parte de la cama donde había estado Isla y la encontró fresca. Se había ido hacía algún tiempo.

Apartó las sábanas de un tirón y saltó de la cama. Cuando cogía su ropa, algo fuerte y mágico lo atravesó.

La magia de Isla.

El escudo había desaparecido, y eso significaba... que ella se había marchado.

Algo se partió en el interior de Hayden. Se rompió. Las emociones desconocidas, nuevas y gloriosas que se había permitido sentir el día anterior se derrumbaron y lo dejaron... destrozado.

Echó hacia atrás la cabeza y dejó escapar un bramido que pareció interminable. El tiempo se detuvo y la mente y el corazón comenzaron a arderle furiosamente. Su dios se liberó y Hayden no intentó detenerlo. Ahora que Isla se había ido, no lo detendría nunca más.

35

Fallon abrió los ojos al oír el primer impacto. Se sentó y miró a Larena, que estaba apoyada en un codo, observándolo.

—¿Qué ha sido eso? —preguntó ella.

Fallon negó con la cabeza al mismo tiempo que se oía el segundo impacto. Y, después, el aullido. Fuera lo que fuera, no era nada bueno.

—Lleva a los druidas a un lugar seguro —le dijo a su mujer. Saltó de la cama y se puso los pantalones.

Fallon salió corriendo de la habitación, con Larena justo detrás de él. Siguió los rugidos hasta la torre de Isla.

—Mierda —dijo Lucan, que se había acercado y se quedó junto a Fallon.

Quinn se unió a ellos poco después.

—Tenemos que subir ahí.

—Dejadme que lo haga yo —dijo Broc.

Fallon miró detrás de él y vio que también estaban Camdyn, Ian, Duncan, Arran, Ramsey y Malcolm.

—Creo que debemos ir todos.

—Yo iré por la ventana —dijo el guerrero alado.

Fallon empezó a subir las escaleras. Cada impacto era más fuerte que el anterior, y más violento. Cuando llegó a la puerta, algo se estrelló contra ella y astilló la madera.

Quinn le dio una patada a la puerta y Fallon se quedó mirando, mudo de asombro. Hayden estaba desnudo, su dios se había liberado y clavaba sus garras rojas en las paredes de piedra.

La cama estaba partida en dos y, las sábanas, hechas jirones. Hayden había lanzado la mesa contra la puerta y ahora estaba en el suelo, totalmente astilladas.

—Santo cielo —murmuró Quinn—. Isla se ha ido.

Fallon nunca había visto a un hombre más angustiado y desolado.

—Tenemos que calmarlo.

Hayden se giró hacia la puerta. Los ojos rojos de su dios brillaban de ira y de pena.

—Isla se ha ido, Fallon. Se ha marchado. Me ha abandonado.

Lucan dio un paso al interior del dormitorio y Hayden cogió la silla y se la arrojó. Fallon no perdió ni un instante más.

—Tenemos que controlarlo. ¡Vamos a tener que hacerlo entre todos! —bramó por encima de los rugidos de Hayden.

En ese momento, Broc entró por la ventana, rompiéndola. Hayden se giró hacia él con los colmillos descubiertos. Fallon aprovechó esa distracción para entrar en la torre y rodear los hombros de Hayden con los brazos.

El guerrero rojo luchaba como un salvaje, golpeando, clavando las garras y haciendo chasquear los colmillos. Fueron necesarios los diez, incluido Malcolm, para someterlo e, incluso así, se resistía. Fallon sabía que Hayden continuaría luchando hasta morir, y no estaba dispuesto a perder a un guerrero y un buen amigo.

Pasó una pierna alrededor de las de Hayden y lo hizo tropezar. Todos cayeron al suelo. El highlander desbocado había caído boca abajo, soportando el peso de todos, y tenía la respiración entrecortada y ronca.

—Escúchame, Hayden —dijo Fallon, también con la respiración acelerada—. No sabes si se ha ido.

Hayden gimió con tristeza y giró la cabeza a un lado.

—El escudo ha desaparecido. He sentido que su magia se iba.

Fallon y Quinn intercambiaron una mirada. Eso no era nada bueno. De hecho, era muy malo. Solo había una razón por la que Isla se habría marchado.

—Deirdre —murmuró Quinn.

—Podemos encontrar a Isla —le dijo Lucan a Hayden—. Podemos encontrarla y protegerla.

—Quiere que le corte la cabeza —replicó Hayden, sin escuchar a Lucan—. ¿Cómo puedo hacerlo? Le di mi palabra. Le prometí que no dejaría que Deirdre le hiciera más daño.

Fallon lo sacudió.

—Entonces, ayúdanos. Vamos a necesitarte, Hayden. Isla te necesita. Protégela como sé que puedes hacerlo.

Un momento después Hayden asintió y su piel roja empezó a desvanecerse mientras volvía a tomar el control de su cuerpo. Fallon les hizo un gesto a los demás para que se apartaran. Él fue el último en levantarse de encima de Hayden.

—¿Adónde ha podido ir? —preguntó Camdyn.

Hayden se apoyó en las manos y en las rodillas y, después, se puso de pie.

—Lo más lejos posible del castillo.

—La encontraré —dijo Broc—. No ha podido ir muy lejos.

—Lo suficientemente lejos —murmuró Hayden. Levantó los trozos de sábanas y mantas para buscar su ropa.

Fallon se dirigió a la puerta.

—Te esperaremos abajo.

A Hayden le dolía el pecho. Se sentía como si le hubieran arrancado el corazón. Sabía que había una posibilidad de que, algún día, Isla se marchara, pero no había esperado que fuera tan pronto. Debería haberlo supuesto al ver que le dolía tanto la cabeza el día anterior.

Paseó la mirada por la torre, disgustado consigo mismo por el desastre que había causado. Había destrozado las cosas de Isla. Cuando la encontrara, la compensaría.

Si la encuentras. Y si la encuentras a tiempo.

Aunque no quería pensar eso, sabía que no tenía alternativa. Dejó a un lado la camisa y se apresuró a ponerse el tartán. Se ató los extremos de la falda a la cintura y salió corriendo hacia el salón.

En cuanto hubo terminado de bajar las escaleras, Broc irrumpió en el castillo.

—¡Hayden! —lo llamó—. Ven conmigo. Ahora.

No dudó en seguir a Broc. Oía a los demás detrás de él; sabía que lo seguirían. Salió corriendo del castillo y, de un salto, pasó por encima de la puerta. No perdía de vista a Broc, que iba volando.

Los rayos le llamaron la atención. Parecían centrados sobre el mar, casi en el mismo sitio todo el tiempo. Los rayos no se comportaban así.

—A menos que haya magia de por medio —murmuró.

Vio que Broc se cernía sobre el borde de los acantilados que daban a una playa que solo había visto una vez.

—Abajo —dijo Broc.

Hayden saltó. Aterrizó suavemente y se incorporó. Oyó un ruido detrás de él y, al darse la vuelta, vio a Quinn, Arran, Ian y Duncan.

—Hemos venido a ayudar —dijo Ian—. Para lo que necesites.

—Necesito a Isla.

Broc bajó del cielo con un movimiento grácil y señaló al frente.

—Está allí, Hayden, en un bote.

Arran soltó una maldición.

—Entonces, supongo que los relámpagos son Deirdre.

—Sí —masculló Hayden—. ¿Habías visto esto antes, Broc?

El guerrero alado giró la cabeza.

—Solo una vez. Y no fue una visión agradable.

—Pero Isla es inmortal, como nosotros. Se cura.

—Lo que solo servirá para causarle más dolor.

Hayden apretó los puños con irritación.

—¿Qué podemos hacer? Tenemos que alejarla de Deirdre.

—Si es posible —intervino Duncan.

Hayden odiaba admitir que tenía razón. Si Logan estuviera allí… Podía controlar el agua. Podría conseguir que Isla volviera a la orilla en cuestión de segundos.

—Voy a nadar hasta ella —dijo, y se quitó las botas—. No dejaré que pase por esto sola.

—Lo más probable es que mueras —replicó Arran.

Sin Isla, ya no le importaba. Su vida había sido gris, sin brillo, sombría y vacía. Ella la había iluminado y le había abierto el corazón. Se lo había dado todo. Él no podía hacer menos.

—Entonces, que así sea.

—Déjame que lo intente —le pidió Broc, y se elevó en el aire.

Hayden esperó, observando a Broc volar hacia Isla. Aterrizó en el bote y, casi inmediatamente, un rayo lo golpeó violentamente.

Sacó a Broc del bote y lo lanzó al agua. Sin embargo, el guerrero no se rindió. Lo intentó de nuevo pero, cada vez que se acercaba a la pequeña embarcación, más rayos lo atacaban.

—Ya es suficiente —dijo Hayden. Había dejado que Broc lo intentara, pero si alguien iba a salvar a Isla, sería él.

Corrió hacia la playa y se quitó la falda. Había nadado en aquel mar lo suficiente como para conocer las corrientes. Se sumergió en el agua y empezó a avanzar con brazadas fuertes y seguras. Aunque no perdía de vista el bote, no veía a Isla. Rezó para que estuviera en el fondo de la embarcación y no en el agua.

Los rayos eran más frecuentes y caían cerca de él, al igual que en el bote. Nadaba tan rápido que a Deirdre le resultaba difícil saber dónde estaba.

Hayden se sumergió profundamente y nadó una gran distancia bajo el agua para confundir a la bruja. Permaneció bajo el agua hasta que vio el bote. En cuanto estuvo debajo de él, salió a la superficie.

Se apartó el agua de los ojos y se puso detrás del bote para empujarlo hacia la orilla. Aún no había avanzado mucho cuando Ian y Duncan sacaron las cabezas del agua.

—¿Qué estáis haciendo? —les preguntó Hayden.

—Pescar —dijo Duncan mientras ponía los ojos en blanco.

Ian sacudió la cabeza. Estaba sonriendo irónicamente.

—¿Qué crees que estamos haciendo, Hayden?

—Vais a hacer que os mate. —A Hayden no le importaba arriesgar su propia vida, pero nadie más debería hacerlo.

Duncan se puso a la izquierda de Hayden y apoyó las manos en el bote.

—Todos somos una familia. Y esto es lo que hacen las familias.

Hayden se quedó sin habla mientras los gemelos empezaban a empujar la embarcación. No habían ido muy lejos cuando los rayos de Deirdre alcanzaron a Hayden.

Maldijo y el cuerpo se le heló durante unos momentos, mientras la magia negra lo recorría. Sentía todo el cuerpo como si se estuviera asando sobre el fuego, por no mencionar que temía que la cabeza le explotara.

—¿Hayden? —lo llamó Ian.

—Estoy bien —logró contestar. Su dolor no era nada comparado con lo que Deirdre le estaba haciendo a Isla—. Seguid empujando.

Un momento después, los rayos golpearon el bote y los tres salieron despedidos. Hayden oyó que Isla gritaba, y el sonido le desgarró el alma. Fue todo lo que necesitó para seguir con más energía.

—¡Daos prisa! —les gritó a los gemelos.

El guerrero no recordaba haber nadado nunca tan rápido. Aunque los rayos no dejaban de caer dentro y fuera del bote, no se detuvo. No podía. Isla no necesitaba. Ignoró el dolor que le causaban los rayos y se centró en llevar a Isla hacia donde estaban los demás.

Cuando Broc y los otros se acercaron al bote, se dio cuenta de que habían llegado a la orilla. Empujó a Ian para apartarlo y miró dentro del bote. Isla estaba de lado, tenía los brazos sobre la cabeza y se estremecía de dolor.

—Isla —susurró, y la levantó en brazos.

Ella forcejeó con él, a pesar de que estaba muy débil.

—No, Hayden. Tengo que quedarme lejos. Deja que lo haga. No quiero hacerte daño.

—No puedes hacerme daño.

Volvió hacia él la cara surcada de lágrimas. Su mirada reflejaba tanto remordimiento que a él se le rompió el corazón.

—Ya lo he hecho —dijo, y negó con la cabeza—. Que Dios me perdone, pero lo he hecho. Sabía que me resultabas familiar, aunque no lo recordé hasta ayer por la noche.

—Ya basta —dijo Hayden. No quería que dijera nada más—. No importa.

Ella lloró más. Las lágrimas no dejaban de resbalarle por las mejillas.

—Sí que importa.

—Hayden —lo llamó Broc—. Los rayos nos están alcanzando. Tenemos que salir de aquí.

Isla empujó a Hayden poniendo sus manitas contra su pecho La angustia se le reflejaba en la cara.

—Deja que me vaya.

—No —respondió él—. Lucha contra esto. Resístete a ella, Isla. Sabes que puedes hacerlo.

Ella sacudió la cabeza.

—No soy lo suficientemente fuerte. Deja que me vaya.

—No pienso hacerlo.

Isla apretó los labios y él supo que estaba a punto de contarle el gran secreto. Antes de que pudiera detenerla, dijo:

—Yo soy la drough que mató a tu familia.

Cuando Hayden asimiló sus palabras, cerró los ojos. Esperaba sentir furia, traición, e incluso desear que Isla muriera. Sin embargo, lo único que quería hacer era preocuparse por ella, protegerla y quererla.

El pasado había quedado atrás, su familia llevaba mucho tiempo muerta y él había matado a muchos drough por su deseo de venganza.

Y, sin embargo, no se sorprendió al saber que había sido ella. Lo entristecía, pero sabía que había estado bajo el control de Deirdre. No había sido culpa de Isla, como tampoco lo había sido de ninguno de los drough que había matado a lo largo de los años.

—Lo sé. No importa. Por favor, te necesito.

—Hayden —dijo ella, y apoyó la cabeza en el pecho.

Se estaba rindiendo. Su Isla, su hermosa Isla, valiente y valerosa, se estaba rindiendo. No podía permitir que lo hiciera. Ella tenía que saber que permanecería a su lado, que le gritaría al mundo que era suya.

Antes de que pudiera decir nada, un rayo los alcanzó. Hayden habría absorbido todo el dolor de haber podido hacerlo. Lo mataba oír a Isla gritar y ver que se convulsionaba.

—¡Nunca la tendrás! —gritó Hayden al cielo—. ¡Ya no vas a poder dominar más a Isla!

De repente, el cuerpo de Isla se quedó laxo entre sus brazos. Hayden sabía que, cuanta más magia negra usaba Deirdre, más se debilitaba la magia de Isla. Se arrodilló entre la playa y el agua aún con ella en brazos, rezando silenciosamente porque viviera.

La sacudió suavemente hasta que abrió los ojos y fijó en él la mirada.

—Estoy aquí para ayudarte a luchar contra ella —le dijo—. Me quedaré a tu lado, pase lo que pase. He sido un completo necio. Cuando me desperté y vi que te habías ido, me di cuenta de lo desesperadamente que te necesito en mi vida.

—Shh —dijo Isla, y le puso un dedo en los labios—. Está bien. No tengo miedo de morir. Si tú no puedes cortarme la cabeza, alguno de los otros lo hará. Deirdre os quiere matar a todos, y no puedo rechazar su ataque durante mucho más tiempo. Creí que era más fuerte, pero veo que no.

—¡No! —gritó él—. Nadie va a matarte, no permitiré que lo hagan. Eres mía, Isla. Te necesito. Te quiero.

En cuanto hubo pronunciado esas palabras, Hayden supo que eran ciertas, que siempre lo habían sido. Sin Isla, no era nada.

Ella pensó que no lo había escuchado bien, y por su expresión él debió de darse cuenta, porque sonrió y le acarició la cara.

—Te quiero —repitió, y en sus ojos se reflejaba la verdad—. Eres una druida muy poderosa, Isla. Sé que puedes vencer a Deirdre. Vive. Vive por mí, por nosotros.

Ella había afirmado que no tenía nada por lo que vivir y Hayden le había dado la mejor razón de todas. La esperanza empezó a florecer en su corazón y a sanarle el cuerpo.

Más rayos cayeron en la arena, cerca de ellos y, con el rabillo del ojo, ella vio que uno de los guerreros caía de rodillas. El poder de Deirdre crecía cada vez que alcanzaba a alguien, especialmente a ella. Era como si se estuviera alimentando de su magia y su dolor. Y tal vez fuera así.

¿Podría hacer lo que Hayden le había pedido y luchar? ¿Se atrevería a intentarlo? En ese instante supo que tenía que hacerlo por él.

Cuando estaba a punto de incorporarse, un rayo la alcanzó. El dolor era insoportable. Sentía el cuerpo hervir, la sangre se le espesó y se le ralentizó en las venas. Apenas podía mover los brazos y las piernas, y no dejaba de escuchar la voz de Deirdre ordenándole que matara, esperando que se debilitara lo suficiente para tomar el control de su cuerpo.

Entonces, Hayden la besó en los labios.

Isla lo abrazó con fuerza, como si su vida dependiera de ello... y así era. Sentía el agua lamiéndole los pies. Invocó su magia y dejó que el agua la alimentara, la hiciera crecer, hasta que la rodeó por completo.

¡Mátalos a todos!, le gritaba Deirdre en la cabeza. *No puedes ganar, y cuanto más te resistas, más sufrirás y más sufrirán ellos.*

Aunque el pánico intentó apoderarse de ella, se concentró en su magia, en su pureza e influencia, y en el amor de Hayden. Creció y creció hasta que sintió su poder.

Usó la magia y empujó a Deirdre dentro de su cabeza. Para su sorpresa, sintió que la soltaba un poco, aunque no demasiado.

Isla lo hizo una y otra vez, y en cada ocasión le sacaba más ventaja a Deirdre.

Hayden no separaba los labios de los suyos. La mantenía apretada contra su pecho, dándose totalmente a ella. E Isla no pensaba defraudarle.

Siguió empujando a Deirdre hasta que, por fin, escuchó un fuerte chasquido en la mente. Gritó, todo su cuerpo se tensó y la cabeza le cayó hacia atrás.

A pesar de que podía sentir que Deirdre intentaba mantener el poder, lo que ella había hecho había funcionado. Solo necesitaban un poco más de magia para romper para siempre ese vínculo con el mal.

Isla giró la cabeza hacia Hayden y lo miró a los ojos, oscuros como la noche.

—Te quiero.

Oyó el grito de rabia de Deirdre y cómo amenazaba con matarla. Después, se fue.

Los únicos sonidos que se escuchaban eran las olas y a alguien maldiciendo. Isla no podía dejar de temblar. Había creído que iba a morir.

Le hubiera gustado alegrarse al oír la voz de Hayden pero, con Deirdre ordenándole que matara a todos en el castillo, no había querido que él estuviera cerca, por miedo a someterse a la magia de la bruja y matarlo.

—Lo siento —le dijo—. Siento mucho lo de tu familia.

Él le acarició la espalda con sus grandes manos y la atrajo hacia él.

—No fue culpa tuya, sino de Deirdre. Todo esto es culpa suya.

—¿Estáis heridos? —les preguntó Broc.

Isla negó con la cabeza y Hayden contestó:

—No.

—Bien. ¿Se ha ido, Isla?

Ella giró la cabeza para poder ver a Broc y a los demás.

—Se ha ido de mi mente. Para bien, creo.

Broc sonrió y desplegó las enormes alas.

—Hayden puede llevarte al castillo. Se lo diremos a Fallon, a Lucan y a los otros.

Quinn fue el último en marcharse. Les sonrió, asintió con la cabeza, giró sobre sus talones y se dirigió al sendero.

Isla tragó saliva. De repente, se sentía nerviosa ahora que se habían quedado solos. Se incorporó despacio entre los brazos de Hayden y se acercó, tambaleándose, al mar. Una vez dentro, dejó que su magia la fortaleciera.

Sentía a Hayden detrás de ella y se estremeció cuando le puso las manos en los hombros. Luego se las bajó por los brazos.

—Has dicho que me quieres. —En su voz había un timbre extraño, casi como si tuviera miedo de decirlo.

—Sí.

—Después de todo lo que te he hecho y te he dicho, ¿cómo puedes quererme?

Ella se giró en sus brazos para mirarlo.

—Te quiero por quien eres. ¿Cómo no podría enamorarme de ti? ¿Y tú? ¿Todavía te importo, a pesar de lo que he hecho?

—Lamento la pérdida de mi familia y quiero venganza por sus muertes, pero me vengaré cuando Deirdre esté muerta. Tú me das fuerza. Tú eres la única que me hace ver que en el mundo hay bondad. No sería nada sin ti.

Isla sintió que las lágrimas volvían a inundarle los ojos. Él le enjugó una que le resbalaba por la mejilla y después la besó.

Isla se puso de puntillas y lo abrazó por el cuello mientras Hayden profundizaba el beso. Sus risas se mezclaron con el alba. Él la levantó y giraron juntos hasta caer en el agua.

De alguna manera, Isla había derrotado a Deirdre. Pero no era eso lo que celebraba ella, sino el amor que había encontrado en Hayden.

Epílogo

Hayden no podía dejar de sonreír. Aunque casi lo perdía todo por segunda vez en su vida, había conseguido mantenerlo. Especialmente a Isla.

Sentado en el gran salón con los demás, riéndose y charlando, paseó la mirada por los miembros de su nueva familia. Y el amor de su vida.

—¿Eres feliz? —le preguntó a Isla.

Ella lo miró con sus ojos azul hielo y le dedicó una sonrisa radiante.

—Nunca he sido más feliz. No pensaba que fuera posible. No para mí.

A pesar de que todavía quedaba mucho por hacer y aún estaban en guerra, el castillo había estado de fiesta todo el día. Deirdre había atacado a Isla, esta la había vencido y eso era motivo de júbilo.

Más importante era que Hayden ya no pensaba que Isla era una drough. Era suya, y eso era lo único que necesitaba.

—¿Qué va a ocurrir ahora? —preguntó Isla.

Él entrelazó los dedos con los suyos.

—Estamos juntos. Eso es lo único que necesito.

—No sé si sigo siendo inmortal.

—Entonces, te cuidaré mucho más —le prometió—. Siempre te cuidaré.

Ella apoyó la cabeza en su hombro y suspiró.

—Tenemos un camino muy difícil por delante.

—Lo recorreremos juntos.

—Juntos —repitió Isla, y lo miró.

Hayden se aclaró la garganta y miró alrededor. Era un hombre reservado, así que no quería que los demás escucharan lo que estaba a punto de decir.

—¿Hayden? —preguntó Isla.

Él se llevó su mano a los labios y le besó los nudillos.

—Aunque no te merezco, no dejaré que te vayas. Nunca pensé que me encontrara en esta situación, Isla, pero tengo que hacerte una pregunta.

—¿Cuál?

—¿Quieres casarte conmigo?

Ella tragó saliva y parpadeó.

—Sí, Hayden Campbell, estaré encantada de ser tu esposa.

Cuando Hayden la tomó entre sus brazos, se oyó una gran ovación en la estancia. Debería haber sabido que todos los oirían, aunque no le importaba.

Llegaron las felicitaciones. Todos los guerreros se acercaron a ellos. Los MacLeod y sus esposas fueron los últimos.

Marcail abrazó a Isla y les dijo:

—Sois perfectos el uno para el otro.

Quinn se rió y chocó el brazo con el de Hayden.

—Enhorabuena. Te dije que, cuando encontraras a la mujer adecuada, la vida se te complicaría, aunque en el buen sentido.

Hayden le sonrió a Isla.

—En un sentido muy bueno.

Cara le cogió una mano a Isla.

—Vamos a celebrarlo. No nos dicen todos los días que vamos a tener una boda.

—Sí, eso parece —intervino Lucan.

Larena se encogió de hombros y miró a Fallon.

—A lo mejor deberíamos considerar la idea de pedirle a un sacerdote que viva aquí. Después de todo, puede que haya más bodas.

Duncan resopló sonoramente.

—No hables por todos, Larena MacLeod. Yo estoy bien así.

Hayden y Quinn sonrieron, porque sabían mejor que nadie lo que podía ocurrir cuando uno menos se lo esperaba.

El grito de rabia de Deirdre resonó por la montaña y lo llenó todo, filtrándose por las grietas. Los animales, presos del pánico, corrieron a refugiarse, porque el mal que crecía en Cairn Toul se estaba fortaleciendo todavía más.

En algún lugar no muy lejano, un guerrero levantó la cabeza al oír el grito y sonrió al darse cuenta de dónde procedía.

Se dio la vuelta y se dirigió a Cairn Toul.

PANDORA